LES CHASSEURS DE GARGOUILLES

Vous pouvez consulter le site de l'auteur à l'adresse suivante :
johnfreemangill.com

JOHN FREEMAN GILL

LES CHASSEURS
DE GARGOUILLES

Traduit de l'américain
par Anne-Sylvie Homassel

belfond

Titre original :
THE GARGOYLE HUNTERS
publié par Alfred A. Knopf, une division de Penguin Random
House LLC, New York

Retrouvez-nous sur www.belfond.fr
ou www.facebook.com/belfond

Éditions Belfond,
12, avenue d'Italie, 75013 Paris.
Pour le Canada,
Interforum Canada, Inc.,
1055, bd René-Lévesque-Est,
Bureau 1100,
Montréal, Québec, H2L 4S5.

ISBN : 978-2-7144-7385-1
Dépôt légal : mars 2018

Belfond | un département **place des éditeurs**

place
des
éditeurs

Pour Julina, qui a toujours cru

« New York, ton nom est insolence
et hyperbole. Et grandeur. »

Ada Louise HUXTABLE

« Si jamais on arrive à tout finir,
ça sera un endroit formidable. »

O. HENRY

Prologue

Les fantômes de New York

POURQUOI RESTER À NEW YORK ? Nous autres, membres de cette curieuse tribu connue sous le nom de New-Yorkais de naissance, pourquoi continuons-nous de hanter, d'une décennie à l'autre, cette ville que nous aimons tant, cette ville qui nous a donné forme dans toute notre prétentieuse et pédante excentricité, au moment où elle succombe aux bulldozers et devient méconnaissable ?

Nous sommes habitués au chaos, aux distractions quotidiennes, nombreuses, exotiques : et pourtant, chaque fois qu'une rue est éventrée, nous sommes saisis d'un étonnement mystérieux, d'une douleur inexplicable. Nous remarquons à peine l'ambulance qui nous frôle, sirène hurlante, ou l'homme déguisé en pieuvre qui tente péniblement de franchir le portillon du métro avec ses tentacules : mais qu'on abatte le Howard Johnson, sur Times Square, le Cedar Tavern ou Rizzoli, qu'on ferme H&H Bagels, CBGB ou le Ziegfeld, et nous nous tordons de douleur, comme si l'on venait de nous couper un bras.

« Bon Dieu, il y a bien trop de fantômes ici pour moi, m'a confié l'an dernier Quigley, ma grande sœur – elle n'en pouvait vraiment plus, cette fois-ci, elle allait déménager pour de bon. J'en ai assez de me sentir en exil dans ma propre ville. »

Mais pourquoi suis-je resté, moi dont les fantômes sont au moins aussi encombrants que ceux de Quigley ? Pourquoi ne puis-je me sentir moi-même que dans cette ville de fous, cette ville qui vous brise le cœur et se dévore elle-même ?

Et vous, donc ? Si vous vivez à New York depuis assez longtemps pour en vouloir à ces saletés d'immeubles de luxe qui rejouent *Godzilla contre Bambi* avec vos restaurants, vos épiceries ou vos librairies favorites, c'est que la ville vous appartient, à vous aussi, et qu'elle grouille de fantômes taillés sur mesure.

Quant aux miens, quant à moi, je vais vous parler pour l'essentiel de choses qui se sont produites dans les années 1970. Mais c'est vers la fin de l'année 1965, alors que j'étais sur le point de fêter mes cinq ans, que je compris pour la première fois ce que c'était que d'aimer une ville qui ne me le rendrait jamais.

Nous n'étions même pas à New York, ce jour-là. Avant l'aube, nous nous étions tous entassés dans la Coccinelle familiale, pour une destination mystérieuse que mon père tenait à garder secrète. C'est le virage à gauche devant l'abattoir qui me réveilla, la secousse enfonçant un peu plus ma tête dans la tiédeur côtelée de son aisselle gainée de velours. Par la vitre de notre petite voiture, dans un clignotement de lumières jaunes, des hommes en tabliers souillés de sang nettoyaient le trottoir avec des tuyaux d'arrosage ; des nuages de vapeur s'élevaient dans la nuit. Sur un grand mur de brique, caressée par la lumière de nos phares, une vache aux couleurs délavées ; de ses lèvres sortait une bulle proclamant : « Le bœuf, c'est vachement bon ! »

Nous continuâmes de rouler ; l'obscurité l'emportait encore sur la lumière. Quigley et maman, sur la banquette arrière, bredouillaient des murmures hébétés. Lorsque nous eûmes atteint un point magique de l'autoroute (encore qu'à mes yeux il n'eût rien de remarquable), papa braqua vigoureusement et gara la Coccinelle dans une prairie tendre et marécageuse. Trois ou quatre véhicules avaient suivi son exemple mais papa s'en fut à pied sans les attendre ni leur faire signe. Avec lui, c'étaient les autres, toujours, qui devaient suivre le mouvement.

Les herbes du marais étaient juste assez hautes pour me gifler ; et le bruit de succion que faisait le sol humide sous les semelles de mes Keds ne me disait rien qui vaille. Si bien que papa finit par me prendre dans ses bras. Je m'assoupis sur son épaule, bavant tranquillement au rythme de ses muscles saillant sous sa chemise. Je faisais partie de son être ; mon corps inerte se soulevait et s'affaissait sous l'effet de sa respiration. Lorsque je rouvris les yeux, la nuit commençait à pâlir ; nous traversions un paysage baigné d'ombre et parsemé de longues et lourdes formes. Elles nous encerclaient, proliféraient tout autour de nous, pointant toutes dans des directions différentes, et se chevauchaient comme de titanesques bâtonnets de mikado. La terre craquait sous les chaussures de papa tandis qu'il se frayait un chemin entre ces traîtres obstacles, sa grosse main plaquée sur mon dos. Ça sentait le brûlé.

Juste au-dessus du marais, le jour maintenant illuminait le ciel, de plus en plus intensément, jusqu'à ce que les ombres colossales qui nous assiégeaient revêtent enfin les formes majestueuses et délabrées de colonnes classiques par dizaines, renversées, brisées, abandonnées dans cet empire de décombres. Papa me reposa à terre. Nous étions entourés par les vestiges d'on ne sait quelle civilisation, perdue, sublime – tous s'en rendaient compte, même moi, la quantité négligeable. Et nous étions venus là pour pique-niquer.

Papa installa sur l'herbe un panier en osier et maman sortit une nappe à carreaux blancs et rouges dont elle recouvrit un tronçon cylindrique – un morceau de colonne guère plus haut que la table ronde de notre cuisine, en ville. Les amis de mes parents, le reste de notre

13

clan étendu, commençaient à arriver eux aussi, se faufilant entre les éléments de cette majestueuse décharge, dont la contemplation faisait venir d'immenses sourires un peu niais sur leurs visages.

Il y avait tant à voir : briques concassées, rambardes de fer forgé aux formes torturées, gigantesques fragments de pierre blanc rosé, sculptées de feuilles et de volutes. Çà et là, la terre fumait : de fines langues friselées, s'élevant des ruines jusqu'au ciel. Émergeant en diagonale d'un tas de pierres, à quelques mètres à peine de notre table de pique-nique improvisée, se tendait un bras de femme taillé dans une pierre blanche aux veines complexes, majeur et annulaire cassés net à la deuxième phalange.

Ce fut un splendide pique-nique. Quig et quelques autres gamins, bien plus grands que moi, couraient dans tous les sens et sautaient de colonne en colonne, les bras en croix pour ne pas perdre l'équilibre. Un type barbu et maigre effleurait les cordes d'une guitare de ses pinces d'argent. Maman, les yeux noirs, le sourire aux lèvres, vêtue d'une courte robe-chandail blanche, un foulard jaune en guise de ceinture, distribuait à la ronde des récipients dépareillés – vieux verres siglés des Mets subtilisés au Polo Ground, pots à moutarde de sa marque favorite vidés et récurés. Au centre du décor se tenait papa, chef incontesté de l'expédition : il servait le vin rouge, coupait d'épaisses tranches de chorizo et lançait aux convives des figues incroyablement sucrées, dénichées dans un magasin de Little Italy.

Ce n'était pas rien d'être le rejeton de cet homme-là. J'étais, et de loin, le plus jeune de la compagnie, mais j'y régnais en petit prince, assis tout près de mon père, baignant dans le reflet de sa gloire et l'aidant à ouvrir les bouteilles avec un tire-bouchon qui ressemblait à un bonhomme aux bras et jambes en croix. Tout le monde avait les yeux tournés vers nous, tout le monde cherchait à attirer l'attention de papa. On m'ébouriffait les cheveux.

Un accessoire important avait été oublié dans une des voitures, une cocotte ou une glacière, peut-être. Maman partit à sa recherche. Le type aux pinces d'argent posa sa guitare pour lui donner un coup de main. Quelqu'un se mit à jouer avec un frisbee.

Les adultes avaient de nombreux sujets de conversation. Ils déambulaient entre les ruines par groupes de deux ou trois, touchant du bout du pied des objets à demi exhumés, émettant des hypothèses. Hormis papa, personne n'avait jamais visité les lieux. Il m'emmena en compagnie d'un couple marié – l'homme et la femme aux chevelures similairement bouclées – le long d'une route où les roues des camions avaient creusé des ornières. À gauche, à droite et de nouveau à gauche, jusqu'à ce qu'il trouve ce qu'il cherchait : le plus gros cadran d'horloge que j'aie jamais vu, planté de travers sur un tas de décombres, semblable à une soucoupe volante naufragée. C'était un grand disque blanc incrusté de lettres de métal noir là où auraient dû se trouver les chiffres. Des I, surtout, mais aussi quelques V et autres X mélangés au reste. Les aiguilles manquaient.

Papa grimpa sur le monticule jusqu'au cadran et sortit de sa poche arrière une pince-étau dont les mâchoires scintillantes me faisaient toujours penser au sourire étincelant d'un alligator. Papa ajusta la largeur de la prise en dévissant le bouton de la poignée, avant de s'emparer d'un des I, l'unique solitaire du cadran.

« Vois si tu peux le détacher pour l'offrir à ta mère, me dit-il. Je ferai un trou tout en haut, qu'elle puisse le porter au bout d'une chaîne. »

Maman s'appelait Ivy.

Il y avait, à demi enterré de biais dans les décombres, ce qui me sembla être une aile d'aigle en pierre. M'en servant comme d'une rambarde, j'escaladai le monticule, qui devait être deux fois plus haut que moi. Le cadran était cerclé d'un double anneau de métal noir qui formait comme un chemin de fer pour un train miniature autour du disque blanc. Les lettres étaient suspendues entre ces deux circuits. Je les sentis contre mes paumes, froides, un peu pointues : pourtant, elles me procuraient des prises appréciables et je grimpai jusqu'au sommet du cadran, la main tendue vers le I sur lequel papa avait fixé sa pince-étau. À l'examen, je me rendis compte que la base et le sommet du I étaient naguère scellés aux anneaux mais que quelqu'un – papa, sans doute, lors d'une de ses visites précédentes – avait scié la partie supérieure. Je n'avais plus qu'à donner quelques tours avec la pince jusqu'à ce que le I se détache également de l'anneau central.

Je m'emparai de l'outil à deux mains, avant de faire pivoter mes poignets, gauche-droite, gauche-droite, pendant que papa racontait au couple chevelu les difficultés qu'il avait rencontrées dans sa quête de la décharge où nous nous trouvions, de l'autre côté de l'Hudson. Les démolisseurs de voies ferrées – leur entreprise se trouvait dans le New Jersey ; papa les appelait « les hommes de Lipsett » – ne faisaient aucune publicité à ces chantiers : d'abord parce qu'il y avait des problèmes de sécurité, aussi parce qu'ils ne voulaient pas attirer les manifestants. Je commençais à avoir très mal aux poignets et finis par m'en plaindre à papa, qui, après s'être excusé auprès du couple, vint à mon secours.

Mes deux mains prises dans une des siennes, papa s'empara de la pince-étau et lui imprima une série de petits mouvements vifs, avant de prétexter une grosse fatigue pour que je puisse donner seul le dernier et triomphant tour de clef. Hop, le I obstiné et vaincu me sauta dans la paume. Le métal était frais sur presque toute sa longueur, avec un point plus chaud, là où nous l'avions fatigué. J'avais hâte de donner la lettre à maman. Elle allait adorer, j'en étais sûr.

Nous revînmes, papa et moi, vers le lieu du pique-nique, en prenant soin de ne pas trébucher sur deux poteaux indicateurs tombés à terre, l'un conduisant à la VOIE 6 et l'autre à la VOIE 3. Nous nous étions tellement éloignés, et cette contrée était si follement chaotique, que je doutais que nous puissions retrouver notre chemin. Les tas de décombres se ressemblaient tous, de même les traces de passage laissées par les camions ; avec toutes ces pierres, ces briques, ces colonnes renversées, on n'avait pas plus de trois ou quatre mètres de visibilité. Papa avait l'air aussi impérial, aussi assuré que d'ordinaire, et j'aimais explorer avec lui ce paysage de ruines, sans personne autour de nous, les deux plus grands explorateurs de la planète découvrant l'inconnu côte à côte.

Des lambeaux sonores parvenaient à nos oreilles de temps à autre, cris des mouettes, grondement distant des moteurs couvrant le crissement de nos pas. Papa avança sans faiblir, de sa démarche habituelle, si ferme, jusqu'à ce que survienne une hésitation peu coutumière, entre le sursaut et le vacillement, qui me fit m'arrêter et lever les yeux vers lui – vers son visage. Lequel avait une expression de faiblesse, presque de panique : une expérience inédite pour moi. Je suivis son regard, scrutai en même temps que lui le tas de débris, sans rien voir pourtant qu'un tumulus de gravats blessés, flanqué d'une série de longs rectangles de marbre luisant – peut-être les marches d'un grand escalier, polies par des milliers de pas.

Puis la chose m'apparut. Dans un désordre de laiton, vestige éventuel d'une rambarde, le foulard jaune de maman était noué sur un poteau de guingois. Un peu plus loin – mais à quelle distance, je ne le savais pas –, résonnait son rire. En tout cas, je crus l'entendre : un gloussement haletant, étouffé. Rire joyeux, pourtant, mais comme étranglé, émoussé. Je restai un long moment les yeux fixés sur le foulard, dans l'espoir de percevoir quelque chose que je puisse comprendre ; il n'y avait que le foulard de ma mère, flottant dans la brise, tissu délicat, presque transparent maintenant qu'il avait quitté sa taille. J'étais perplexe.

Lorsque je levai les yeux pour voir le visage de mon père, en quête d'une explication, je me rendis compte d'un fait nouveau. Il n'était plus à mon côté.

PREMIÈRE PARTIE

La ville que nous avons perdue

1

À NEW YORK, chacun a sa propre cartographie bien à lui, sa méthode personnelle, idiosyncratique, d'établir des correspondances entre la ville réelle et les monuments de son paysage intérieur. Pour cela, nul besoin des accessoires du géomètre : l'acceptation blasée du caractère éphémère des choses suffit. Pour nombre d'entre nous, il en résulte un portrait de New York à la fois distordu et fidèle, où vitrines et bâtiments disparus sont aussi tangibles que celles et ceux qui ont survécu. Parfois même bien plus. Consultez votre plan personnel lorsque vous vous promenez en ville et vous serez surpris par le nombre d'édifices apparemment anodins – un petit immeuble sans ascenseur où vous avez vécu avant de savoir vraiment qui vous étiez, le lieu où se dressait jadis le bar dans lequel vous retrouviez un vieil ami perdu de vue depuis – qui, s'arrachant soudain à l'éternelle confusion de l'heure de pointe, sollicitent votre attention. La vôtre, pas celle des autres passants. Tous, dans cette rue, ont des urgences, des rendez-vous, des vêtements à retirer au nettoyage à sec, un fromage – artisanal, ça va sans dire – à acheter. Ce lieu fondamental pour votre moi de naguère ou d'autrefois, ils n'en ont cure. Ils ont leurs propres repères.

J'ai moi aussi les miens. Le capitole pillé de mon New York personnel sera toujours la maison de la 89ᵉ Rue, entre Lexington et la Troisième Avenue, dans laquelle nous avons vécu, mes parents, ma sœur et moi, à la fin des années 1960 et dans les années 1970. Une maison Queen Anne, en brique et grès brun, festonnée de chiens couchés, de baies vitrées et de rambardes en fonte : de fait, une vraie saltimbanque, excessivement maquillée, avec ses quatre petits mètres de façade, coincée qu'elle était entre six joyeuses voisines tout aussi fantaisistes.

On peut encore la voir. En compagnie de ses six sœurs – l'ensemble a été construit en 1887 par le petit-fils de William Rhinelander, grossiste en sucre –, elle figure dans la plupart des guides d'architecture consacrés à New York (hormis les trois dont je suis l'auteur ; aucune de mes chroniques de magazine n'en fait non plus mention). Et, colossale ironie du sort new-yorkaise, les brownstones de mon enfance nous survivront à tous. Quand tout a été fini, que ses destructions complexes ont été achevées, la municipalité a pris la décision d'élever ces sept maisons au rang de monuments historiques, les enserrant dans un filet de protection à la fois trop tardif et insuffisant.

Si vous avez quelque goût pour l'architecture, vous apprécierez sans doute la maison qui fut la nôtre ; peut-être même vous arrêterez-vous un moment pour accorder un regard à son excentrique élégance. Pour autant, elle ne scintillera pas à vos yeux des significations multiples qu'elle a pour moi. De même que je puis passer devant ce vieux café – celui-là même où vous avez jadis dégusté des œufs juste avant un entretien d'embauche décisif (ou était-ce là que cette fille au cou si gracieux vous avait annoncé que tout était fini entre vous ?) – sans me douter le moins du monde que c'est ici que se dresse votre capitole.

Tous les quatre ou cinq ans, je monte les marches ébréchées de notre ancienne maison – seulement s'il n'y a personne. Je me penche sur la rambarde en fonte aux motifs travaillés, un peu de guingois, et, les mains en visière, j'essaie de voir, entre ces œillères improvisées, ce qui se passe de l'autre côté de la fenêtre vitrail.

L'autre côté, pour moi, c'est encore 1974. À cette époque – l'année de mes treize ans, l'année d'avant la visite du Président Ford, lequel, après avoir accordé un regard aux vibrants décombres de notre ville, nous avait clairement signifié qu'il n'en avait rien à foutre –, il commençait à y avoir foule dans notre petite maison de ville. C'est que ma mère, voyez-vous, avait encore adopté un vagabond, le cinquième depuis le départ de mon père, quelques mois plus tôt. Ce numéro 5 s'appelait M. Price ; il allait partager le deuxième étage avec moi, ce qui voulait dire la moitié de mon armoire à médicaments, la totalité de mon siège de W-C et sans doute mon gant en crin.

Il ne me restait plus qu'à espérer que le gars ne soit pas trop velu. Devoir attendre que ce genre de parasite ait fini de se nettoyer les parties intimes avant de pouvoir prendre sa douche, c'était déjà assez pénible : mais si l'intrus était en plus l'un de ces vieux machins en mue perpétuelle qui vous collent leurs poils sur le savon... eh bien, je déboulerais aussitôt chez maman pour lui dire le fond de ma pensée.

Je jetai un œil entre les barreaux de la rambarde du premier étage : plantée sur le palier du rez-de-chaussée, maman était en pleine discussion avec ledit M. Price. Elle lui tenait le poignet d'une main ferme, comme une infirmière qui tâte le pouls d'un malade tout en lui débitant des mensonges joyeux comme quoi Quigley et moi étions ravis de voir M. Price intégrer notre « petite famille improvisée ». M. Price était vêtu d'un complet gris sombre très froissé orné d'un mouchoir merveilleusement bien repassé saillant de sa poche de poitrine en deux impeccables pics blancs – une vraie carte postale des Alpes. Il inclina la tête, qu'il avait fort chauve, en donnant du « madame Watts » à maman avec un accent anglais un peu affecté.

Quelque chose me gênait chez M. Price, mais quoi ? Il avait l'air assez bien élevé et relativement peu velu ; pour autant, je ne me fiais pas à cette première impression. Tous les locataires de maman étaient des marginaux. Si bien que, après que M. Price eut passé quelque temps – bien employé – dans ma salle de bains et qu'il se fut retiré dans sa nouvelle chambre, qui jouxtait le salon, au rez-de-chaussée, je m'enfermai dans les chiottes pour passer ses affaires en revue. Les étrangers dans le genre de M. Price trimballent toujours ce genre de trousses de toilette ultrasnobs en cuir huileux bourrées d'accessoires de luxe, *eau de Cologne**[1] et autres.

« Griffin ! »

Ma mère tambourinait sur la porte des toilettes.

« Tu n'es toujours pas sorti ? »

J'ouvris le robinet pour étouffer l'impact sonore des effets de M. Price bringuebalant dans leurs logements d'origine. Comme je tardais à répondre, maman frappa encore à deux reprises sur le battant, d'une main plus hésitante. Ses phalanges rendaient un son mou, charnu, et je pensai aux blancs de poulet que papa travaillait toujours avant le dîner avec un attendrisseur à viande qui ressemblait à un petit maillet.

« Écoute, Griffin, l'entendis-je articuler de l'autre côté de la porte, j'ai pris une décision. Pour la ruine, tu sais. Une décision qui te concerne également. Donc, dès que tu en auras fini avec le trône, tu seras gentil de descendre au rez-de-chaussée, que M. Price ait un peu d'intimité.

— Ouais, d'accord, maman. J'ai compris. »

Ce que je lui répondais invariablement lorsque j'avais prévu de ne pas lui obéir. J'étais devenu si expert en la matière que je pouvais lui répondre « Ouais, d'accord, maman, j'ai compris » d'un ton sincère et parfaitement

---

1. Les mots en italique suivis d'un astérisque sont en français dans le texte (*N.d.l.T.*).

filial mais en y accordant si peu d'attention que les syllabes qui sortaient de ma bouche ne se transformaient jamais vraiment en mots dans mon esprit.

« Tu ne m'écoutes même pas, je parie. »

Le ton de sa voix était passablement sec.

« Mais si, maman. Si, si, je t'écoute. »

Je me remémorai aussitôt les trente dernières secondes de notre conversation. Il y a des gens qui ont la mémoire photographique : la mienne est sonore.

Je m'éclaircis la voix.

« Tu as… tu as pris une décision en ce qui concerne la ruine et… ça me concerne aussi. Donc, quand j'aurai fini de… tu t'es dit que je pourrais descendre au rez-de-chaussée, que M. Price puisse avoir un peu d'intimité. (J'inspirai profondément.) Tu vois bien que j'écoutais !

— Rien du tout ! Quand j'avais ton âge, je faisais exactement la même chose. C'est de la régurgitation. Ce n'est pas parce que tu peux répéter ce que je te demande mot pour mot que tu m'écoutes vraiment. Tu entends, quand je te parle ?

— Euh, je ne suis pas sûr, maman mais, en résumé, je crois que tu me disais que quand tu avais le même âge que moi, toi aussi tu pouvais tout répéter, et que c'était de la régurgitation. Et que ce n'est pas parce que je peux répéter tout ce que tu me dis mot pour mot que j'écoute vraiment.

— Dieu du ciel, qu'est-ce que tu m'énerves ! Quand tu auras fini, descends me voir. Point final.

— Ouais, d'accord, maman. J'ai compris. »

Après avoir soigneusement remis de l'ordre dans les affaires de M. Price, je fermai le robinet. Non, je ne descendrais pas tout de suite chez maman. J'avais un petit problème à régler – qui avait la forme d'une boule de papier fourrée dans la poche de mon pantalon en velours côtelé.

Juste avant l'arrivée de M. Price, j'avais trouvé l'une des odieuses missives que mon père ne cessait de déposer à la maison à l'intention de maman. Vif comme l'éclair, je l'avais empochée : je ne supportais pas l'état dans lequel ces messages la plongeaient. Avant même qu'elle ait fini la première phrase, ses yeux revêtaient une effroyable expression de désespoir ; puis c'était son visage tout entier qui se convulsait en une grimace de gargouille, pour ne pas pleurer. Très franchement, qui pouvait avoir envie de contempler un tel spectacle ? Chaque fois, je filais sans demander mon reste, car sinon je risquais de me transformer moi-même en gargouille larmoyante.

Je sortis de ma poche la lettre roulée en boule, m'installai sur le siège des toilettes et lissai la feuille sur mon genou. C'était sans doute la neuvième ou la dixième de ses missives interceptée par mes soins depuis qu'il avait vidé les lieux. Il était notre propriétaire (« propriétaire de tout ce qu'il mesure », disait maman), ce qui lui permettait de passer autant de fois qu'il voulait pour des inspections-surprises face auxquelles ma mère n'était jamais à la hauteur. Au fil des mois, ses visites s'étaient transformées en une série interminable de QCM infligés par un prof raté à un élève qu'il ne veut voir échouer que pour ressentir la douleur d'avoir été trahi. Une fois sur deux, il découvrait quelque chose qui le rendait fou de rage ; le cas échéant, il sortait son stylo d'un geste théâtral et rédigeait une note amère qu'il laissait à l'endroit même où la colère l'avait saisi.

Je passais une partie non négligeable de mon temps libre à faire la chasse à ces petites bouses hargneuses, dans l'espoir de les retrouver avant que maman mette le pied dedans. J'en avais déniché dans toutes les chambres de nos locataires, de même que dans le tiroir où maman rangeait ses sous-vêtements, dans son placard, dans sa palette de peintre – un petit rouleau planté dans le trou de la palette et scellé par une boulette de peinture blanche et durcie qui ressemblait à un têtard.

La note en équilibre sur mon genou avait été abandonnée près du téléphone de la cuisine. L'ire de papa prenait des accents respectables – notation banale coincée entre des messages d'amis de Quig et de l'encadreur de maman.

Ivy
Je suis passé vérifier la chaudière pour voir s'il n'y avait pas une fuite de gaz ; je suis tombé sur un Angliche obséquieux, un certain Price, m'a-t-il dit ; il emménage la semaine prochaine, si j'ai bien compris. J'espère qu'il te paie un loyer, celui-là, au moins. Je lui ai demandé ce qu'il faisait dans la vie et il s'est contenté de me rabâcher qu'il était « dans la presse quotidienne ».

Cette précision, je l'appris plus tard, était l'une des petites plaisanteries de M. Price. Il répétait à l'envi qu'il était « dans la presse quotidienne » avec un manque de précision flagrant qui laissait entendre qu'il n'était autre que l'héritier de William Randolph Hearst. Ce qui le remplissait d'une joie secrète : plus souvent qu'à son tour, il avait passé des nuits à dormir sur un banc public, le pantalon doublé de pages du *Daily News* pour se tenir chaud.

Le reste de la note était griffonné à toute vitesse et finissait sur cette récrimination : *Au rythme où tu attires ces bonshommes sous mon toit, tu dois passer bien trop de temps à leur tailler des pipes pour t'occuper convenablement de mes enfants.*

« Griffin ! »

Cette fois-ci le hurlement maternel provenait du premier étage.

« Rien, vraiment rien ne peut expliquer qu'on passe autant de temps aux toilettes ! »

La mémoire est un terrain glissant ; chaque fois que nous comparons nos souvenirs de ces années de brique et de grès, Quigley et moi, il y a toujours des détails sur lesquels nous ne parvenons pas à nous accorder. Sur une chose cependant nous sommes unanimes : les hurlements. Dans cette maison, ça beuglait en permanence. Primo, on était toujours d'humeur massacrante ; deuzio, la maison ne comprenait pas moins de cinq niveaux, et apparemment notre interlocuteur ne se trouvait jamais sur le même palier. Et enfin, tertio, on était tous passés maîtres dans l'art d'envenimer les conversations. En projetant la voix vers les étages inférieurs avec la dose adéquate de patience exaspérée, on parvenait à faire très clairement comprendre que la distance maintenue avec l'interlocuteur n'était pas seulement une contingence géographique, mais également le symptôme de quelque tare hideuse affectant ledit interlocuteur.

J'entrouvris la porte.

« Oui, bon, ça vient ! Je suis à toi dans une minute ! »

Je coinçai la lunette des toilettes avec l'une de mes Keds et déchirai la lettre de papa en deux, manœuvre que je réitérai jusqu'à ce que l'hostilité dont il faisait montre vis-à-vis de ma mère soit réduite à soixante-quatre petits morceaux. Je les laissai tomber dans la cuvette. À peine avaient-ils eu le temps de se stabiliser dans l'eau bleuie par le Sani-Flush que je défis ma braguette pour les arroser de mon plus beau jet. Ah, bonheur ! J'étais aux commandes d'un Pipi-51 de combat ; survolant la Cuvette Pacifique, je faisais pleuvoir la destruction sur la flottille ennemie. La mort venue du ciel !

La chambre de maman était plongée dans la pénombre, comme d'habitude. Quelques mois plus tôt, elle avait peint le plafond en noir et les murs en un brun-rouge brique qui donnait à la pièce un aspect crépusculaire, quelle que soit l'heure. Les rideaux, ornés de gravures aux coins déchirés représentant d'antiques tours italiennes, étaient toujours soigneusement fermés. Elle ne voulait pas que les locataires des HLM situées juste derrière la maison puissent regarder ce qui se passait chez elle.

« Je me sens agressée rien que d'y penser », disait-elle.

Ça ne la dérangeait pas du tout de ne plus pouvoir jouir de la vue sur notre bout de jardin. C'était une citadine, une vraie New-Yorkaise ; je crois qu'à ses yeux la nature avait quelque chose de presque mièvre, qu'elle y voyait une distraction sans grand raffinement, bonne pour des paysans comme papa.

Chose stupéfiante, ce jour-là, maman n'était pas installée dans son lit, lieu où elle passait le plus clair de son temps, à lire, à bavarder au téléphone et à réaliser ses gravures sur bois. Lorsque j'entendis sa voix résonner depuis l'autre bout de la pièce, je fis un bond de deux mètres.

« Les affaires de toilette de M. Price sont bien rangées ? »

Elle se tenait près de la fenêtre, vêtue d'un pull à col roulé rouge brique dont la couleur se fondait avec celle du mur. Une brise s'éleva qui écarta légèrement les rideaux ; une mince fissure lumineuse s'ouvrit dans le ventre d'un rempart italien.

« Je ne vois pas pourquoi elles ne le seraient pas », répondis-je.

Elle changea de conversation.

« Écoute, Griffin. Ton père refuse obstinément de payer quelqu'un pour démolir les toilettes du jardin. Je me demandais si tu n'étais pas disposé à le faire. »

De son ongle à l'élégant vernis brun-rouge, elle tripotait une croûte sur son pouce.

« Tu comprends, elles sont dans un tel état ; et j'essaie vraiment de mettre de l'ordre dans cette maison. »

Elle repoussa la ruine italienne pour me montrer sa contrepartie new-yorkaise. Le soleil fit irruption avec une telle intensité que j'en plissai les yeux : cependant, pour un bref et rare instant, je vis les choses par ses yeux.

Ces toilettes de jardin décrépites, ce cabanon hors d'usage, avaient toujours été là. Il se dressait au bout du terrain, le soleil s'insinuant en lames lumineuses à travers les lattes pourries de ses murs. Encore plus anciens que la maison, ces lieux d'aisances étaient censés dater de la même époque que la bicoque en bois qui en occupait jadis la place, dans ce qui était alors l'agreste village de Yorkville. D'après papa, lorsque la maison de brique (qui disposait de l'eau courante) avait été construite, les toilettes du jardin avaient été mises à la disposition des ouvriers ; après quoi, et sans qu'on en sache bien la raison – le coût ? l'attachement sentimental ? la procrastination ? –, la vieille cabane était restée debout.

Après la construction de la maison, en 1887, les toilettes avaient été abandonnées, cadenassées, adieu. Rien n'y entrait, rien n'en sortait. Sauf, il faut le dire, un arbre – une graine s'étant sournoisement introduite par la fenêtre et glissée dans la cuvette, pour prospérer ensuite dans l'engrais humain. Avec le temps, l'arbre avait épaissi, durci ; il avait poussé vers la fenêtre, avide de lumière. Difficile de dire combien de temps il lui avait fallu pour s'évader, mais la chose, de toute évidence, ne s'était pas déroulée en douceur. L'événement était inscrit dans le cadre de la fenêtre, le tronc de l'arbre jaillissant entre les fins barreaux, les écartant comme un gros poing noueux qui surgit du ventre d'une guitare. Contrairement aux êtres humains, les arbres ne peuvent rien dissimuler de leur passé.

« D'accord, je vais les démolir, ces toilettes, maman. Mais, en échange, tu me prépareras le petit-déjeuner demain matin. Je veux une omelette.

— Une omelette ? »

Maman sautait le petit-déjeuner depuis des années, nous laissant, Quigley et moi, livrés à nous-mêmes.

« Oui, enfin, si tu sais comment les faire. Genre à la gelée. Ou comme tu veux. Ce n'est pas le plus important.

— Si, si, je peux en faire une à la gelée. Ce sera une omelette à la gelée.

— Tu voudras que je te mette le réveil, maman ? Ou que je te prête un coq ? Ou un truc de ce genre ? »

Elle me concéda un demi-sourire, à regret.

« Et tu couperas la grosse branche aussi, bien sûr. »

Je voyais très bien de quelle branche elle voulait parler. C'était une des extensions incontrôlées de l'arbre à caca, un bras tordu, gonflé de veines, qui s'étendait dans le jardin pour s'arrêter à soixante centimètres de sa fenêtre.

Depuis le départ de papa, maman était atteinte de la furie du rangement. Elle faisait le ménage, elle repeignait les murs, elle jetait des choses. Cependant, comme elle rechignait à se servir de machines ou d'outils, cela faisait des mois qu'elle me demandait de me charger de cette foutue branche. Laquelle ne portait jamais ni feuilles ni fleurs. Une branche des plus ingrates.

J'en avais un peu ras le bol (c'était ma nouvelle expression favorite) qu'elle considère toujours comme acquis le fait que je doive assumer tous les « boulots de mec » que papa refusait d'accomplir maintenant qu'il était son propriétaire et non plus son mari.

« Qu'est-ce que tu entends par "et tu couperas la grosse branche aussi, bien sûr" ? »

J'avais dans la voix une intonation bien particulière. Intonation qui n'était pas nouvelle, contrairement à son nom de guerre : l'intonation ras le bol.

« Eh bien, tu m'as dit que tu voulais bien t'occuper des toilettes. La branche et la cabane, c'est lié, non ?

— Il y a des tas de choses qui sont liées, maman. Mes ongles sont liés à mes doigts : ça ne veut pas dire que, le jour où tu me demanderas de me couper les ongles, je me trancherai le pouce avec un sécateur, hop, juste pour te faire plaisir.

— Ne fais pas ton malin. Tout ce que je te demande, c'est de couper la branche.

31

— Je ne suis pas ton jardinier, maman, alors ce n'est pas la peine d'être vexante. »

(Être vexé, en avoir ras le bol, c'était la même chose, mais vexé, c'était mieux, à cause du x, évidemment.)

« Maman, le fait est que j'en ai vraiment ras la casquette de tes exigences, à un point vexant. »

Elle me lança un regard. Il y avait dans son visage quelque chose de la grimace de la gargouille.

« Tu es un jeune homme des plus désagréables.

— C'est possible, mais je suis aussi le jeune homme qui décide du sort de cette branche, à élaguer ou pas – la raison étant que tu n'as pas les moyens de payer un vrai professionnel. »

Maman s'effondra. Son cou et ses épaules perdirent toute forme, comme si le fil de fer qui structurait sa posture était sorti de son crochet. Cette allusion à l'argent était un coup bas. Maman était au bord de la ruine ; à en croire l'accord de séparation de corps de mes parents, un document qui avait pratiquement valeur d'évangile, papa était propriétaire des trois quarts de notre maison. Encore heureux, disait-elle, que les avocats de mon père lui aient même concédé ces miettes : pendant toute la durée de leur mariage, seul son nom à lui avait figuré sur leurs paperasses administratives. Ça valait mieux pour les impôts, lui avait-il toujours dit.

Après son départ, maman avait déniché un emploi à temps partiel à la rubrique Arts de *Life Magazine* : c'était son premier boulot depuis ses années d'université, pendant lesquelles elle avait été assistante dans une galerie d'art. Lors des deux ou trois premiers bouclages, elle était rentrée à la maison les mains maculées de rouge à force de s'être battue avec la machine à fabriquer la cire chaude dont on se servait alors pour fixer les éléments de maquette (tâche que son refus d'ôter ne serait-ce qu'une de ses trente-sept bagues ne facilitait guère). Il ne lui fallut pas longtemps pour comprendre la manœuvre – un accomplissement dont elle était fière, je le voyais bien. Malgré tout, cela ne l'occupait que deux semaines par mois et le salaire, apparemment, n'était pas faramineux.

Maman et moi n'avions pas dû être d'une grande discrétion, car la tête de M. Price surgit bientôt dans l'embrasure de la porte, tremblotante et penaude.

« Je vous demande pardon, déclara-t-il avec une jovialité forcée. Sans vouloir m'imposer, je l'espère, je vous rappelle que, s'il y a des corvées domestiques à accomplir ici, je suis à votre disposition. Aujourd'hui, mon emploi du temps me rend assez disponible. »

Le tout avec cet accent anglais si prétentieux.

« Maman, dis-je en me tournant vers elle, d'un ton qui visait à me faire passer pour le garçon le plus raisonnable du monde. Je vais d'abord abattre l'édifice. Après, pour la branche, ce sera selon mon inspiration. »

M. Price était encore planté sur le seuil dans son costume froissé, un demi-sourire hébété aux lèvres. Son expression était celle d'une doublure qui n'a rien compris au scénario, un majordome du *Masterpiece Theatre* infichu de se souvenir de son texte.

« Monsieur Price, dis-je en passant devant lui, nous n'avons pas besoin de votre aide. »

La cabane à outils de papa avait toujours été zone interdite – le voile de discrétion dont il enveloppait ses propres affaires était un trait maniaque bien connu de sa personnalité –, si bien que je pris le plus grand plaisir à y farfouiller, en dépit de ses recommandations. Au milieu des sacs d'engrais et des pots hérissés de tiges mortes, exsangues, gisait une collection d'outils dépareillés. En déplaçant un sac de terreau pour extraire la pince-monseigneur sur lequel il était posé, je déclenchai un glissement de terrain miniature ; derrière une boîte de farine d'os, une planche se délogea, révélant le coin d'une caisse en plastique blanc, jusqu'ici bien dissimulée aux regards. Je sortis la caisse de sa cachette et l'ouvris. Elle contenait trois petites scies chirurgicales assorties, chacune logée dans une cavité qui reproduisait ses indentations. Au centre, également enchâssé dans le plastique, scintillait un insigne de médecin orné d'un caducée qu'enserraient les deux serpents réglementaires.

La plus monstrueuse de ces scies était dotée d'une fine poignée d'argent et d'un petit disque aux dents féroces, fiché en son extrémité : on aurait dit une roulette à pizza, version film d'horreur. Ses crocs recourbés étaient recouverts d'une épaisse poussière gris-blanc au contact particulièrement déplaisant. L'ayant touché du bout des doigts, je m'essuyai rapidement les mains sur mon jean, refermai la caisse et la rendis à sa cachette. Pour une raison que je ne m'expliquais pas, ces petites scies évoquaient quelque douteuse activité de contrebande – ou pire : si ça se trouvait, elles étaient contagieuses.

Et, pour l'amour du ciel, qu'est-ce que mon père pouvait bien fabriquer avec des scies chirurgicales ? J'essayai de ne pas y penser. Mieux valait embarquer la pince-monseigneur et me mettre au travail.

Les toilettes se dressaient, pourrissantes, inutiles, au fond de notre jardin, près de la clôture, cube grisâtre et désolé enserrant le bas du tronc d'un grand et gros arbre. Enfants, Quigley et moi nous y étions souvent introduits par un trou pratiqué dans le mur arrière, dont deux ou trois planches étaient pourries. Cette fois-ci, je commençai par la porte. Elle n'avait plus de poignée depuis une éternité ; une chaîne passée dans l'orifice restant puis dans un second, percé dans le mur, retenait le battant à l'embrasure. Impossible de m'attaquer à cette chaîne : je coinçai donc la barre à mine dans les gonds antiques, en commençant par le plus bas, qui céda dans une projection de rouille. Lorsque le gond supérieur céda à son tour, le battant s'entrouvrit de trente ou quarante centimètres.

Je l'ouvris en grand : la chaîne à présent servait de gond. Dans son mouvement, la porte entraîna tout un arc de feuilles humides sur le sol en terre battue.

Je posai lentement le pied dans la bouillasse pour jeter un regard à l'intérieur. Il se dressait fièrement de l'autre côté du seuil, l'arbre à la peau rude, emplissant l'embrasure de la fenêtre comme un troll de conte de fées tout juste tiré de son sommeil et déjà prêt au combat. Je me surpris à poser la main sur l'écorce, ma paume s'attardant sur une difformité – une grosse verrue semblable par la taille et la forme à un visage.

La cabane, je m'en rendais compte à présent, était encore plus décrépite que son apparence ne l'indiquait. Partout où j'introduisais ma barre de fer, le bois cédait immédiatement ; je me mis à marteler les planches avec rage, la barre me servant à la fois de hache et de lance ; j'abattis la façade à coups de pied en poussant d'effroyables cris de karatéka – kyaaaahouuuuuu-HA ! – destinés à faire trembler la misérable chose sur ses bases. Lorsque enfin le toit céda, glissant le long du tronc incliné et s'étalant à terre, je bondis en arrière et, bouche bée, contemplai l'étrange résultat de mes efforts.

Il ne restait plus de la cabane qu'un tas de bois pourri amassé en grand désordre au pied du puissant tronc. Mais l'arbre lui-même semblait investi d'une vigueur renouvelée : jaillissant du sol, incliné vers la gauche et la fenêtre disparue, forçant la grille dont il avait écarté les barreaux – lesquels à présent étaient suspendus à deux mètres de haut, gardant jalousement un espace disparu. Il n'y avait plus ni dehors ni dedans.

De toute évidence, aucune scie ne viendrait à bout des branches de cet arbre, et tant mieux, car je voyais là l'occasion de renforcer suffisamment mes biceps pour attirer l'attention de Dani Gardner, une fille de seconde sur laquelle j'avais jeté mon dévolu. Juste au-dessus de la grille flottante, la fameuse branche difforme poursuivait son grotesque et bifide chemin vers le premier étage de la maison... L'une de ses sections était pratiquement horizontale, formant une sorte de pince-monseigneur naturelle. C'était ce point précis qui ferait de moi l'adolescent le plus balèze de tout New York.

J'avais dans l'idée de faire des pompes sur un seul bras, comme mon meilleur copain Kyle, un insupportable athlète. Mais je ne pouvais grimper sur la branche sans aide, raison pour laquelle je retournai à la cabane de jardin, où je me souvenais d'avoir vu une glacière en plastique, sur laquelle étaient peints au pochoir ces quelques mots : POMPES FUNÈBRES ET CRÉMATORIUM DECARLO. Tony DeCarlo ne m'était pas inconnu. C'était un ami de papa, un type entier, au cou épais ; nous avions vu quelques matches des Mets avec lui, et une fois il nous avait même emmenés à Shea dans un corbillard. Papa et lui entretenaient une amitié placée sous le signe du rire et de l'affection sincère. Papa avait baptisé le magasin de Tony, dans Mulberry Street, « The Body Shop ». À quoi Tony répliquait par la plaisanterie suivante : si papa et lui s'entendaient si bien, c'était qu'ils étaient tous les deux dans les antiquités. Blague à part, DeCarlo avait déjà fourni nombre de tuyaux utiles à mon père. Chaque fois qu'un veuf ou qu'une veuve passait l'arme à gauche, Tony prévenait aussitôt papa, et ce dernier pouvait alors s'adresser aux descendants éplorés afin de leur proposer ses services d'estimation et de vente des biens des défunts, meubles d'époque et autres bijoux de famille.

Mais pourquoi papa gardait-il une glacière DeCarlo dans la cabane à outils ? La question me sortit aussitôt de la tête. La glacière avait la hauteur idoine pour m'aider dans mes exercices : je la traînai jusque sous la branche horizontale, grimpai sur le couvercle et me propulsai vers la branche, à laquelle je m'agrippai des deux bras. Bientôt ma main gauche lâcha prise et je restai pendu à la branche, impuissant, pendant une fraction de seconde, avant de me laisser tomber droit sur la glacière, ce qui eut pour effet d'expulser de ses profondeurs une collection de petits objets curieusement emballés.

Mince, me dis-je. Elle est diablement vexante, cette glacière.

« Vexante » ? Plus encore, répugnante. Les petits paquets laissaient échapper une puanteur de viande pourrie. J'eus une violente nausée. Je les poussai du bout du pied dans le récipient – beurk, quelle ignominie ! –, refermai le couvercle et repartis vers la cabane de jardin en traînant la glacière. Je la rangeai à l'endroit où je l'avais trouvée et sortis le plus vite possible.

2

IL Y AVAIT DES DIABLES DANS LA CHAUDIÈRE, créatures furieuses, armées de marteaux, qui se nourrissaient de copeaux de rouille ; leur colère tenait chaud à la famille. Aux pires moments de crise, on les entendait siffler et tambouriner jusqu'au dernier étage de la maison. Le lendemain matin, ce fut ce vacarme qui me réveilla en sursaut.

Étant l'homme de la maison, je m'étais vu confier personnellement l'entretien et le ravitaillement de ces locataires : mon père avait été catégorique sur ce point. Le soir de son départ, il m'avait emmené dans notre cave suintante et avait tapoté de son index massif le récipient qui flanquait la chaudière, cylindre où croupissait une eau couleur de rouille.

« Quoi que tu fasses, me prévint-il, l'eau ne doit jamais descendre en dessous de cette ligne que tu vois là. Si tu as le malheur d'oublier cette consigne… »

Il gonfla alors les joues comme un poisson-lune et projeta ses mains vers le plafond, comme pour me dire : « Tout va péter ! »

Ma mission était de remplir d'eau le récipient tous les trois jours, à l'aide d'un antique robinet bleu. Mais en entendant le fracas métallique qui résonnait dans la tuyauterie, de la cave jusqu'à ma chambre du deuxième étage, je compris que j'avais négligé mon devoir depuis des semaines. Et, cerise sur le gâteau, j'avais encore eu une panne d'oreiller.

J'enfilai mes chaussons et me ruai dans l'escalier ténébreux, vêtu de mon pyjama jaune canari ; en passant devant la chambre de ma mère, je la vis endormie, comme d'habitude, masse inerte sur le lit. Et dire que j'avais cru à son histoire d'omelette, naïf que j'étais. Mais, avant même de marquer l'arrêt devant l'admirable et décevante majesté de sa torpeur, je manquai d'être renversé par Quigley, laquelle remontait les marches deux à deux, vêtue d'une version au rabais, Unique Clothing, de la robe à fleurs de Liza Minelli dans *Cabaret*. C'était l'une de ces matinées où Quig n'hésitait pas à orner sa pommette gauche d'une mouche affriolante, à la Liza, justement. Détail bien plus inquiétant, elle serrait contre elle une petite bouteille de lait et de l'autre ce que je savais être notre dernier paquet de Carnation Instant Breakfast.

« Bonne chance pour trouver quelque chose à manger, Marmotte ! » claironna-t-elle, en m'enfonçant un index entre les côtes, soulignant ainsi – quel humour ! – son apostrophe.

Et de continuer son ascension vers sa chambre.

Par-dessus la rambarde, le palier du rez-de-chaussée me donna une idée des obstacles à venir. En effet, un individu à la mine grisâtre venait d'émerger de la petite salle de bains, au pied de l'escalier. Il me lança un regard avant de se propulser d'un pas traînant vers la salle à manger. C'était *Monsieur** Claude, avec ses espadrilles minables ; et comme à son habitude il bâillait en se grattant le derrière.

Oui, *Monsieur** Claude passait son temps à se décrocher la mâchoire et à se gratter le cul. C'était un Français blasé, aux longs cheveux fins et hirsutes, aux yeux caves comme des nids-de-poule ; il passait pour un voyageur émérite, un fascinant citoyen du monde – « Voilà un homme qui sait vivre », disait maman. Moi, tout ce que je voyais, c'était un type en pantalon de survêtement gris avec raie des fesses apparente. Le seul talent que je lui aie jamais connu était celui de pouvoir simultanément exhaler la fumée de sa Gauloises *et* inhaler des œufs brouillés.

Cette aptitude à aspirer tous les œufs qui passaient à sa portée constituait, ce matin-là, mon problème numéro un. Certes, les démons de la chaudière requéraient mon assistance de toute urgence – mais le gargouillis de mon estomac était plus impérieux que leurs appels.

En franchissant le seuil de la salle à manger, je compris que la lutte pour le petit-déjeuner n'allait pas être une mince affaire. Une boîte de Count Chocula, déjà vaincue, gisait sur la grande table ronde à côté de Mathis, grassouillet rédacteur chez Associated Press. Lequel Mathis était penché, massif, sur son bol, dans une posture proche de celle d'un lamantin apprivoisé.

« Petit d'Homme ! s'écria-t-il noblement à mon arrivée. Que la journée te soit propice ! »

Ce qu'ayant dit, il baissa de nouveau les yeux et accéléra sa cadence de mastication, enfournant les flocons de céréales avec une telle célérité que le lait constellait de gouttelettes brun clair les verres ronds de ses lunettes.

Je m'avançai, hésitant, vers la table. Dans la cuisine, derrière Mathis, *Monsieur** Claude retirait déjà la poêle du feu. Armé d'une cuiller, il déposa une montagne d'œufs brouillés dans une de mes assiettes Hamburglar, tout en fredonnant une joviale chanson française dont les paroles, sans aucun doute, devaient vouloir dire, à peu de chose près : « Crève de faim, crève de faim, petit idiot américain / Tu n'as pas entendu le réveil, tu n'auras pas d'omelette dans ton assiette. »

À sa gauche reposait une boîte où se trouvait un dernier œuf, à la coquille humide et blanche. Mais tandis que je me faufilais dans la cuisine pour m'en emparer, M. Price, dissimulé à mes regards par le réfrigérateur, s'avança dans sa vieille robe de chambre de velours bleu et saisit le précieux globe du bout des doigts. D'un geste expert, il le cassa et en versa le contenu dans un grand verre rempli d'une préparation à base de jus de tomate, avant d'arroser ce répugnant breuvage de quelques gouttes d'un liquide sombre extraites d'une bouteille enveloppée de papier kraft. Le menton relevé, il porta le verre à ses lèvres et l'avala sa mixture d'un trait, sa gorge maigre, hérissée d'une barbe de trois jours, animée de spasmes de déglutition dignes d'une autruche. Le verre enfin vidé, il eut un hoquet et reprit sa respiration, avant de s'essuyer la bouche d'un revers de manche. Démonstration suivie d'un soupir de soulagement.

« Aaaah, s'exclama-t-il d'un ton joyeux en tournant vers mois des yeux si injectés de sang que j'en avais mal pour lui. La meilleure façon de commencer la journée ! »

La tuyauterie de la maison souligna ses propos d'un râle exclamatif, me rappelant à mes devoirs. Je passai devant M. Price sans lui répondre et plongeai le nez dans le réfrigérateur. C'était un peu la Berezina, là-dedans : de malheureux bocaux de câpres et de raifort, deux prunes desséchées et une collection de croûtes de fromage.

Ah, mais il y avait bien plus prometteur. Sur le frigo – qui diable l'avait posée là ? –, à quelques centimètres au-dessus de ma tête, trônait une deuxième boîte d'œufs au couvercle entrouvert.

Ceux qui se lèvent tard ont quand même un avenir – il suffit de le saisir. Sans un regard à mes concurrents, je me ruai sur la boîte… et compris bien vite mon erreur. Une averse de minuscules morceaux de coquille venait de s'abattre en fragiles confettis sur mon visage et ma poitrine.

« Que diable se passe-t-il ? s'exclama M. Price, se précipitant vers moi pour m'aider, d'une main hésitante, à me débarrasser de ces miettes calcaires. Qu'est-ce que c'est que ça ? À quoi ça sert ?

— Ma mère les collectionne pour ses œuvres d'art », répondis-je en essayant de déloger du bout de mon petit doigt un fragment pointu qui s'était logé au coin de mon œil.

Bon Dieu, ça faisait un mal de chien.

« Je ne comprends pas.

— Elle pulvérise des coquilles de teintes différentes et s'en sert pour ses mosaïques représentant des paysages, des scènes champêtres, etc. ; elle les garde dans des sacs en papier qu'elle récupère au supermarché. Sa réserve devait être épuisée. »

J'échappai comme je le pus à sa sollicitude et sortis de la cuisine, ramassant au passage un croûton de Wonder Bread qui gisait, rejeté de tous, sur le plan de travail.

La porte de la cave, enchâssée dans le mur d'acajou verni, juste en dessous du grand escalier, était vert olive – une véritable horreur, gonflée par l'humidité et d'innombrables couches de vieille peinture. Je dus m'y reprendre à plusieurs fois pour la faire tourner sur ses gonds. Lorsque enfin elle s'ouvrit, je perçus le colossal soupir des entrailles de la maison et m'avançai dans le courant d'air de son rot, imprégné d'une chaleur méphitique et suintante.

En ces régions souterraines, la vibration métallique était plus sonore, plus menaçante. Après avoir tâtonné un moment dans le noir, je finis par trouver l'ampoule qui pendait du plafond et tirai sur l'interrupteur. Une lumière huileuse, couleur de mayonnaise, se déversa dans l'étroite cage d'escalier.

J'avançai en crabe vers la source du fracas, m'efforçant de ne pas toucher les murs crasseux, à l'enduit meurtri de crevasses et de cloques, dominés par un plafond grumeleux. Maman avait tenté de donner un peu de gaieté à ce boyau tordu en le peignant en jaune abeille, ce qui ne faisait que rehausser la noirceur des milliers de petites boules de poussière accrochées aux irrégularités du plâtre.

Au bas de l'escalier, la lumière était moins vive, l'air devenait épais et moite. Je fis halte, mes yeux plissés fixés sur l'énorme chaudière rouillée dans la pénombre.

Je ne savais pas vraiment comment elle fonctionnait. Du plafond, des câbles brûlants descendaient en spirale avant de se ficher dans un panneau de métal vissé sur le flanc de la bête. Un tuyau biseauté jaillissait de son sommet pour s'enfoncer dans le mur après un coude à angle droit. Et, dans la cuve, les démons de la chaudière se démenaient, assoiffés, affolés, faisant trembler nos murs de leur rage avide.

Il se passa alors quelque chose d'assez curieux. Le tumulte s'apaisa à mon approche pour se transformer en une supplication grinçante, comme si les jeunes démons de la rouille avaient reconnu en moi leur gardien.

« Pas d'inquiétude, les gars, un peu de patience, leur dis-je, d'un ton que je voulais rasséréant. Désolé de vous avoir laissé tomber. Je vais vous donner à boire, les gars, de la bonne eau bien sale et bien rouillée, comme vous l'aimez. »

Je n'étais pas vraiment certain de l'existence de ces interlocuteurs mais c'était plus rassurant que de me parler à moi-même.

Le robinet bleu céda sans difficulté à ma pression, envoyant des flots gargouillants humecter les entrailles de la chaudière. Au bout d'une minute, environ, l'eau commença à monter lentement dans le récipient de verre. Elle atteignit bientôt la ligne horizontale si cruciale.

Apparemment, tout allait bien. Ni explosion ni autre catastrophe en vue. Je laissai le tube de verre se remplir pratiquement jusqu'en haut et tendis l'oreille : les habitants de la chaudière, repus, s'ébattaient dans leur bain de rouille et me remerciaient, murmurant des jurons dans leur rugueux idiome.

En rebroussant chemin pour sortir de cette fichue cave, je tournai comme d'habitude la tête pour éviter de regarder la porte verrouillée de l'atelier désaffecté de papa, – laquelle ne se trouvait qu'à cinquante ou soixante centimètres de ma main. Certes, je m'étais depuis de longues années approprié un antique passe-partout qui pouvait ouvrir toutes les serrures, également hors d'âge, de notre maison. Je m'en servais parfois pour récolter un peu de monnaie dans les poches de nos locataires, mais jamais je n'avais osé entrer dans l'atelier de papa. Pour autant que je m'en souvienne, il ne m'y avait laissé entrer qu'en de rares occasions, ces dernières années. Je me rappelais un réduit inquiétant, peuplé d'étaux et de copeaux de bois, au sol jonché de vis et d'autres accessoires anciens et massifs qui pouvaient transpercer les minces semelles de vos chaussons et vous crucifier le pied. Personne n'a envie de connaître sort aussi ignoble.

Ce jour-là, cependant, il y avait du nouveau. La lumière qui filtrait par la vitre de verre cathédrale au-dessus de la porte de l'atelier avait changé : elle était plus pénétrante, plus nette. Ma curiosité éveillée, je récupérai le passe-partout, dissimulé sous le manchon d'amiante d'un des tuyaux de la chaudière, et ouvris la porte. Dans l'embrasure, hésitant, je vis avec surprise que la lumière du jour, quoique encore voilée, parvenait désormais à pénétrer dans le local par le soupirail qui perçait le coin supérieur gauche du mur du fond.

Cet éclairage nouveau, compris-je, c'était moi qui en étais responsable. L'ombre de nos toilettes de jardin avait toujours obscurci cette ouverture. En abattant la cabane, j'y avais convié le soleil.

Le soupirail cependant était si petit que la pénombre régnait encore dans l'atelier, mais les ténèbres n'étaient plus si totales. Pour la première fois depuis des années, je me permis d'y entrer. Les lieux donnaient l'impression d'avoir été abandonnés en catastrophe. Un vieux gobelet en carton trônait sur un des plans de travail, vestige d'un café à emporter ; il y avait aussi des bouteilles de Taster's

Choice pleines de crochets S, et même deux ou trois liasses de feuilles d'or. Mon regard balaya prudemment le mur du fond, de droite à gauche, longeant les contours crasseux qu'avaient laissés des outils désormais absents.

Puis la surprise me prit à la gorge, la serrant aussi fermement qu'une main. Près de l'angle que faisait le mur du fond, penché dans l'embrasure de la fenêtre et baigné d'une lumière poussiéreuse, flottait la moitié d'un visage de femme. Son front avait été tranché le long d'une diagonale qui menait à l'arête brisée de son nez : son œil solitaire avait l'éclat des défaites.

Horrifié, fasciné pourtant, je me hissai sur le plan de travail pour regarder le visage de près. Il s'agissait apparemment d'un masque mortuaire féminin, peut-être incomplet. Tous ses traits – son front, ses lèvres, sa gorge – étaient modelés dans le même et brutal matériau, une argile cuite, sans doute, à la couleur de croûtes et de pelures d'orange fondues.

Derrière elle, dans la vitre crasseuse, je distinguai vaguement mon reflet noyé dans la poussière, sourcils froncés. Ce reflet soudain se mit à beugler.

« GRIFFIN ! proféra-t-il, ce qui me colla la trouille du siècle. Mais qu'est-ce que tu es en train de foutre, là ? »

C'était papa, à quatre pattes dans le jardin, qui me regardait de ses yeux verts, furibonds, à travers le rideau de crasse du soupirail.

Je ne restai pas planté là, dans la cave, à attendre que le ciel me tombe sur la tête. Non : quand je le voulais, j'étais une vraie petite flèche, plus rapide que son ombre. Il me fallut deux secondes pour passer de l'atelier à l'escalier, deux secondes durant lesquelles je ne me posai aucune question jusqu'à ce que mon crâne vienne heurter la solide boucle de ceinture de papa. Je compris alors que j'étais tombé droit dans le piège que je cherchais à éviter.

Je levai la main pour me masser le front ; papa en profita pour m'attraper par le poignet, avant de me hisser sur le palier. Ça ne faisait pas vraiment mal, pour être honnête, mais je ne voyais pas le moyen d'échapper à cette étreinte.

« J'ai deux mots à te dire. Je suis très en colère, Griffin. Je vais t'expliquer pourquoi. »

J'évitai de lever les yeux vers lui, me contentant de fixer son torse, à l'endroit où ses poils blonds-roux jaillissaient en geyser de sa chemise de flanelle rouge. L'odeur de sa peau m'envahissait les narines, une odeur masculine, épaisse, une odeur de bagarre.

« Qu'est-ce qui ne va pas ? »

Ma voix me sembla très lointaine.

« Tu es un garçon assez particulier, soit. Mais, de temps en temps, tu remarques des choses, non ? Quand tu veux bien t'en donner la peine. »

J'opinai du chef.

« Quelqu'un a démoli les toilettes. J'avais été très clair sur la question avec ta mère : il ne fallait pas y toucher. Et voilà qu'il ne reste plus de ce trésor qu'un monceau de planches. Quel est le locataire qui s'en est chargé ? »

Je levai lentement les yeux vers lui en secouant la tête. Une estafilade inquiétante, fraîchement cicatrisée, dessinait un arc de cercle sur sa joue mal rasée, du lobe de son oreille droite à sa lèvre supérieure. Sa chevelure était un champ de bataille. Il avait dû passer la nuit dehors, ou se battre. Ou les deux.

« Tu sais quoi, Griffin ? Peu importe l'exécutant. Je m'en fiche. »

Il y avait dans son regard une lassitude mauvaise, une féroce impuissance qui me rendaient méfiant.

« De toute façon, je sais que c'est *elle* qui a guidé sa main. »

Et sur ces mots il me laissa en plan. Il lâcha mon poignet pour s'engager dans l'escalier, vers l'étage, la chambre où maman dormait, ses brodequins de chantier martelant les marches.

« Non, attends ! m'exclamai-je d'une voix paniquée qui sonna presque comme un hurlement. Ne monte pas ! Ne monte pas ! »

Il fit halte, serrant si fort le départ de rampe que la chair de ses phalanges pâlit.

« Et pourquoi ça ? Qu'est-ce qui m'interdit de monter dans les étages de ma propre maison ? »

Je massai la peau de mon poignet, encore rougie par l'étau de ses doigts.

« C'est moi qui ai eu cette idée, annonçai-je d'une voix douce. C'est moi qui ai démoli les toilettes. Avec ta barre à mine. C'est moi. »

Papa tendit le cou vers le premier étage, la chambre de maman, puis baissa les yeux vers moi.

« Je ne te crois pas », répondit-il.

Ce qui ne l'empêcha pas de lâcher le pilastre, renonçant à ses intentions initiales, et de redescendre l'escalier.

« Il me faut une preuve, Griffin. »

Je commençais à me sentir un peu nerveux. Je levai les mains, paumes tournées vers le ciel, en un geste désespéré. C'est là que la solution du problème apparut, inscrite dans ma chair.

« Là ! fis-je en lui tendant la main gauche. Regarde ! »

De sa poigne épaisse il enserra ma paume gauche, qu'il examina avec attention. Une longue écharde sombre, souvenir de la cabane détruite, s'était fichée dans la base charnue de mon pouce. Ça me faisait mal. L'écharde était cerclée de rouge, un début d'infection que j'avais entretenu en essayant de libérer l'intruse à coups de dents, la veille au soir, dans mon lit.

Papa, dégoûté, laissa retomber ma main.

« Bon Dieu, qu'est-ce qui t'est passé par la tête ? C'est de la folie ! gronda-t-il, furieux. Tu sais à quel point je tiens à ce que les vieilles choses soient préservées. En plus, celle que tu as détruite m'appartenait. Elle était à moi, cette fichue cabane, Griffin ! Comment as-tu pu penser un instant que j'allais donner ma bénédiction à une telle entreprise ?

— Je ne sais pas. Elle était dans un tel état. Ce que je veux dire, c'est qu'elle était plantée là depuis... toujours, non ?

— C'est bien ça qui est grave ! Griffin, cette ville ne t'a pas attendu pour avoir une vie bien à elle, complexe et riche. Elle n'a que faire de tes petites initiatives personnelles. Tu es un nain à côté d'elle.

— Je sais.

— Non, tu te contentes de le croire. Sinon, tu n'aurais pas traité avec un tel mépris un édifice aussi rare, aussi ancien. »

Il était visiblement furieux d'avoir à me faire la leçon sur ce point.

« Écoute, Griffin. Les existences vécues par les générations successives de New-Yorkais ajoutent à un lieu toutes sortes de couches de signification collective – c'est vraiment comme une patine de souvenirs, de saleté et d'expérience, tu sais. C'est un phénomène que tu peux voir, et même sentir, pour peu que ton esprit soit disponible. »

Je restai un long moment songeur.

« Les existences que les gens ont menées dans une vieille maison ? finis-je par demander. C'est ça qui lui donne un sens ?

— Oui, exactement.

— Mais papa, ne pus-je m'empêcher de lui répondre. *C'étaient des toilettes de jardin.* »

Aïe ! que n'avais-je pas dit là. Le sang lui monta au visage ; il avança d'un pas et sa grosse main se ferma de nouveau sur mon poignet. Cette fois-ci, pourtant, il n'éleva pas la voix, ne tapa pas du pied. Non, il me fusilla d'un regard féroce où se mêlaient mépris et douleur. Lorsqu'il reprit la parole, ce fut avec une maîtrise et un calme bien plus menaçants que ses hurlements.

« Je ne sais pas comment tu en es arrivé là. Fiston, il va falloir que tu apprennes à lever les yeux. Je ne veux pas que tu deviennes l'un de ces New-Yorkais bigleux qui se promènent en ville les yeux rivés sur leurs pompes ou, pire encore, avec une telle détermination qu'ils ne font que se démener toute la journée sans rien voir de l'endroit dans lequel ils vivent. Je ne veux pas que tu ailles grossir les rangs de cette armée d'aveugles qui ont laissé Penn Station, cette sublime cathédrale municipale, se faire démembrer sous notre nez. »

Je n'avais aucune idée de ce dont il était en train de me parler. Penn Station se portait comme un charme et je ne voyais vraiment pas le rapport avec une cathédrale. C'était un cercle de l'enfer, plutôt, chaotique, souterrain, bardé de néons ; les clochards y pissaient dans des canettes de Rheingold tandis que des foules bariolées venues de Long Island patientaient sous l'immense et cliquetant tableau des départs et des arrivées, dont les lettres multicolores annonçaient dans un renouvellement incessant d'exotiques destinations, telles que Patchogue ou Ronkonkoma. Ce bruit de crécelle était aussi inexorable que la fuite du temps ; chaque ville voyageait, cahotante, jusqu'au sommet du tableau, avant de passer par-dessus bord et de disparaître comme la tribu indienne qui lui avait donné son nom.

« Tu es convoqué à 3 heures cet après-midi dans mon atelier du sud de Manhattan, reprit papa. Tu vas trimer un peu, pour une fois. Je vais t'apprendre à avoir de la considération pour les vieilles choses.

— Mais je ne sais même pas comment y aller, bredouillai-je. Et maman voulait que je passe lui prendre du café chez Finast en sortant du lycée.

— Aucune importance. »

Il sortit un épais crayon de charpentier de sa poche de poitrine et griffonna une adresse derrière un reçu qu'il me fourra ensuite dans les mains.

49

« 15 heures. Tu n'as qu'à venir à vélo. Et quand tu rentreras, ça te laissera le temps de découvrir la ville où tu vis. »

Fin de la conversation. Il me tourna le dos et sortit de la maison en deux ou trois enjambées – c'est l'impression que j'en eus, en tout cas. Le pan arrière de sa chemise rouge flottait derrière lui, froissé et fier. Je me rendis alors compte qu'il avait quelque chose sous le bras – la mallette qui contenait les scies chirurgicales. Un détail qui manqua me faire vomir, comme si j'avais encore dans les narines l'infernale odeur de viande pourrie de la glacière. Que pouvait-il bien manigancer ?

Le silence revint soudain ; je tendis l'oreille. Ma mère dormait au premier étage, recroquevillée en boule. Les locataires quant à eux semblaient s'être éclipsés à la faveur de l'apparition paternelle. Pourtant, tandis que je remontais l'escalier sans enthousiasme – il fallait que je me prépare pour l'école –, je tombai sur *Monsieur** Claude, vautré dans le fauteuil à motifs paisley du palier du premier étage, mon assiette Hamburglar à présent vide sur les genoux.

« Ton père. Il a tort, évidemment », déclara *Monsieur** Claude en reniflant.

Il ne me regardait même pas, occupé qu'il était à récolter les dernières bribes d'œuf brouillé du bout de l'index, qu'il lécha ensuite soigneusement entre ses lèvres pâles.

Il ne leva les yeux que lorsque la dernière molécule attestant de la courte existence de sa préparation eut disparu.

« Cette cabane que tu as massacrée, poursuivit-il. C'est maintenant seulement qu'elle a de la valeur. Avant, elle était quoi ? Un vaste rien. »

Une question se forma dans mon esprit que *Monsieur** Claude évacua avant que je puisse l'articuler.

« C'est toujours comme ça. Toujours. La seule ville qui vaille la peine d'être préservée est celle que nous avons perdue. »

3

À L'ÉPOQUE, TOUT LE MONDE LE SAVAIT : New York était la ville la plus chaotique de tout le pays, la plus dévastée par le crime, la plus couverte de graffitis. Nous étions nombreux à nous enorgueillir quelque peu de cette distinction. Il y avait pourtant bien des aspects de ma ville natale qui m'étaient alors inconnus. Par exemple, j'étais loin de savoir que New York était au bord de la faillite, que ses maires successifs avaient fait des promesses extravagantes qu'ils étaient incapables de financer, qu'à chaque printemps la ville devait emprunter des fortunes pour continuer à éclairer les rues et à fournir des uniformes à sa police. Il y a des choses qu'on ne raconte pas aux enfants.

Je n'avais jamais entendu l'expression qui, douze mois plus tard, serait sur toutes les lèvres, *défaut de paiement*. Je ne savais pas ce qu'étaient les obligations municipales, les grèves sauvages. J'étais à mille lieues de penser que la municipalité serait forcée de licencier des dizaines de milliers d'employés du jour au lendemain, et qu'à cette occasion les rues se rempliraient soudain de hordes de policiers en colère ou de monceaux d'ordures non ramassées.

Ce qui ne m'empêchait pas de percevoir des frémissements. La ville était sur la mauvaise pente. En situation instable.

Les preuves abondaient. Les rues tremblaient chaque fois qu'un vieil immeuble tombait. Un cheval de fiacre, énorme créature à l'œil de marbre brun et luisant, avait été électrocuté en face de chez FAO Schwartz par un court-circuit sur une bouche d'égout. En bas de la Troisième Avenue, au niveau des rues en 90, là où trois hideuses tours rouge brique jaillissaient sur les décombres de l'ancienne brasserie Ruppert, la gamelle d'un ouvrier était tombée du dix-huitième étage, manquant de peu réduire en bouillie la cervelle d'un jeune livreur.

Les deux semaines qui avaient suivi cet incident, je n'avais pas quitté une seule fois la maison sans m'être coiffé au préalable de mon vieux casque bleu de lanceur des Mets. Il était malheureusement pourvu d'une bague ajustable en plastique qui me pesait sur les oreilles : cependant, le fait de le porter me donnait juste assez de courage pour affronter le désir qu'avait la ville de me détruire. Ce matin-là, par exemple, je remontais la 90e Rue sur mon vélo dix vitesses, direction l'école, offrant pratiquement mon crâne coiffé de plastique à toutes les gamelles assassines de la ville.

Quel soulagement d'avoir pu quitter cette baraque, je vous assure ! Quand j'enfourchais ma monture, mon esprit se délestait toujours des problèmes qui l'encombraient – raison pour laquelle j'adorais ce vélo. C'était un Panasonic d'un vert fluo dont mon père m'avait fait cadeau après son départ. Kyle, ça ne m'avait pas échappé, était jaloux de ses cale-pieds scintillants. J'avais même été jusqu'à me servir de ma clef Kryptonite comme d'une lime pour personnaliser la barre transversale, effaçant quelques-unes des lettres du mot PANASONIC, de manière à devenir l'heureux propriétaire du seul ANAS à dix vitesses de tout New York.

Au cas où mon arrivée aurait des témoins, je descendis en beauté dudit ANAS en passant lestement la jambe par-dessus la selle et la roue arrière, filant vers l'entrée du lycée avec cette grâce qui m'avait coûté tout un samedi après-midi d'efforts et de mise au point dans Carl Schurz Park. Mais j'étais en retard et personne ne m'avait attendu près du parking à vélos ; mes acrobaties restèrent sans témoin. Je filai pour suivre mon premier cours – mathématiques – après avoir accroché mon vélo près de celui de Dani Gardner, un Raleigh rouge carmin. Elle avait recouvert d'autocollants Pink Floyd les derniers vestiges de ses images Wacky Packages (dont elle s'était débarrassée au printemps de l'année précédente, à la fin de sa dernière année de collège).

Repartir en centre-ville à vélo pour me voir infliger par mon père je ne sais quelle corvée punitive était la dernière chose dont j'avais envie cet après-midi-là. Après avoir écourté le cours d'escrime, je rejoignis Kyle à 2 heures et nous allâmes traîner dans les rues, comme d'habitude. Nous remontâmes paresseusement Madison, raclant le trottoir de nos baskets, imitant le bruit des pets, la main sous l'aisselle, et repositionnant les rétroviseurs qui nous tombaient sous la main, dans l'espoir que les conducteurs puissent, au plus fort des embouteillages urbains, contempler leurs yeux exorbités. Quand nous parvînmes devant la pizzeria Taso, il me vint une idée de génie à la vue des cabines téléphoniques jumelles : on allait s'appeler en PCV, Kyle et moi, d'un téléphone à l'autre.

Kyle fut impérial. Il laissa sonner deux fois avant de décrocher et resta de marbre lorsque la standardiste lui annonça qu'un « M. Julius Rosenberg souhaitait faire payer la partie adverse ».

« Eh bien, oui, madame la standardiste, répondit poliment Kyle en plongeant le menton dans le col de sa doudoune pour donner un peu d'épaisseur à son timbre prépubère. Je serais plus que ravi de payer pour recevoir un appel de mon cher vieux père. C'est qu'il me manque tellement – une vraie pile électrique, papa ! »

Nous bavardâmes un moment aux frais de l'opérateur, nous décochant de grands sourires et débitant des idioties du type « Moi content voir vous ! ». Cette conversation, bien qu'intime, avait quelque chose de désincarné, si bien que j'aurais presque pu parler à Kyle des scies chirurgicales et autres horreurs découvertes dans la cave. Ce que je n'osai pas : la standardiste était peut-être encore en ligne et je ne voulais pas causer d'ennuis à mon père.

Comme personne ne se formalisait de notre petit jeu téléphonique, Kyle et moi finîmes par laisser les combinés pendre au bout du fil dans leur cabine respective. Nous allâmes chez Jolly Chan où je me régalai d'un pâté impérial ignoblement graisseux tandis que Kyle demandait au serveur chinois un peu de *liz flit*.

En sortant, nous tombâmes sur Lamar Schloss, un gamin au crâne hydrocéphale que la plupart d'entre nous appelaient Grosse Tête. Il remontait Madison de son pas traînant, la tête pendant entre les épaules, comme l'âne de Winnie l'Ourson. À voir son expression pleine d'espoir, je compris qu'il nous avait suivis. Il passait son temps à ça.

« Hé, les gars ! Ça vous gêne si je reste avec vous ? »

Il farfouilla dans la poche de son gros caban – flûte, il allait encore nous montrer son espèce de dollar Liberty Head à la con. Sa mère le lui avait offert peu avant de périr dans l'incendie de son appartement, l'été qui avait suivi la sixième. C'était de l'or massif et Lamar essayait toujours de vous le faire admirer.

« Bien sûr que tu peux rester avec nous », m'entendis-je lui répondre.

Jusqu'ici, Kyle et moi, nous n'avions pas eu l'impression d'avoir un emploi du temps bien chargé. Ça n'était plus le cas.

« Ça vous ennuie si je me prends un pâté impérial ? demanda Lamar.

— Pas de problème, répondit Kyle. On t'attend devant.

— Super. »

Lamar entra chez Jolly Chan ; les stores dansèrent contre la porte en verre après son passage.

Kyle jeta un coup d'œil à Lamar, entre les lattes, avant de me regarder. Il n'eut même pas besoin d'ouvrir la bouche. À la minute où le Chinois sortit son carnet de commandes, nous partîmes comme des bolides dans la rue, hoquetant de rire, tournant la tête de temps à autre pour jauger les risques de collision. Sur la Cinquième Avenue, nous filâmes sur la gauche et posâmes nos fesses contre un immeuble d'habitation, les mains sur les genoux, le temps de retrouver notre souffle. Un bus vert barbouillé de graffitis passa en brinquebalant dans la rue, suivi par son panache de fumée crasseuse.

Kyle devait rentrer chez lui pour sa leçon de batterie ; je remontai seul vers le lycée. J'avais une question en tête – comment retarder la visite au studio de papa, qui se trouvait très, très au sud de Manhattan, dans un lugubre quartier plein d'entrepôts que l'on commençait, selon papa, à nommer TriBeCa, pour « Triangle Below Canal ».

Il ne m'était jamais venu à l'idée qu'on puisse faire des acrobaties à vélo sans selle banane, si bien que, lorsqu'un petit Portoricain chétif arborant une maigre moustache d'ado passa dans la 90ᵉ Rue sur sa bonne vieille bicyclette en braquet 10, je retrouvai le sourire. Le gamin était si heureux, yeux écarquillés et bouche grande ouverte ; difficile de ne pas partager son ravissement. Comme si le vélo qu'il chevauchait n'était pas un vieux clou quelconque, mais la Bicyclette Universelle – généreuse offrande dont cet inconnu bienveillant avait décidé qu'elle illuminerait, pendant un bref et joyeux moment, le monde terne et sans vélos que nous autres habitions.

La bicyclette, notai-je alors qu'il me filait sous le nez, était une Panasonic vert fluo, comme la mienne, mais dotée, ce qui la rendait plus resplendissante encore, d'une roue de devant d'un beau rouge carmin.

Et l'éclat de l'existence se fit encore plus vif le moment suivant, lorsque je tombai sur Dani Gardner en remontant vers le lycée. Ses cheveux cuivrés, trempés de sueur, étaient coiffés en queue de cheval, dégageant son visage dont la rougeur momentanée était attribuable, sans doute, au cours d'escrime. Elle bouillait d'une colère si ardente que je ne fus pas mécontent de constater qu'elle avait laissé son fleuret au gymnase.

« Mais quel genre de crétin attache son vélo par une roue avant à blocage rapide plutôt que par le cadre, de toute façon ? me demanda-t-elle. Hein, quel genre de sombre crétin ? »

La main figée en forme de tomahawk, elle désigna d'un tranchant rageur le garage à vélos du lycée. Ma pauvre roue avant, désormais privée du reste de la machine, était attachée près du Raleigh de Dani, auquel manquait, justement, la roue avant.

Ma sombre crétinerie était le complément de la sienne. Ce matin-là, apparemment, elle avait posé son antivol en forme de U, un Kryptonite de couleur noire, sur le cadre du vélo, le fixant au support, ce qui était effectivement la bonne méthode ; mais elle avait oublié d'ôter la roue avant et de l'attacher au cadre. Le voleur, comblé par la fortune, s'était contenté de desceller la roue avant d'une simple pichenette de l'index et s'était, de la même façon, rendu maître de mon cadre ; en deux coups de cuiller à pot, il avait assemblé les deux parties et créé une bicyclette entièrement neuve, sur laquelle il était parti d'un grand coup de pédales, ravi de constater – ô joie et cabrioles sur la roue arrière ! – que les écoles privées étaient capables de fabriquer deux abrutis aussi merveilleusement assortis.

« Je n'y crois pas, constatai-je, navré. Qu'on ait pu me voler mon ANAS, ça défie l'imagination. »

J'étais dans le pétrin. Le vélo avait coûté deux cents dollars à mon père. Il n'en restait plus désormais qu'une unique et pathétique roue. Je me tournai vers Dani.

« Euh, ça t'ennuie si je t'emprunte ton vélo, Dani ? Comme de toute façon tu ne peux plus vraiment t'en servir pour rentrer chez toi, ni pour autre chose... »

Pour une gamine de quatorze ans, elle pouvait avoir le regard drôlement assassin. Impressionnant, même. Vraiment.

« La fête chez moi samedi prochain, mon vieux, répliqua-t-elle en faisant volte-face, prête à retourner en classe, tu peux te la mettre où je pense. Elle commence à 19 heures. »

4

IL ÉTAIT DÉJÀ 14 h 40, bien trop tard pour respecter le rendez-vous que m'avait donné papa à son studio.

J'allais avoir besoin d'un peu de sous pour le taxi, et vite.

Je trouvai Quigley là où j'étais certain de tomber sur elle : sur le sentier, dans le parc, près de l'énorme buste doré de cet ancien maire de New York qui ressemblait au commissaire Gordon, l'ami de Batman. Elle fumait des clopes aux clous de girofle avec Valerie, une fille à queue-de-cheval et polo Lacoste avec laquelle elle traînait en permanence. Caché dans les buissons, je les épiai un petit moment.

Quig portait sa casquette de livreur en cuir multicolore, un blouson lamé argent et son jean pattes d'ef préféré, acheté d'occasion chez Canal Jean. Elle avait rebrodé les ourlets d'étoiles et de comètes. En dépit de cette artificielle exubérance, Quigley était une adolescente assez quelconque, le visage rond et parsemé de taches de rousseur, les cheveux frisés, couleur carotte : un Danny Partridge au féminin, avec de plus beaux yeux, quand même. Elle utilisait un rouge à lèvres orange foncé dont elle se barbouillait systématiquement une fois sortie de l'école (où le maquillage était interdit) : elle n'aimait pas la manière dont ses taches de rousseur mordaient sur ses lèvres.

Valerie était censée être sa meilleure amie du moment. Malgré tout, Quig n'arrêtait pas de gratter ses croûtes de psoriasis sous les manches de son fameux blouson argenté – manie dont elle souffrait essentiellement lorsqu'elle était anxieuse. Les bribes de conversation que je pus surprendre tournaient autour du métier d'acteur. Quig ne cessait de sillonner New York pour passer des auditions – elle n'avait décroché qu'un rôle dans un court-métrage publicitaire pour la municipalité : on la voyait ramasser des saletés sur le trottoir, un sourire idiot collé aux lèvres. « Les papiers gras, ce n'est pas un droit. » Valerie, elle, ne passait jamais de castings. Elle pouvait se le permettre. Son père, une grosse huile de chez Gray Advertising, lui avait décroché quelques boulots de mannequin pour les suppléments du dimanche : on l'avait notamment vue arborant un short blanc JC Penney. À en croire la rumeur, elle avait même été contactée pour *ZOOM*, une émission de PBS conçue par des gamins en maillot de rugby rayés. Tout le monde aimait *ZOOM* : et même si Valerie n'avait pas obtenu le rôle, elle était devenue une vraie célébrité à l'école. Quand elle entrouvrait ses lèvres pulpeuses pour articuler quelques mots en ubbi dubbi, le langage secret de *ZOOM*, les garçons tombaient dans les pommes.

« Tu me proposes quoi, en échange ? » me demanda Quig lorsque, sorti des buissons, je m'approchai d'elles pour lui demander de me prêter son argent de détrousse-poches, que je puisse aller chez papa en taxi (Quig voulait épater Valerie).

À cette époque, tous les petits New-Yorkais un peu futés ne sortaient jamais sans leur argent de détrousse-poches, trois ou quatre dollars qu'ils gardaient à portée de main pour éviter de se faire rosser par d'éventuels agresseurs.

« Je m'occuperai de ton prochain kawa, promis-je à Quig. Non, des deux prochains, carrément. »

Le kawa en question était le petit nom cucul que maman donnait à la tasse de café instantané qu'elle nous demandait presque invariablement de lui préparer chaque fois que nous passions devant la porte de sa chambre. Genre : « Griffin, ça ne t'ennuie pas de me préparer un petit kawa ? »

« D'accord, finit par concéder Quig, après avoir attendu assez longtemps pour que je commence à transpirer à grosses gouttes. Mais t'as intérêt à me le rendre ! »

Seul, je n'étais jamais allé plus loin que FAO Schwartz, du côté sud de la 58e Rue, juste après la statue du général Sherman, sur la tête vert-de-grisée duquel les pigeons aimaient tant à se soulager. De sorte que lorsque je vis Central Park disparaître sur ma droite, je commençai à me sentir mal à l'aise. Lorsque nous eûmes franchi les limites du monde connu – le damier new-yorkais –, j'étais mort de peur.

Pour me rasséréner, je commençai à réfléchir à la manière dont je pouvais me venger de Dani et de sa crise pour les vélos. La meilleure méthode était de m'initier à la Pince de fer malaise, une super-technique d'art martial dont il était question dans un des magazines ninjas de Kyle.

Les initiés (ou du moins Kyle et moi) la surnommaient le Bec de la mort. Il s'agissait de soulever un broc du bout des doigts un bon million de fois. On commençait avec un broc vide, avant d'y ajouter une poignée de sable tous les jours (j'utiliserais de la litière pour chat). Au bout d'un moment, les bouts de vos doigts acquéraient une telle force qu'on pouvait, en les regroupant en pince, arracher des bouts de chair à ses ennemis, ce qui me semblait assez génial.

Difficile d'imaginer que Dani, ou n'importe quelle fille, à vrai dire, puisse avoir envie de me chercher des noises, à partir du moment où elles sauraient ce qui les attendait. À tout moment, le Bec de la mort pouvait naître au bout de mes doigts et s'envoler dans les airs, croassant, pour s'abattre sur elles et arracher de leurs joues des bouts de chair ricanantes et tavelées de taches de rousseur. Sage fauconnier, je saurais cependant retenir le féroce rapace qui frémissait dans mes doigts. Et ce serait grâce à cette maîtrise qu'elles garderaient leurs visages intacts. Elles en seraient conscientes. Elles me respecteraient.

Le compteur approchait des trois dollars, dix cents par dix cents. Alors que me venait la certitude que nous ne trouverions jamais l'atelier, j'aperçus dans une petite rue une silhouette qui m'était aussi familière que mon reflet.

« Arrêtez-moi ici ! » hurlai-je au chauffeur.

Lorsque les pâtés de maisons et les immeubles ne pouvaient plus servir de repères, les individus pouvaient-ils prendre leur place ?

Le chauffeur nous laissa sortir à mi-chemin du pâté de maisons, ma roue orpheline et moi ; puis il repartit vers le nord de la ville le plus rapidement qu'il put ; je me frayai un chemin à pied sur le trottoir entre les amas de cartons lacérés et les sacs-poubelle éventrés qui bordaient les entrepôts murés. À l'angle de la rue, je me penchai et vis mon père campé, solitaire, dans la rue – Worth Street –, observant aux jumelles une fenêtre du troisième étage.

Activité qui se parait d'un insistant et douteux fumet – même si cela n'était sans doute que la puanteur résultant du mélange du jus des ordures et des désinfectants chimiques qui stagnait dans les interstices des pavés.

Je compris assez vite ce à quoi papa s'intéressait avec une si intense concentration. La grande fenêtre vers laquelle ses jumelles étaient braquées affectait la forme gracieuse d'une ogive, ressemblant à ces petites niches de cage d'escalier où les familles italiennes logent leurs statues de saints. De temps à autre, une femme à la chevelure blonde et ondulée, vêtue d'un tee-shirt blanc, apparaissait dans le cadre, de profil, tenant à la main ce qui était peut-être un pinceau. J'étais un peu loin pour me faire une idée définitive sur la question, mais il me sembla que ce tee-shirt recouvrait une paire de nichons fort rebondis.

Papa ne la quittait pas des jumelles. Il semblait si désireux de jauger le moindre trait de cette femme, la moindre nuance de sa gestuelle, qu'il ne reposa pas une seule fois lesdites jumelles.

Papa était un voyeur ! Cette prise de conscience me submergea d'une honte excitante. Je n'avais jamais vraiment compris, même lorsqu'il vivait encore avec nous, ce que papa faisait en ville quand il n'était pas à la maison. Officiellement, il était antiquaire et restaurait les pièces qu'il revendait dans un grand et vieil atelier situé aux confins de la ville : tout le monde était d'accord sur ce point. À l'atelier, il avait également de quoi travailler le bois et le métal. Il était habile de ses mains. Maman cependant avait toujours insinué que ses activités ne se limitaient pas à cela.

« Oui, c'est là que Nick collectionne toutes ses bonnes femmes », l'avais-je entendue confier, d'un ton méprisant, à son amie Nadine.

Je regardai papa regarder la blonde. Il y avait dans la manière dont il suivait le moindre de ses mouvements un raffinement animal, une intensité à la fois admirative et prédatrice : comme si, à ses yeux, le fait d'étudier plus intensément, d'apprécier une belle chose, ou une belle créature, plus profondément que quiconque, pouvait, d'une certaine manière, lui permettre d'en prendre le contrôle, d'en obtenir la possession.

Et du reste son regard, son besoin semblaient organiser la vie de cette femme. Papa consulta sa montre, hocha la tête, puis regarda, dans une joyeuse expectative, la fenêtre en ogive, bras croisés, jumelles pendues au cou. Dans les secondes qui suivirent, comme si elle obéissait aux directives muettes de papa, la femme disparut de notre champ de vision ; les lumières s'éteignirent derrière la vitre. Mon père apparemment s'attendait à la suite des événements.

Sans hâte, il s'accroupit derrière une voiture et vit comme moi, une minute plus tard, la femme blonde émerger de l'immeuble par une porte au battant d'acier défoncé, son sac à fermeture Éclair sur l'épaule. Il n'essaya pas de lui emboîter le pas, se contentant de la suivre des yeux alors qu'elle s'éloignait d'un pas ferme le long du pâté de maisons, dans ses hautes bottes en faux cuir, bras serrés sur sa minirobe moulante en jean. Je ne m'étais pas trompé sur la taille de ses nichons.

5

LE DOMAINE DE PAPA était une forteresse aux yeux fermés. Cet entrepôt délabré en brique rouge, conçu à la manière d'un palais médiéval, avait le toit crénelé d'une tour de garde et quatre rangées de hautes fenêtres en ogive, chacune hermétiquement bouchée par d'épais volets de fer. À croire que si vous traîniez trop longtemps sous ces murs, deux ou trois ouvriers en chemise de flanelle et salopette façon cotte de mailles surgiraient des remparts pour vous arroser d'huile bouillante.

L'entrepôt, flanqué par des immeubles d'ateliers tous plus sales les uns que les autres, se dressait à mi-chemin d'une rue pavée rapetassée à l'asphalte ; le seul signe d'activité humaine était un corbillard garé au début du pâté de maisons. J'avais suivi papa depuis sa mission de reconnaissance dans Worth Street et le regardai réintégrer son atelier à bonne distance. Je n'étais pas pressé de me retrouver entre quatre murs avec lui, étant donné son caractère des plus imprévisibles : malgré tout, j'avais envie de savoir ce qui se cachait derrière l'imposant mur d'enceinte de son repaire. Je n'y étais jamais entré et n'en avais vu l'extérieur qu'une seule fois, trois ans plus tôt. Ce jour-là, papa m'avait traîné dans TriBeCa pour me montrer le chantier de destruction d'un vieil immeuble dont l'armature de fonte de la façade était arrachée pièce à pièce. Je n'avais avant ce matin-là jamais assisté à une démolition aussi méticuleuse. Assis à califourchon sur une poutre, trois étages au-dessus de la rue, deux hommes en bonnet de laine attaquaient les coutures de l'antique bâtisse à la lampe à souder ; dans la fraîcheur de février, deux nuages de vapeur flottaient, paresseux, au-dessus de leurs outils. J'avais levé les yeux vers papa, dont le visage grimaçait, presque comme si c'était lui qu'on démembrait.

Je chassai ce souvenir de mon esprit et attachai ma roue de vélo à une grille en fonte un peu penchée, en face d'un grossiste en crémerie. Puis, non sans réticence, je m'approchai de l'entrepôt de papa. L'entrée était aussi anonyme que celle d'un tripot clandestin. Une porte de métal éraflé, pas de numéro de rue, un amoncellement bricolé de sonnettes dont aucune ne portait de nom ; certains fils longeaient la façade et allaient se perdre sous les volets des fenêtres. Je pressai tous les boutons, un par un, sans résultat, en évitant toutefois le plus suspect d'entre eux, un boîtier rond qui pendait à un fil vert. Comme il était cassé, je ne voulais pas y toucher. Il me faisait penser à un téton de fille robot – ce qu'il était peut-être.

Un autre fil, dénudé, courait sur le mur juste à côté de la sonnette ; lorsque je collai son bout effrangé sur la vis branlante du téton, un torrent de feu douloureux envahit ma main et submergea mon bras. Je m'effondrai sur le trottoir et roulai sur moi-même, tentant désespérément de retrouver mon souffle, la poitrine accablée par une fatigue écrasante, bourdonnante. Je ne sais pas combien de temps je restai à terre, haletant. Mais, alors que l'électricité se retirait de mon corps, ne laissant derrière elle qu'un pénible fourmillement dans mes doigts, j'entendis un grincement au-dessus de ma tête. En levant les yeux, je vis s'ouvrir lentement l'un des lourds volets de fer du deuxième étage ; bientôt le beau visage de papa apparut à la fenêtre.

« Tu es en retard », dit-il en me lançant un long regard – à moi, l'homme à terre – avant de refermer le volet avec un claquement sonore. La porte d'entrée émit un bourdonnement.

Le vestibule ressemblait au tout début de *Get Smart*. Il y avait une seconde porte de fer derrière la première, puis un long couloir pelé, au bout duquel se dressait une cage d'ascenseur pourvue d'une petite grille rectangulaire. La cabine sentant la sueur et la bouffe chinoise à emporter. Elle monta au ralenti, asthmatique et brinquebalante, me laissant le temps d'admirer le graffiti gravé à la clef (YO MAMA YO MAMA YO MAMA !) qui ornait ses murs barbouillés de peinture grise.

Personne ne m'attendait à la sortie de l'ascenseur. Par une grande porte métallique s'échappaient des bribes de musique classique. Je suivis le bruit à la trace, à gauche, puis à droite, dans un entrelacs de couloirs poussiéreux, avant d'en trouver la source. C'était la vieille radio de surplus militaire de mon père. Elle trônait sur un plan de travail couvert d'éraflures au milieu d'une pièce immense, véritable caverne remplie jusqu'au plafond d'un capharnaüm de vieilleries : pieds de baignoire en forme de pattes de lion, seaux entiers de boutons de porte en laiton verdi, un lustre en bois d'élan, des lits à baldaquin sens dessus dessous, une enseigne de coiffeur aux rayures de sucre d'orge adossée à un mur de brique qui menaçait ruine.

À l'entrée de la pièce se trouvait un tas hétéroclite, énorme, de panneaux de bois, de portes, de bancs d'église et autres meubles d'apparence cléricale. Ils semblaient encore plus soumis au désordre que le reste du capharnaüm, comme si Dieu, troublé par la manière dont on avait laissé Sa maison s'encrasser et se dégrader aussi tristement que le reste de la ville, s'était emparé d'une cathédrale et, après l'avoir bien secouée, en avait vidé le contenu dans l'atelier de mon père.

Je m'avançai vers le cœur de cet immense fouillis. Un de ces jolis petits bassins pour oiseaux qu'on trouve à l'entrée des églises gisait sur le flanc.

« Tu vas droit au but, toi. Il faut croire que le bon goût est héréditaire. »

C'était la voix de papa. Il avait surveillé mon approche ; à présent, il apparaissait en pleine lumière, émergeant d'un sombre escalier de bois sculpté qui conduisait en colimaçon à une chaire de belle facture, quoique noircie de crasse. Papa scintillait légèrement : sa chevelure blond-roux et l'un de ses sourcils étaient saupoudrés de gouttelettes de feuille d'or – il était en train, sans doute, de dorer quelque objet.

« C'est exactement ce sur quoi je voulais te mettre au travail, poursuivit-il. De belles pièces ; elles viennent d'une ravissante petite église de Hell's Kitchen. Le problème, c'est que les prêtres, ces imbéciles, les ont barbouillées de vernis et de laque et de je ne sais quelles autres cochonneries pendant près d'un siècle. L'archevêché m'a chargé de remédier à tout ce gâchis. »

Du geste, il m'intima l'ordre de m'approcher d'un établi dont le bois avait été lacéré d'estafilades et grêlé de pustules de peinture.

« Ce n'est sans doute pas le genre de mise à nu auquel les pères en général initient leurs fils, me dit-il avec un petit gloussement en hissant un gros pot rouge et blanc sur le plan de travail. Mais je ne dois pas être un père comme les autres. »

Le pot contenait un liquide gluant et argenté que mon père versa dans une tasse à café grecque ornée d'un motif représentant ce qui ressemblait à un Monsieur Muscles nu lançant un frisbee.

« C'est du chlorure de méthylène, m'expliqua papa. Un décapant de première bourre qui attaque tous les matériaux à base d'huile. Attention, pas de contact avec les yeux ; il y a des risques de cécité. »

Papa monta l'escalier en colimaçon, lequel était soutenu par des briques en mâchefer, et réapparut un peu plus tard derrière la rambarde de la chaire. Il avait l'air encore plus puissant, là-haut.

« Cette chaire a vraiment morflé, annonça-t-il à son unique fidèle. Le bois de chêne s'est noirci ; il est gluant au toucher ; tu vois ces barbouillages d'un doré qui tire sur l'orange sur toutes les parties saillantes de la chaire ? »

Je hochai la tête.

« C'est de la peinture pour radiateurs. Quand la chose a été inventée, dans les années 1930, tout le monde s'est dit, c'est de l'or liquide, ce truc. Ce qu'on ne savait pas, c'est qu'avec le temps la couleur vire, qu'elle prend un aspect vraiment toc. Alors, chaque fois que les vraies dorures avaient perdu leur éclat, paf, on collait une couche de peinture pour radiateurs. »

Papa se pencha par-dessus la rambarde, plongea le pinceau dans la tasse pleine de décapant et l'étala sur un panneau horizontal sculpté de ce qui me paraissait être des boules de chewing-gum alternant avec des pointes de flèche – bas-relief recouvert d'une peinture qui avait cet aspect orangeasse et minable dont il parlait.

« Voilà ce que tu vas faire pour moi. Tu vas ôter la couche de peinture et autres ignominies qu'on a collées là-dessus ces cent dernières années et mettre à nu la dorure partielle. Au moins cinq générations d'incompétence historique se sont acharnées sur ce malheureux bout de bois. »

Mon père me regarda de la chaire.

« Bon ? Alors, montes-tu, ô timide jésuite ? »

Les marches en colimaçon gémirent sous mes pas prudents. Lorsque je me penchai à mon tour à la rambarde, les émanations du décapant me piquèrent aussitôt les paupières ; je redressai la tête, réaction involontaire.

« Qu'est-ce que tu fiches ? s'exclama papa, irrité. On a du pain sur la planche, fiston. »

Les yeux plissés pour me protéger de l'âcre souffle, je me penchai de nouveau par-dessus la rambarde. Il fallait intervenir au bon moment, m'expliqua papa, attendre que la peinture dorée commence à cloquer sous la couche de décapant. À ce moment-là, je devais, à l'aide du pinceau, repousser la sauce visqueuse sur le côté. Mais lorsque je m'attaquai à l'une des boules de chewing-gum pour découvrir sa vraie dorure, en y mettant vraiment la gomme, la main de papa se referma, vive comme une pince, sur mon poignet.

« Vas-y mollo, petit, gronda-t-il. Article un : procéder en douceur. »

Je tournai les yeux vers lui.

« Tel est le credo des conservateurs », traduisit-il en me prenant le pinceau des mains.

Et de repousser vers le bord du motif, avec une tendresse infinie, la peinture dorée liquéfiée par le décapant. J'avais peine à croire qu'une main aussi massive, aussi calleuse, soit capable d'un geste aussi délicat.

« Ton but, c'est de ramener cet objet à l'époque de sa création, de retrouver son aspect d'origine, me dit alors papa. Mieux encore : il faut que tu sois certain que la méthode que tu emploies pour le sauver ne le massacre pas un peu plus en attaquant la dorure initiale. »

Papa redescendit dans l'atelier ; l'escalier gémissait sous son poids. Les bras croisés, la tête inclinée, jaugeant sans mot dire, il resta là à me surveiller : moi, l'élève de troisième qui n'avait jamais restauré ne serait-ce qu'un cure-dent, tentant de sauver une chaire richement sculptée empruntée à la précieuse et plus que centenaire église d'une congrégation new-yorkaise.

Si l'on exceptait les vapeurs qui me picotaient les yeux, c'était plutôt sympa, comme travail. Jusqu'à ce qu'une goutte de décapant me tombe sur le dos de la main. La douleur fut immédiate et brûlante, une mèche de perceuse pénétrant mes chairs de sa pointe enflammée. Saisi de panique, je voulus éponger le liquide du revers de ma manche.

« *Hein* ? fit papa.

— Ce décapant, là, ça *tue*.

— Allons, allons. Il en faut plus pour m'impressionner. Il n'y a pas un restaurateur qui ne sache l'effet que produit le contact du décapant sur la peau. Ça fait un mal de chien, c'est un fait. Mais ça vaut le coup. La plupart des gens meurent sans avoir jamais manipulé un bel objet en étant conscients de sa beauté, justement. D'ailleurs, ils ne veulent même pas y penser. »

Le décapant que j'avais étalé sur ma manche me rongeait à présent le poignet. Je frottai avec l'autre manche. Papa ne m'accorda pas un regard.

« Ce que je suis en train de t'apprendre là, poursuivit-il, c'est la seule façon dont on peut approcher la sculpture ornementale. Avec les mains, dans un premier temps, puis avec les yeux. »

J'étais incapable de me concentrer sur son enseignement. En essayant de me débarrasser du décapant qui me brûlait le poignet, je m'en étais collé sur les doigts. J'avais l'impression que quelqu'un m'enfonçait des allumettes enflammées sous les cuticules.

« Raison pour laquelle j'ai décidé de te faire travailler sur cette chaire, pour commencer. Elle date de l'époque victorienne et relève du style néo-Renaissance. Elle offre donc au regard toute la panoplie des ornements classiques. Les chapiteaux de style ionique, les piliers cannelés, les volutes – et, tout au long de la bordure, cette véritable Légende dorée que nous nous échinons à nettoyer à l'heure où je te parle : l'ove.

— L'ove ?

— Oui, soit l'une des moulures décoratives les plus communes en architecture occidentale. J'en mettrais ma main au feu, tu l'as vue cent fois sans y accorder la moindre attention. En ville, pourtant, elle est partout : autour des portes, des fenêtres, des portiques – tu n'as qu'à lever les yeux.

— Ah oui ! Moi, j'appelle ça la flèche et la boule de chewing-gum.

— Génial ! répliqua-t-il d'une voix où perçait ce qui ressemblait à de l'excitation. Le nom, on s'en fout. Les gens qui se noient dans le jargon universitaire ne retiennent que les descriptions des sculptures ; pour les connaître vraiment, il faut en sentir les contours, les courbes, par soi-même. »

Il me fixa de son regard toujours aussi vert.

« Si tu y parviens, Griffin, la ville entière s'ouvrira sous tes yeux. Tu te rendras soudain compte que tu vois ces sculptures ornementales – de merveilleux chefs-d'œuvre que tu étais incapable de reconnaître jusqu'ici – partout dans New York. Tu apprendras à lever la tête. »

Il me tendit un flacon d'alcool et du coton à l'aide desquels, me dit-il, je pouvais nettoyer le bois lorsque le mélange décapant-peinture fondue devenait trop visqueux.

« Je te laisse faire, maintenant, m'annonça-t-il. J'ai sous la main une superbe gorge de Stanford White que je dois finir de redorer. Continue à décaper cet ove ; une fois que tu auras fini, tu pourras t'occuper du dentelet qui se trouve juste en dessous – ce truc qui ressemble à une série de dents, en effet. »

J'opinai du chef avant de revenir à mon travail, penché par-dessus la rambarde. Lorsque je voulus quêter son approbation, il avait déjà disparu.

Ça ne chômait pas dans l'entrepôt. Des hommes traversaient le vestibule, les épaules chargées, échangeant des marmonnements agressifs et moqueurs. De temps en temps, le hurlement grinçant d'une scie électrique résonnait dans les couloirs, provenant de quelque pièce reculée. Je n'étais pas mécontent de ne plus avoir papa sous mon nez – si seulement il en avait été de même des émanations du décapant. Maintenant, je n'en avais plus seulement plein les yeux : elles s'en prenaient à ma gorge. Et papa qui parlait de mise à nu !

Je n'avais jamais vu de véritable strip-teaseuse. Mais j'étais certain d'une chose : leurs corps dégageaient une électricité menaçante. Lors d'un réveillon de Noël, alors que nous rentrions en famille du Sky Rink, notre taxi Checker s'était arrêté au feu rouge dans une petite rue, non loin de Broadway – à quelques pâtés de maisons de l'énorme bouteille de Gordon's Gin (elle faisait trois mètres de haut) et du géant qui, sur l'enseigne du Winston, exhalait de vrais ronds de fumée au-dessus des magasins d'électronique et des théâtres. J'étais assis sur le strapontin de droite, en face de papa, lequel était en train d'enguirlander maman qui, disait-il, lui avait déniché des patins de location pourris, raison pour laquelle il avait eu l'air d'un guignol sur la glace. Une partie de son visage grimaçant baignait dans une lumière pulsée, rouge sombre, artificielle ; en tournant la tête vers la rue, je m'étais rendu compte que cette lueur émanait d'un néon en forme de prostituée, seins nus, grandeur nature, qui clignotait en rythme dans la vitrine d'un sex-shop, créature entièrement constituée de l'électricité tressautante qui semblait se transmettre à sa frêle ossature par le mât qu'elle chevauchait. À chaque clignotement, elle s'abaissait et se redressait, obscène, sur sa fine monture. Que se passerait-il si l'on brisait les longs tubes de néon qui la délimitaient ? Me sauterait-elle au visage pour me brûler ou se dissoudrait-elle dans le néant ?

Tandis que j'enfilais une paire de gants en latex, deux hommes aux visages rubiconds franchirent avec peine la porte de l'atelier de part et d'autre d'une sorte de civière qui supportait un objet long, mince et encombrant, recouvert d'une couverture verte et crasseuse.

« Arrête ! Arrête de la tripoter dans tous les sens ! murmura férocement l'un des manœuvres à son collègue. Il l'a bien dit : il ne faut plus lui faire mal !

— Mais c'est pas ma faute ! siffla l'autre. C'est cette putain de *roulette* ! »

Lorsqu'ils repassèrent, deux ou trois minutes plus tard, leur chariot était vide. Je leur donnai le temps de repartir jusqu'à l'ascenseur puis me faufilai dans le vestibule dans l'autre direction. Je n'eus qu'à suivre les traces de la civière roulante, bien visibles dans la poussière qui recouvrait le sol. Elles s'arrêtaient devant une porte coulissante d'aspect industriel enchâssée dans le mur de brique. Porte verrouillée par un solide cadenas, pile au-dessous duquel s'étalait, sur la peinture d'un blanc plus très blanc, une tache de sang frais, épaisse, humide, comme une virgule de peinture étalée du bout du doigt.

L'espace d'une seconde, le jus graisseux de mon déjeuner chinois me remonta des intestins à la bouche, mélangé à une aigre dose de bile. Je ravalai le tout avant de retourner en quatrième vitesse à l'atelier.

Je retirai mes gants en latex et les lançai sur le couvercle d'une glacière Pompes Funèbres DeCarlo. En repassant devant l'ascenseur, je me rendis compte que la petite flèche de laiton qui le surplombait indiquait le rez-de-chaussée. Sur le palier, face à la porte de l'ascenseur, se trouvait une grande fenêtre ; le verre cathédrale de ses vitres était renforcé par un fin grillage pentagonal. Une inspiration me traversa l'esprit. J'ouvris la fenêtre et penchai la tête dans le crépuscule. Deux étages plus bas, garé à deux ou trois mètres de l'entrée de l'allée pavée, derrière l'entrepôt paternel, se trouvait un gros véhicule carré que j'identifiai sur-le-champ, en dépit de la pénombre grandissante. C'était un camion Good Humor. Je vis la porte à double battant par lequel on chargeait les caisses de glaces ; sur son flanc visible flottait encore, sous ce qui devait être une couche de peinture de bâtiment, un énorme cornet de glace fantôme.

Du camion s'échappait un inquiétant bourdonnement. Mais que pouvait bien fabriquer mon père avec un camion réfrigéré ?

73

L'un des deux brancardiers, un hippie bourré de tics, aux longs cheveux poivre et sel coiffés en queue de cheval, lançait des regards furtifs dans la rue, campé au bout de l'allée. Ses mouvements de tête étaient si énergiques, si nerveux, que son catogan baladeur paraissait préhensile. Peut-être allait-il s'en servir pour récupérer une cigarette dans sa poche de gilet, ou essuyer la sueur qui lui coulait du front. Une fois assuré que personne ne surprendrait leur manège, le hippie revint en courant vers le camion et entrouvrit la longue fenêtre latérale.

« Parfait, parfait ! On est bons, là », déclara-t-il à son acolyte, resté à l'intérieur du véhicule.

Le reste de la manœuvre fut soigneusement exécuté. Le hippie fila dans l'entrepôt et en revint en poussant la civière vide, qu'il installa à l'arrière du camion. Celui-ci fut ouvert de l'intérieur ; un antique battant de porte apparut, sur lequel était allongée une forme recouverte d'une couverture – de la même taille à peu près que celle du vestibule. Celle-ci était ligotée à la porte au moyen d'une corde. Avec l'aide du vieux Queue-de-Cheval, l'occupant du camion fit glisser la porte sur la civière ; le lourd claquement occasionné par cette manœuvre se réverbéra entre les fenêtres obscurcies qui donnaient sur l'allée.

Tandis que les deux brancardiers poussaient la civière sur la chaussée inégale, la couverture qui dissimulait la tête de la longue forme attachée à la porte glissa sur le côté, révélant la tignasse embroussaillée, les yeux écarquillés et les clavicules saillantes d'une femme. Elle regardait droit dans ma direction et me vit, sans aucun doute, avant que le hippie ne rabatte d'un geste affolé la couverture sur son visage. Une autre pensée me vint : s'attendait-elle à ce que je lui vienne en aide ?

Les deux hommes ayant poussé la civière dans le vestibule, je restai un long moment assis sur le rebord de la fenêtre ouverte, regardant mon souffle se hâter, flottant, dans l'allée, puis se dissoudre. Aucune des fenêtres du bâtiment qui me faisait face n'était allumée. Tout reposait sur moi.

Incapable d'enchaîner deux idées cohérentes, je refermai violemment la fenêtre et retournai en courant à l'atelier. Et maintenant, que faire ? Cette fois-ci, je décidai de me cacher derrière un secrétaire à cylindre : si les deux hommes jetaient un coup d'œil dans l'atelier en repassant dans le couloir, ils ne pourraient pas me voir. Je les entendis qui poussaient leur fardeau à roulettes, la respiration lourde, des jurons étouffés aux lèvres. Après avoir attendu un bon moment pour éviter les mauvaises surprises, j'allai subrepticement dans le vestibule et suivis de nouveau leurs traces jusqu'à la grande porte coulissante. Fermée, comme la première fois ; les bords de la tache de sang commençaient à épaissir et à virer à un rouge éclatant, couleur ketchup. Ils n'avaient pas remis le cadenas, mais comment faire coulisser un battant aussi massif sans faire de bruit ?

J'essayai de faire fonctionner mes méninges. Si j'étais un policier ou un détective privé, comment m'introduirais-je dans cette pièce ? Par exemple, comme Jim Rockford, le loup solitaire, rusé comme un renard (« Deux cents dollars la journée, frais non inclus ») ou, pourquoi pas, Pete Cochran, le ténébreux frisé de *La Nouvelle Équipe*, que Quigley trouvait si mignon. Je préférais Rockford mais, dans la situation présente, les méthodes de Pete me paraissaient plus adéquates. Dans l'une des dernières aventures de la Nouvelle Équipe, j'avais appris que, pour passer d'une pièce à l'autre ou d'un étage à l'autre afin d'espionner en beauté les méchants et de secourir les gentils, rien ne valait les conduits d'aération. Quelques semaines plus tôt, en fait, ce mec noir assez dément, Linc – celui qui se baladait toujours coiffé d'une incroyable afro de la taille de Jupiter – s'était fait enlever par des malfaiteurs étrangers, lesquels l'avaient enfermé dans la grande salle des rotatives de je ne sais quel journal. Avant qu'ils aient eu le temps de lui régler son compte, Pete était descendu de l'étage supérieur en rampant dans les conduits d'aération et lui avait sauvé la vie.

J'essayai d'ouvrir les portes des deux pièces de part et d'autre de celle où la civière avait disparu. Elles étaient verrouillées, hélas, si bien que je dus monter par un escalier malpropre, tapissé de linoléum à carreaux noirs et blancs, jusqu'à l'étage supérieur.

La pièce située à l'aplomb de l'antre des méchants exhibait quelques beaux restes d'opulence, avec des colonnes en fonte et ce genre de chaises à roulettes en bois qu'on trouvait encore, à l'époque, dans les vieilles banques. On aurait dit un bureau ou une salle d'exposition. Le mur du fond était recouvert de cadres anciens – certains vides, d'autres encerclant de leurs ors des portraits de ducs et autres baronnes à l'air passablement constipé.

Il n'y avait rien là qui ressemble à une trappe de conduit d'aération. En revanche, dans un des coins du parquet usé, je remarquai quelque chose qui m'intrigua. Le long du mur tapissé de cadres, deux petits trous avaient été percés dans le bois ; on y avait introduit un bout de ficelle qui servait de poignée improvisée.

Je m'agenouillai et tirai doucement dessus. Deux morceaux de planche mitoyens se soulevèrent alors, révélant une étroite fente rectangulaire qui donnait sur la pièce du dessous. Un souffle humide me balaya le visage, lourd d'une odeur fétide et du chuchotement grave de voix masculines. En me penchant, je ne vis rien de plus qu'un bout de plancher et, juste contre l'ouverture, une étagère en tasseaux qui montait jusqu'au plafond. Elle était visiblement remplie à craquer de vieux cadres, alignés à la verticale comme des livres dans une bibliothèque.

En fait, compris-je soudain, ce n'était pas Rockford ou Pete Cochran qui pouvaient me servir à quelque chose ici, mais Stanley la Crêpe. Stanley, héros d'un livre pour enfants, avait été complètement écrasé par le lourd tableau d'affichage que ses parents, pas très futés, avaient suspendu au-dessus de son lit (le crochet avait cédé, tout bêtement). N'importe quel gamin en aurait voulu au monde entier, mais Stanley, lui, avait décidé de tirer profit de son infortune. N'était-ce pas une formidable invitation au voyage ? Il s'était enroulé sur lui-même, comme une affiche, et fait expédier en Californie dans un tube en carton, pour les vacances.

J'allais faire aussi bien que Stanley la Crêpe. Sans prendre le temps de réfléchir à la question, je me glissai dans la fente, telle une lettre, me raclant au passage – ô douleur – le ventre et les tétons. Pendant quelques secondes, je restai suspendu à mon trou, la tête et une partie du torse au-dessus du plancher et le reste en dessous. Jusqu'à ce que je parvienne enfin, en balançant les pieds, à trouver un appui sur l'immense étagère, puis à atterrir sur sa dernière planche.

Quand j'eus retrouvé mon équilibre, accroupi sous le plafond, je baissai enfin les yeux. Et je la vis, la femme de la civière. Elle était couchée sur le dos, dénudée jusqu'à la taille, avec ses seins d'une plénitude à vous couper le souffle, la fossette de son nombril remplie d'une minuscule flaque d'ombre. Une statue, venais-je de comprendre – quelle sottise d'avoir pu penser un instant qu'elle était vivante ! Quoi qu'il en soit, elle était incomplète. Au-delà des doux monticules de ses hanches, son corps voluptueux s'interrompait, terminé par un socle anguleux et sévère taillé dans la même pierre beige. Et, bien que d'une indiscutable beauté, elle avait un aspect monstrueux, gisant là sans ses jambes, résultat d'une séance de magie qui aurait tourné à la catastrophe.

En descendant prudemment d'un niveau, en dessous des tuyaux hérissés de poussière, je pus me faire une idée plus claire des lieux. Il s'avéra que la femme sans jambes avait deux sœurs jumelles. Sur une estrade qui occupait le centre de la pièce – mi-autel, mi-salle d'opération – gisaient trois demi-femmes de pierre, quasi identiques et semblablement dénudées. Chacune d'elles avait les bras levés au-dessus de la tête, paumes tournées vers le ciel, comme pour soutenir quelque invisible fardeau. Et chacune possédait, en guise de jambes, ce curieux socle.

Les deux brancardiers étaient penchés sur la plus éloignée des femmes, dont le visage et le torse étaient maculés d'une longue traînée sombre. Queue-de-Cheval, armé d'une brosse à dents, lui nettoyait les orbites. Son copain l'armoire à glace ne cessait de lui frotter le bas du sein droit à l'aide d'un bout de papier de verre – frottant, soufflant sur la poussière de pierre, et se remettant à frotter.

Papa les rejoignit.

« Vous perdez votre temps », leur annonça-t-il.

Il grimpa sur l'escabeau qui permettait d'accéder à l'estrade.

« Ça, ce sont des pluies acides, dit-il en désignant la traînée noire. Vous ne pourrez pas y faire grand-chose. Baignez-la un tout petit moment dans de la soude pour éclaircir la pierre. Ensuite, vous la laisserez reposer. »

Il s'interrompit un instant, contemplant les trois statues.

« De vraies splendeurs, hein ? Elles valaient la peine qu'on se décarcasse.

— Complètement ! » répondit Queue-de-Cheval.

Les phalanges de sa main gauche, griffées par la pierre, étaient à vif, perlaient de gouttes de sang. Il leva le poing à ses lèvres et suça pensivement ses plaies, les yeux fixés sur la femme maculée.

« Mais tu ne penses pas qu'on devrait lui passer un petit coup de ponceuse, à celle-là, juste un chouïa ? »

Papa secoua la tête.

« Non, ne t'en fais pas, Zev. On va lui trouver une maison. Il y a des gens qui aiment bien ce qui est un peu abîmé. C'est comme à la SPA. Il y a toujours une bonne âme qui s'entiche du chat borgne auquel il manque un bout d'oreille. »

Ce fut alors que papa me vit. Je croyais m'être bien caché, recroquevillé dans la pénombre de l'étagère, entre deux cadres dorés. Son regard croisa pourtant le mien. Impossible de battre en retraite. Il sauta à bas de l'estrade et se dirigea d'un pas ferme vers moi, le sang lui montant au visage.

« Pour l'amour de Dieu, qu'est-ce que... », commença-t-il, avant de perdre le fil de sa colère.

Il avait tourné la tête vers la porte coulissante, bel et bien fermée.

« Attends. Comment es-tu entré ? »

Je levai les yeux vers le plafond. Il m'imita aussitôt.

« Tu as pu t'introduire par cette fente ridicule ? Mais ça tient du miracle !

— Eh bien, je...

— Tu pourrais le refaire ? »

Il paraissait troublé. Quelque chose le tracassait, visiblement.

« Ce que je voulais dire, en fait, c'est : As-tu le vertige ? Quand tu es tout là-haut, est-ce que tu as la tête qui tourne ? La nausée ?

— Non, pas du tout. Mais papa, dis-moi, qu'est-ce que c'est que ces machins, là... ces dames en pierre ? »

Il inspira profondément, comme s'il hésitait sur l'étendue des révélations à venir. Lorsqu'il reprit la parole, cependant, j'eus l'impression que rien ne pouvait l'arrêter.

« Eh bien, Griffin, ce sont des cariatides. C'est-à-dire des colonnes de pierre auxquelles on a donné une forme féminine. Parfois, elles soutiennent des frontons. En l'occurrence, celles-ci étaient purement décoratives. Elles tenaient des urnes en pierre sur leur tête. Elles te plaisent ? »

J'acquiesçai, hésitant, avant de me laisser glisser à terre.

« Il n'est pas fréquent d'en trouver d'aussi joliment sculptées que celles-là à New York. Et ça n'ira pas en s'arrangeant. La plupart du temps, ce que tu verras ici, ce seront de très belles têtes de déesses, ou des marmousets, ou des animaux mythologiques. »

Queue-de-Cheval opina du chef.

« En général, nous appelons tout ça "des gargouilles", pour faire simple, me confia ce dernier.

— En effet, dit papa, que cette interruption irritait légèrement. Même si, techniquement, une gargouille est une créature de pierre dont la bouche sert de gouttière.

— D'où viennent-elles ? demandai-je.

— Ces trois dames ? fit papa. Elles se trouvaient au premier étage de l'immeuble de la Manhattan Life Assurance Building, sur la 53e Rue, partie ouest. Juste à l'angle de la Sixième Avenue.

— Et donc, ils les ont extraites de la façade et vous les ont données ?

— Pas vraiment.

— Elles n'ont pas été extraites de la façade ? Ou ils ne vous les ont pas données ? »

Papa s'accorda un moment de réflexion.

« La réponse est "Non", dans les deux cas. En revanche, tous les locataires ont été expulsés, raison pour laquelle mon équipe et moi avons pu, la nuit dernière, récupérer ces statues sans nous faire prendre. En général, lorsqu'un propriétaire se débarrasse de tous ses locataires, c'est qu'il est sur le point de démolir l'immeuble. »

Assertion que je méditai tout en descendant de l'étagère. Au troisième niveau en partant du bas, je fis une halte.

« Donc, vous les avez *volées*, ces dames ? »

Papa me fixa pendant un long moment d'un regard sans expression, jusqu'à ce que la commissure de ses lèvres affecte le début d'une ombre d'un rictus ironique.

« Je leur ai rendu la liberté. Nuance. Ces reliques, ces statues, je les sauve et je leur trouve de nouvelles maisons, chez des gens qui savent les apprécier.

— C'est-à-dire que tu traînes en ville et que tu prends tout ce qui t'intéresse ?

— Non, non, juste les belles choses », rétorqua Queue-de-Cheval en gloussant.

Papa laissa échapper un lourd soupir.

« Les gars, annonça-t-il aux deux équipiers. La journée de travail est finie, je pense. Simplement, que l'un de vous deux n'oublie pas de garer le camion sur le quai, comme d'habitude, compris ? »

Ayant marmonné quelques vagues salutations, les brancardiers s'éclipsèrent. Papa, adossé au ventre arrondi de la femme maculée de pluie acide, m'enveloppa d'un regard grave.

« Écoute, fiston. Ces reliques, je les sauve. Les gargouilles sont une espèce en danger. Ou plutôt toute une série d'espèces en danger. Les angelots et les satyres, les griffons et les monstres marins, les déesses et les rois – ils sont tous en train de disparaître de la surface de la terre. Depuis que la ville s'est lancée dans ces colossaux projets de rénovation, c'est-à-dire des années, des quartiers entiers de New York ont été rasés. Et chaque fois qu'un immeuble ou une maison de ville est détruit, les ornements pâtissent du processus de démolition ; les vestiges sont abandonnés, jetés à la décharge. Moi, j'essaie seulement d'arriver avant les démolisseurs et de sauver ce qui peut l'être. »

Deux de ses doigts, le majeur et l'index, s'étaient posés sous la gorge de la femme, caressant les fins contours de ses clavicules. Ils s'attardèrent un moment dans le creux délimité par l'os puis suivirent l'un des minces tendons qui remontaient en V vers son menton. Sa chair de pierre, qu'avait longtemps protégée des cieux impurs la saillie de son menton, était ici sans tache.

« Mais tu viens de me dire que l'immeuble d'où elles viennent tenait encore debout, papa. Comment sais-tu s'il va vraiment être détruit ?

— Il faut anticiper, petit. Si nous attendons que les propriétaires annoncent la démolition, nous n'arriverons jamais à récupérer les gargouilles. Les responsables du chantier de démolition feront grillager le site ; il y aura des barbelés, parfois même un agent de sécurité. Ils ne veulent pas risquer d'ennuis au cas où un passant s'aventurerait sur le chantier et se blesserait.

— J'imagine », dis-je.

Je ne comprenais pas grand-chose au processus de mutation de la ville.

« Griffin, je vais te dire quelque chose. Ça va à toute vitesse. Entre la rénovation urbaine et tous ces immeubles modernes pourris, sans âme, tous pareils, qu'on te colle partout – les HLM, les tours de bureaux comme tu en vois de Tokyo à Londres, les immeubles d'habitation tout mastocs, d'abord en brique blanche, puis jaune et maintenant rouge –, crois-moi, ce n'est plus qu'une question de quelques mois ou quelques années avant que tout le patrimoine ornemental privé de la ville disparaisse. »

Le bout de son doigt avait atteint la subtile protubérance de la thyroïde de la femme et s'y attardait, explorant ses nuances inattendues.

« La sculpture ornementale est morte, mon fils, et rien ne la fera revivre. »

Les émanations du décapant, les acrobaties sur l'étagère, tout ça commençait à me donner le vertige et des nausées.

« Je peux rentrer à la maison, maintenant, papa ? demandai-je d'une voix douce.

— Bien sûr, Griffin. Bien sûr que tu peux rentrer. Mais où crois-tu que je trouve l'argent pour ladite maison ? »

Il y avait dans la voix de mon père une circonspection lasse.

« Tu crois que c'est une mince affaire, de payer pour deux ménages alors que nous sommes en pleine crise économique ? Tu crois que la vie agréable que tu mènes dans notre belle vieille maison ne peut pas cesser du jour au lendemain ?

— Je n'ai pas dit ça », protestai-je.

Pourtant, il n'avait pas tort. Pour moi, notre maison était éternelle. Forcément. Les pères quittaient parfois les familles, les mères aussi, à l'occasion. Les murs, eux, restaient toujours en place. Même ceux de l'appartement de Lamar avaient survécu à l'incendie qui avait tué sa mère.

« Le premier du mois, Griffin. Le quinze, avec le délai de grâce. C'est le moment où je dois payer pour votre maison. »

Il désigna les trois femmes aux seins nus.

« Tu peux leur dire merci : c'est grâce à elles que la banque ne viendra pas réclamer son dû ce mois-ci. Mais qui sait ce qui se passera le mois prochain ? »

J'en connaissais aussi peu sur les banques que sur les femmes.

« Tu peux les payer avec ces statues ?

— Bien sûr que non, répliqua papa, hargneux. Mais il faut bien que je trouve des liquidités. Et le fait est que plus personne n'achète d'antiquités de nos jours. En tout cas, beaucoup moins qu'autrefois. Depuis deux ans, le marché des pièces de collection s'effondre. En revanche, les gargouilles – ces fragments de ville vivante –, ce n'est pas la même chose. Les restaurants, les décorateurs d'intérieur, les collectionneurs… il y a des tas de gens dans le monde qui veulent acheter des bouts de New York. »

Cette perspective apparemment le rassérénait.

« Tu serais ébahi de voir à quel point ils prennent soin de ces ornements. Putain, ils les respectent plus que la ville ne saurait le faire. »

Le bout de ses doigts avait atterri sur les plis délicats de l'oreille de la femme striés de noir par les pluies et légèrement entrouverts, comme une fleur.

Je me dirigeai lentement vers la grande porte coulissante.

« Je reviendrai finir la chaire un de ces jours, hein ? On ne peut pas dire qu'il fasse chaud ici.

— La chaire, je m'en fous. »

83

Papa se détourna enfin de la statue.

« C'est pour les gargouilles que tu pourrais vraiment me donner un coup de main. »

Il me décocha un large sourire qui découvrit deux ou trois de ses molaires en or. Ces derniers temps, il disait souvent, sur le ton de la plaisanterie, que si la crise pétrolière continuait à faire augmenter nos factures de chauffage, nous pourrions toujours nous faire un peu d'argent en revendant ses couronnes.

« Vendredi soir, je repars en exploration – j'ai un gros acheteur qui vient de Houston la semaine prochaine. Un petit gars aussi agile que toi me serait d'un grand secours. Tu n'as qu'à expliquer à ta mère que tu passes la nuit chez moi. Inutile de la mettre au courant.

— Je ne sais pas, répondis-je. C'est qu'il y a *Kung Fu*, le vendredi. »

Ce qui était un mensonge : *Kung Fu*, c'était le jeudi. Mais il n'y verrait que du feu. Il n'avait même pas de télé.

« Bon, réfléchis-y. Si tu veux m'aider à payer votre prochaine mensualité, rejoins-moi ici vendredi soir vers 18 heures. On se fera des spare ribs à Chinatown, on ira voir un film, peut-être, et après minuit, hop : chasse à la gargouille. Tous les deux, entre hommes.

— Mais à quoi je pourrais te servir ? Je n'y connais rien, à tes gargouilles.

— Il y a des choses que tu peux faire et moi pas. Des endroits où tu peux te faufiler, répondit papa en jetant un très bref coup d'œil à l'ouverture du plafond. J'ai besoin de toi. »

J'en eus le souffle coupé. Cet aveu, c'était une première.

DEUXIÈME PARTIE

Les chasseurs de gargouilles

6

MA MÈRE SE CONSIDÉRAIT TOUJOURS comme une orpheline de Manhattan : tous les immeubles dans lesquels elle avait vécu, toutes les écoles qu'elle avait fréquentées avaient disparu sans laisser de traces. De même ses marchands de bonbons préférés. Et ses salles de jeux. Tous les cordonniers qui avaient chaussé ses pieds d'enfant, de jeune fille, d'adulte, en babies, en tennis de toile, en richelieus bicolores. Tous les Five-and-dime de Kips Bay. Tous les magasins de disques. Tous les distributeurs de sodas.

La ville, disait ma mère, n'était jamais responsable de sa relation pour le moins bousculée avec le temps. Une explication parmi d'autres : en dépit de toutes les réinventions successives de New York et de tous les déménagements de ma mère, cette dernière ne s'était jamais perdue en route. Deuxième explication : la ville avait la métamorphose dans la peau. Autant reprocher à l'océan les vagues qui déferlaient éternellement sur le rivage et brisaient en échardes cruelles les coquilles roses et magnifiquement complexes des habitants de la mer pour les ravaler ensuite comme si elles n'avaient jamais existé.

En rentrant de l'atelier paternel ce soir-là, alors que je me faufilais dans cette étroite maison de brique et de grès qui me semblait désormais, impression nouvelle, étroite et fragile, je trouvai ma mère dans la salle à manger, en train de trier ses coquilles d'œufs sur la grande table aux pieds de lion. C'était une mère aux yeux sombres, au visage de Gitane, maman – un élégant tourbillon d'étoles et d'écharpes, de bracelets cliquetants et de bagues par dizaines.

À qui n'avait pas l'œil exercé, les accessoires de son art ressemblaient aux trouvailles excentriques et chéries d'un sans domicile fixe. Elle avait disposé devant elle une petite trentaine de sacs en papier des supermarchés Finast, tous remplis de centaines de morceaux de coquilles d'œufs, dont la taille variait de la graine de tournesol à la pièce d'un cent. À une coudée de maman trônaient deux rangées d'immenses flacons de mayonnaise Hellman, de la même taille que ceux du self-service de l'école, qui recueillaient les coquilles triées. Chaque fois que la maisonnée avait fini sa douzaine d'œufs, maman collectait les coquilles dans un sac en papier qu'elle écrasait soigneusement pour fragmenter plus finement les morceaux ; puis elle laissait ces sacs s'accumuler. Lorsque la pile atteignait une certaine hauteur – comme ce jour-là –, elle devait trier les petits morceaux par couleur et verser dans le flacon idoine tous ceux qui arboraient la même nuance de blanc, de beige ou de brun (et, le cas échéant, ceux dont les subtils reliefs se ressemblaient). Maman et moi étions les seuls à pouvoir trier les coquilles. Papa manquait de patience et Quigley n'arrivait pas à différencier les nuances de marron.

« Où étais-tu passé ? m'interpella maman tandis que je me laissais tomber sur une chaise en bois cintré à son côté, avant de me mettre pieds nus pour ôter les peluches coincées entre mes orteils. Au passage, Griffin, c'est vraiment répugnant.

— Une répète au théâtre du lycée », répondis-je.

Ça n'était pas bien dur de mentir à nos parents, aucun des deux n'avait la moindre idée de notre emploi du temps ordinaire – sans parler des activités périscolaires.

« Ah oui ? C'est un truc que je connais ?

— *West Side Story*. J'ai horreur des comédies musicales, mais les bastons, ça sera peut-être rigolo.

— *West Side Story* ! se pâma maman. Ah, le Lincoln Center.

— Mais non, bien sûr. C'est juste le théâtre du lycée. On jouera dans l'église, comme d'hab.

— Non, je te parle du quartier où a été filmé *West Side Story*. Tout a été rasé pour construire le Lincoln Center et ces grandes tours carrés qui poussent derrière. Quand j'étais en première année d'école primaire, j'avais une amie portoricaine, Felicia Vasquez, que j'avais rencontrée au parc, au spectacle de marionnettes. Elle habitait dans un petit immeuble sans ascenseur, à l'emplacement de l'une de ces tours. Ma mère ne voulait pas que j'y aille toute seule. Mon père devait m'accompagner. »

Elle leva un de ses sachets de coquilles au-dessus des deux flacons de Hellman, méditant visiblement sur l'appartenance de ces nouveaux fragments à l'une ou l'autre de ses tribus.

« Et puis ils ont détruit tous les immeubles d'habitation pour construire un opéra.

— Rénovation urbaine ? demandai-je, appréciant l'assurance adulte avec laquelle ce nouveau vocable coulait de ma langue.

— Oui, j'imagine. Ou ce qu'ils avaient coutume d'appeler de l'assainissement. Le sens politique de la chose ne m'intéresse pas. »

Je me mis à l'aider à trier les coquilles. J'aimais bien lui montrer la rapidité avec laquelle j'identifiais les teintes et choisissais le bon flacon.

« Elle est où, Quig ?

— Aucune idée. Une audition, si ça se trouve ? Elle portait une espèce de robe de cocktail avec des chaussures mal assorties. »

Je hochai la tête, et nous commençâmes à trier les morceaux en silence.

C'étaient les œufs et leur subtile diversité qui avaient provoqué la première rencontre entre mes parents. En tout cas, telle était leur version des faits. C'était dans les années 1950. À cette époque, papa avait un atelier de restauration près du vieux Washington Market, juste au-dessus de la section beurre-œufs-fromage. Un matin, à l'aube, il avait repéré maman tandis qu'il rentrait chez lui, dans Greenwich Street, au volant de son pick-up, les paupières gonflées par une nuit passée sur la route ; il revenait du Maine, où il avait acheté un lot de vieilles tables d'angle dans une vente de succession.

Près de Duane Park, il s'était garé, avait coupé le moteur et, sautant de la cabine, avait suivi maman à distance. Elle rendait visite à tous les grossistes en œufs, de Fortgang à Wils, de Wils à Weiss, posant des questions aux vendeurs, examinant les œufs dans la lumière croissante du matin, traquant les variations de couleur, de teinte et même de texture. Elle-même incarnait l'une de ces variations, svelte silhouette en robe imprimée jaune se faufilant entre ces marchands d'œufs au teint blafard vêtus de blouses blanches et de pantalons à revers.

« Un œuf est un œuf est un œuf, ma petite dame », avait grommelé un grossiste exaspéré, cheveux ras, crayon coincé derrière l'oreille.

Elle se servait des coquilles, qu'elle cassait en tout petits morceaux et triait dans des moules à muffins, pour exécuter de minutieux paysages de terre et de mer : voilier solitaire à l'ancre dans une baie de lumière fragmentée ; pic assaillant les nuages, réduit à ses mille facettes. Maman avait une acuité visuelle exceptionnelle : 20 sur 10, comme Ted Williams. Elle maniait si habilement sa pince à épiler qu'on voyait à peine les jointures entre les bouts de coquille. L'un de ses professeurs le lui avait confirmé lorsqu'elle était à Pratt : elle avait vraiment mis la main sur quelque chose. Il n'aimait pas toujours ce qu'elle faisait, avait-il ajouté, mais il avait du mal à en détacher son regard. Elle aurait voulu aller en Italie, y poursuivre des études artistiques, comprendre ce dont elle était capable et manger des sandwichs au prosciutto et au beurre, assise sur le rebord d'une fontaine aux eaux scintillant de mille feux. Mais Quigley – et ça lui ressemble tellement ! – fit intrusion dans ce joli tableau six mois à peine après que ma mère eut quitté Pratt. Et lorsque maman eut sorti la tête du guidon, elle se rendit compte qu'elle était exactement dans la situation qu'elle avait toujours voulu éviter : coincée entre les quatre murs d'un deux-pièces dans Hell's Kitchen avec un magnifique époux et une ravissante enfant, sans la moindre marge de manœuvre pour repartir en marche arrière.

Elle était en train de connaître le même sort que sa mère, ce qui la rongeait. Alimentée jour après jour, sa haine de soi ne cessa de croître.

Maman se remit pourtant. Elle commença à comprendre que Quigley, si hurlante et si cramoisie fût-elle, n'était pas de force à l'empêcher de progresser. Ni elle ni papa. Elle pouvait travailler à mi-temps lorsque Quig était à la crèche. Elle et papa pouvaient aussi faire pot commun pour louer une vieille ferme dans la campagne italienne et, pourquoi pas, embarquer un autre jeune couple dans l'aventure. Quig pourrait gambader entre les feuilles des pieds de vigne dans quelque exploitation voisine, tandis que maman créerait et vivrait une aventure ou deux.

Refus catégorique de papa. Il était hors de question que sa femme se mette à travailler. Hors de question qu'il quitte New York après s'être donné un mal de chien pour y vivre à peu près correctement, laissant loin derrière lui une enfance rurale assombrie par la Grande Dépression.

Maman n'insista pas. Elle savait à quel point il était imprudent de réveiller les démons de papa. Elle n'avait aucune envie de voir son visage se métamorphoser, ses yeux d'orage lancer leurs éclairs verts.

Du moins était-ce sa version. Qu'elle me raconta un certain nombre de fois. Elle s'adressait toujours à moi comme à un égal, un confident, étalant sous mes yeux des détails intimes que la plupart des mères ont l'intelligence de réserver à leurs amis. Ce n'était pas de la propagande, cependant. Elle ne cherchait pas à me retourner contre papa. Non, c'était un état des lieux sans aucune censure, le ressenti du moment qu'elle me rapportait tel quel, sans se demander l'effet que pouvaient produire en moi ces révélations. Elle alternait entre description des travers de mon père et célébration de son charisme. C'était l'homme le plus intéressant qu'elle ait jamais croisé.

Elle ne le quitta pas après l'échec de son projet italien : où aurait-elle pu aller ? Mais je ne crois pas qu'elle lui pardonna jamais.

Sa pratique artistique changea. Dans les semaines qui suivirent, elle se mit à travailler jusque tard dans la nuit à une fresque qui ornait un des grands murs de la chambre de Quigley : fresque joyeuse, humoristique, représentant la fontaine de Trevi, avec ses cataractes écumantes et ses chevaux ailés aux queues de sirène qui traînaient, dans les embruns, l'immense char d'un dieu de la Mer.

Joli présent pour Quig, qui passa une bonne partie de son enfance à contempler cette fabuleuse scène, son petit lit poussé contre le bassin aux eaux d'un scintillant bleu-vert à l'endroit même, compris-je bien plus tard, où Anita Ekberg et Marcello Mastroianni s'étaient embrassés, dans l'éphémère jusqu'aux genoux.

Maman revint à ses mosaïques en coquilles d'œufs. Mais plus de scènes agrestes, plus d'idylles de bord de mer.

Elle songea à son enfance. Elle était fille unique – une poupée Kewpie pensive au nez en trompette que ses parents paraient de robes enrubannées pour parachever leur autoportrait en couple parfait. Son père, propriétaire d'une petite quincaillerie sur la Deuxième Avenue, avait une folle admiration pour les grands hommes. Tous les dimanches, pour peu qu'il fasse beau, il se mettait sur son trente et un, enfilant l'un des costumes sur mesure qu'il achetait au prix de gros à son oncle Hiram, et emmenait sa petite famille dans un parc de la ville, jamais le même, pour régurgiter toutes les anecdotes qu'il avait pu mémoriser sur les célébrités dont les statues de bronze ornaient les piédestaux desdits parcs. Sa femme, conjointe en second, déambulait à son côté sans dire un mot, le bras possessif accroché à celui de son mari. Ni le père ni la mère ne s'intéressaient vraiment à leur fille.

À présent, ma mère revisitait ces hommes de bronze sur leurs perchoirs. Sans l'avoir réellement cherché, m'expliqua-t-elle, elle s'était un jour retrouvée en ville à photographier leurs têtes impersonnelles et fières. Oh, leurs regards hautains qui, lorsqu'elle était enfant, lui donnaient l'impression d'être jugée, méprisée pour une échelle dans ses bas qu'ils étaient seuls à voir. Elle mobilisa ses armées de fragments, créant de nouveaux portraits de ces célébrités de bronze, révélant les lignes de faille dans leurs belles certitudes, les cent fissures non avouées, les veines d'absence émotionnelle qui leur donnaient une cohésion aussi solide que les meneaux de plomb de quelque vitrail. J'étais trop jeune pour bien comprendre ce type d'explications ; parfois même j'étais las de les entendre. Pourtant j'aimais ces portraits en mosaïque, la manière dont ils révélaient l'invisible. Ils me faisaient penser aux Rice Krispies, et à leur grande boîte bleue qui contient autant d'air que de nourriture.

Tous les mois d'octobre, d'aussi loin que mes souvenirs remontent, maman organisait une grande exposition de ses œuvres à la maison. Elle commandait des litres de vin Gallo en grosses jarres de verre vert, nous installait, Quig et moi, derrière une petite table – nous jouions les barmen juniors – et invitait la ville entière à se voir représentée sur nos murs. Ses amis artistes venaient en foule, de même que quelques oisifs du voisinage en quête d'un repas gratuit et des amis antiquaires de papa. Ils buvaient exagérément, boulottaient toutes les olives, tous les œufs à la diable, écrasaient les biscuits apéritif sur nos tapis, s'attardaient toujours trop. Un peu après minuit, quelqu'un – c'était le plus souvent le même Irlandais trapu – sortait une steel guitar de sa housse et en jouait de ses ongles trop longs tout en chantant trop fort. Ce qui incitait invariablement quelques autres messieurs, le plus souvent dépourvus de talent musical, à s'emparer de nos casseroles en cuivre. Ils se mettaient alors à taper sur ces tambours improvisés avec des grandes cuillers et des pinces à glace. Et l'assistance braillait à l'unisson, jusqu'à en perdre la voix.

J'avais mission de coller une petite pastille rouge au coin de toutes les œuvres réservées. Cela ne se produisait guère qu'une fois ou deux par exposition, dans le meilleur des cas. Cela dit, nous étions toujours à court de pastilles à ce moment-là. Quig et moi nous les collions sur le visage, isolément, en guise de bindis, ou par petits groupes, façon éruptions cutanées.

Une fois que j'eus fini de trier mon premier sachet de coquilles, maman le récupéra et alla le jeter à la poubelle avec deux ou trois boîtes vides. En revenant à la cuisine, elle bâilla longuement avant de s'attaquer à un nouveau sachet. Ses bracelets – os, plastique, écaille de tortue, bois, turquoise, argent – cliquetaient à ses poignets.

« Maman, lui demandai-je d'une voix égale, comme si la chose n'avait pas d'importance. C'est quoi, ce visage de dame, là, dans la cave ? Ou plutôt cette moitié de visage ? »

Maman fronça les sourcils. Deux rides verticales apparurent au-dessus de son nez.

« Ah, ce truc. Riche idée qu'a eue ton père de nous laisser ça, hein ?

— Qu'est-ce que tu veux dire ? Elle lui appartient ? C'est quelqu'un de la famille ?

— Qu'est-ce que tu racontes ?

— Elle ressemblait à un masque mortuaire, dis-je. Ou comment appelle-t-on ce truc qu'on fait en collant des pailles dans les narines des gens ? Comme ça, ils peuvent continuer à respirer pendant qu'on les tartine de plâtre.

— Une empreinte de visage ?

— Oui, c'est ça. Une empreinte de visage.

— Non, non, Griffin, ce n'est pas quelqu'un qui a vraiment existé. C'est un ornement de façade en terre cuite, pour un immeuble d'habitation. Ils sont toujours creux ; autrement, ils exploseraient. Tu ne peux pas faire cuire un objet aussi massif. La chaleur du four le pulvériserait.

— C'est quoi, une façade ?

— Le devant d'un immeuble. Son visage, en quelque sorte.

— Ah, alors c'est un visage qui vient d'un visage ?

— On peut dire ça, même si c'est un peu tiré par les cheveux.

— Et de quel immeuble venait-elle ?

— Ton père nous l'a rapportée, cette fichue tronche, quand Quig était bébé. J'ai failli l'étrangler sur place. »

Pourquoi avait-elle été si bouleversée par ce masque ? lui demandai-je. Le souvenir de cette aventure la replongeait dans une telle fureur, un ressentiment si profond, que j'en restai coi. J'étais trop jeune à l'époque pour percevoir ce qui m'est aujourd'hui évident : on ne peut pas vraiment comprendre une situation de ce genre si l'on n'a pas vécu ce que vivait alors ma mère, avec son premier nourrisson sur les bras, privée de sommeil et obligée, vingt-quatre heures sur vingt-quatre et sept jours sur sept, de s'occuper d'un être aussi atrocement colérique.

Quig avait dans les six mois : petit monstre au visage cramoisi, jamais content, toujours malade, dont la rue tout entière connaissait la tignasse orange vif et les rages homériques. Maman ne l'allaitait plus : elle avait jeté l'éponge le mois précédent, ce qui avait permis à Quigley d'atteindre un niveau de fureur infantile inédit. Elle ne dormait pour ainsi dire plus, et ne cessait pratiquement jamais de hurler. Et, pendant tout ce temps – à en croire maman, en tout cas –, papa avait fait ce que les pères de l'époque étaient censés faire : à savoir, rien. Quand ils dînaient avec des amis, papa aimait à se distraire en enjoignant aux autres maris d'appliquer ce qu'il appelait la loi de Watts sur l'élevage des enfants : « Quelle que soit la situation, pères, ne proposez jamais de changer les couches. »

Un matin d'hiver, au lever du soleil, alors que Quig entamait ce qui semblait être la sixième heure d'une séance de braillements non-stop, maman en avait eu assez, tout simplement. Elle s'était ruée à l'étage, avait tiré papa du lit et les avait pratiquement mis à la porte tous les deux, le père et son rejeton du diable.

« Tu peux en faire ce que tu veux, y compris lui refiler un whisky, je n'en ai rien à foutre. Tout ce que je veux, c'est que vous ne reveniez pas avant 9 heures ce soir, nom d'un chien. Je vais me coucher ! »

Papa obtempéra, ramassa Quigley et l'emmena dans son petit landau en plastique ; la ville sortait de son sommeil, s'étirait, bâillait. Le mouvement, combiné à l'air froid, sembla calmer l'enfant, qui s'assoupit rapidement (effectivement, il n'y a pas de justice.)

À cette époque, la Troisième Avenue devenait une sorte de zone frontière à hauteur des 80es Rues. À l'est de cette limite, tout devenait soudain plus pauvre, plus sale ; et les cages à lapin y étaient plus nombreuses. Cette séparation était un legs de la E1 de la Troisième Avenue, ce que je n'appris que bien plus tard. Jadis, la ligne avait couru sur la chaussée, délimitant un bon et un mauvais côté, polarisation curieuse qui persista des dizaines d'années après la destruction de la structure massive qui supportait les rails. Non que la vie à l'est de la Troisième Avenue fût uniquement constituée de cambriolages, de vols à la tire et autres délits : mais il y avait un endroit, de notre côté de l'avenue, juste après la petite épicerie, là où les vieux Portoricains jouaient aux dominos et se disputaient en espagnol, à partir duquel le paysage devenait un peu plus délabré et les rues un peu plus dangereuses.

Ce matin-là, papa traversa immédiatement la Troisième Avenue et descendit la pente qui conduisait à la Deuxième Avenue, le landau de Quigley contribuant à la manœuvre par l'effet de son poids. Ce fut dans ce quartier douteux, sur la Deuxième Avenue ou peut-être la Première, que papa et son fardeau assoupi parvinrent bientôt devant un chantier, à l'angle d'une rue, chantier ceint d'une palissade de planches bleues sur laquelle était placardée cette inscription : Défense d'afficher. Un immeuble d'habitation avait été démoli la semaine précédente ; la veille, ouvriers et bulldozers avaient pratiquement fini leur tâche, ne laissant derrière eux qu'un paysage de décombres lunaires là où avaient vécu plusieurs dizaines de familles.

Abandonna-t-il Quigley sur le trottoir ? Transporta-t-il le landau dans ses bras, tout en escaladant les tas de briques et les joints fendus ? Tout ce que maman put me raconter, c'est qu'elle avait été tirée d'un sommeil réparateur par un sauvage beuglement de Quigley. Lorsqu'elle se précipita au rez-de-chaussée, pieds nus, pour essayer de comprendre ce qui causait un tel désespoir, elle se rendit compte que papa avait extrait Quig de son landau pour y coucher un visage de femme en terre cuite coiffé de lierre en fleur – visage incomplet, massif, d'un rouge de croûte.

Papa venait juste de refermer la porte d'entrée, épuisé par son périple, poussant d'une main le landau bien chargé et maintenant de l'autre sur la tête un carton de lait Elmhurst Dairy dans lequel Quig, assise, couverte de poussière, braillait comme une perdue.

« Pour l'amour du ciel, Nick ! hurla maman en récupérant sa fille terrorisée. C'est ta fille, Nick. Ta fille ! Quel malade peut faire un truc pareil à sa fille ?

— Elle n'a rien de cassé, protesta papa. Elle s'en remettra. En fait, jusqu'à la maison, elle n'a presque pas pleuré. Et regarde comme elle est splendide, cette tête – regarde ce front altier ! Une déesse, c'est certain. Ou une *reine*. Crois-moi, même avec cette moitié de crâne en moins et ce regard borgne, elle a régné sans partage sur le chantier de démolition. Oui, elle a régné sur toute cette rue de merde ! Et, je te le dis, elle n'a eu que mépris pour les débiles qui l'ont arrachée à la façade pour l'abandonner dans les décombres. »

Ce fut à ce moment-là que maman commença à comprendre que son mari – cet individu si irrésistible, si concentré sur lui-même, si observateur – était soumis à une force d'une étrangeté et d'un empire tels qu'elle ne pourrait jamais l'appréhender. Papa, dans une sorte d'hébétude, garda les yeux fixés sur le fragment de déesse sauvé des décombres jusqu'à que, levant soudain les yeux vers maman, il articule ces quelques mots, plein d'une inquiétude sincère :

« Seigneur ! À ton avis, est-ce que ça se *généralise*, ici, ce genre de pratique ? »

La semaine suivante, il rentra à la maison avec une autre sculpture ornementale. Cette fois-ci, c'était un médaillon de terre cuite jaune moutarde d'où surgissait la tête d'un taureau mécontent, narines dilatées, un anneau sur la corne droite. Si papa cette fois-ci avait laissé Quigley chez nous, il s'était de nouveau servi du landau pour emporter sa prise. Lequel landau s'était, tandis que papa le hissait sur le perron, affaissé sous le poids de sa responsabilité historique.

Maman ayant accusé sans détour son mari d'être un voleur, il jura ses grands dieux qu'il n'en était rien. Cette tête de taureau, il l'avait *sauvée*, arrachée à un autre immeuble de la ville promis à la démolition.

Maman se leva et fit le tour de la table de la salle à manger. Elle souleva les flacons de mayonnaise un par un pour les secouer, de manière à tasser les fragments de coquille.

« Voler un morceau du paysage urbain et l'emporter chez soi, déclara-t-elle, c'est vraiment un truc de pervers. Ces ornements ne t'appartiennent pas. Ou plutôt, ils t'appartiennent complètement, puisque tu es new-yorkais, que cette ville est la tienne, et qu'en passant devant les façades, en levant les yeux, en appréciant ces ornements, tu les fais tiens aussi intimement que possible. »

Elle s'interrompit dans sa tâche.

« C'est donc se voler soi-même, reprit-elle en me considérant, les yeux plissés, par-dessus les flacons de mayonnaise. Et j'aimerais bien savoir comment on peut en arriver là. »

7

J'ÉTAIS DANS MA CHAMBRE en train de m'entraîner au Bec de la mort de toute la force de mes dix doigts lorsque je sentis un regard se poser sur moi ; en levant les yeux, je vis Quigley qui traînait dans le couloir. Avec ses cheveux carotte, elle ressemblait à la fille des *Maximonstres*, celle qui a des dents taillées en pointe et des couettes, et dont le rictus coupable suggère toujours une sorte de honte à prendre autant de plaisir à jouer les monstres.

« Qu'est-ce que tu veux ? lui demandai-je.

— Passe-moi ta balle de base-ball. La plus dure.

— Elle est dans le placard. Tu n'as qu'à te servir. »

Ce qu'elle fit.

Je n'étais pas mécontent de m'être débarrassé d'elle aussi facilement. Mon matériel d'entraînement – le broc de jus de pomme Mott, le sac de litière Klean Kitty (3,5 kilos), la tranche de jambon blanc bien trop vieille pour être consommée – était étalé à la vue de tous ; je ne voulais pas que Quig apprenne mes accointances secrètes avec le Bec de la mort. Nous étions vendredi : le lendemain, c'était la soirée de Dani. Je n'aurais pas le courage d'y aller sans être invité. Mais si j'étais capable de lui arracher un bout de peau quand elle se payait ma tête dans les couloirs de l'école…

J'avais levé ce fichu broc du bout des doigts dix minutes par jour pendant une semaine en y ajoutant cinq millimètres de litière pour chat à chaque séance. C'était le moment de tester mes prouesses guerrières.

Avec lenteur, componction – et tout le respect que pouvait m'inspirer l'assaut perpétré sur une tranche de jambon blanc –, je formai le Bec de mes cinq doigts et le laissai flotter un moment, menaçant, au-dessus de mon morceau de porc bouilli ; le Bec tournoya un moment, en quête d'une ouverture ; puis soudain, avec la froide précision qui caractérise le vrai ninja, je frappai, mes doigts féroces et assassins fondant sur la viande impuissante, et...

... rien. Chou blanc. De leur attaque en piqué mes doigts ne rapportèrent pas le moindre lambeau de jambon. Pas même de quoi faire un canapé digne de ce nom.

Le Bec de la mort, mon *cul*.

Un choc retentit, fracassant, sous le rebord de ma fenêtre.

D'un bond, j'allai l'ouvrir et penchai la tête, scrutant la chaussée pour déterminer l'origine de l'incident. Je vis, de notre côté de la rue, Quigley penchée sur le trottoir, cherchant à déloger ma balle de base-ball coincée sous la roue d'une voiture. Quig portait son immonde veste de survêtement en argent lamé, piètre imitation d'un modèle Adidas, avec ses deux rayures dorées sur les manches.

« Hé ! hurlai-je à son intention. Bon Dieu, qu'est-ce que tu fous ? »

Quig, qui était gauchère, se dirigea vers le milieu de la chaussée puis, se ramassant comme Jerry Koosman – version taches de rousseur et quelques kilos en trop –, expédia une balle rapide droit vers le deuxième étage et ma fenêtre. Je reculai, baissant la tête. Précaution inutile car, au dernier moment, la balle perdit de la vitesse et retomba, inoffensive, sur le trottoir.

« Bon Dieu de merde ! braillai-je, mais qu'est-ce que tu fous ?

— Je casse une vitre ! répondit-elle dans un hurlement joyeux.

— Mais pourquoi ? »

J'étais furibond.

« Pourquoi, oh, pourquoi ? »

Elle se dirigea de nouveau vers le milieu de la chaussée, la main gauche tendue.

« Parce que si je casse la vitre, il faudra que papa vienne la réparer. »

Je compris. C'était encore l'un des plans absurdes de Quigley pour réconcilier nos parents.

Cette fois-ci, Quig visa juste. À compter du moment où la balle jaillit de ses doigts boudinés, elle fila, ailée, droit vers moi, qui voyais grossir ses coutures rouges sans échappatoire possible. Pas de doute, cette fois-ci était la bonne. De toutes mes forces, j'essayai de relever le panneau inférieur de la fenêtre, pour le sauver du choc. Fichu dispositif à guillotine ! Il était coincé ; quand la balle atteignit sa cible, les éclats de verre se mirent à pleuvoir sur le rebord et sur le plancher de ma chambre. Fort heureusement, j'eus le temps d'esquiver l'averse.

« Espèce de tarée ! hurlai-je. T'es vraiment complètement dingue ! Reste où tu es ! »

Je descendis l'escalier en quatrième vitesse – oh, l'étrangler ! – mais, lorsque j'eus atteint le perron, Quig avait disparu depuis longtemps, en quête, sans doute, d'une cabine téléphonique pour informer papa de ce triste incident. *Je leur ai pourtant dit, à ces gamins des immeubles, de ne pas jouer au base-ball devant chez nous. Mais comme je suis une fille, ils n'écoutent jamais.*

L'immeuble de papa, c'était le Hollandais volant des entrepôts. Il ne semblait jamais rester à l'endroit où on l'avait laissé, si bien qu'on avait l'impression de ne pouvoir le retrouver qu'en errant dans les pâtés de maisons déserts au nord de Chambers Street. Là, par hasard, il se présentait à vous. J'avais glissé dix dollars dans une de mes baskets – les agresseurs éventuels ne le devineraient jamais, floués par les trois autres dollars que j'avais dans mes poches – et pris le métro en passant par l'entrée de chez Gimbels pour descendre toute la 86ᵉ Rue jusqu'à l'arrêt City Hall. De là, je m'étais mis à chercher l'atelier à pied. Si je ne perdais pas trop de temps, ma simple présence devrait suffire à étouffer dans l'œuf le projet de Quig. Papa ne viendrait pas chez nous prêter assistance à maman. Ce jour-là, en effet, pour la première fois, je devais l'accompagner à la chasse aux gargouilles.

Quigley n'avait pas toute sa tête. Je ne plaisante pas. Un moment de distraction de votre part, et hop, elle concoctait un plan idiot pour réunir nos parents. Un jour, elle avait forcé l'ensemble de nos locataires à venir la voir jouer un personnage imaginaire dans une pièce de Beckett qui n'existait pas, le tout dans un théâtre interlycées pur produit de son imagination. Dès qu'ils avaient libéré la place, tenant chacun à la main le plan fantaisiste et détaillé qu'elle avait conçu, elle avait enfoncé son fer à friser dans une des prises de la cuisine : court-circuit à tous les étages. Quand papa, convoqué par Quig, s'était présenté chez nous pour changer les plombs, il avait trouvé sur la table éclairée à la bougie un pain de viande pour deux (Quig l'avait fait cuire au four à gaz). Seule autre convive, maman.

Il était difficile de sonder les raisons pour lesquelles Quig tenait tant au retour de papa. Même s'il me traitait toujours avec sévérité, du moins semblait-il me considérer comme un membre de sa tribu. Mais Quig ? On eût dit qu'elle était à ses yeux une affolante inconnue, dont il admettait à peine la présence sous son toit. En fait, je crois qu'elle représentait une espèce de progéniture qu'il ne pouvait reconnaître comme sienne. Elle était très mauvaise élève, avait du mal à écouter quand on lui parlait, ne semblait pas s'intéresser à grand-chose, hormis les fringues et les gens célèbres. Il avait horreur de devoir lui réexpliquer des choses dont il lui avait déjà parlé deux ou trois fois. Du plus loin que remontent mes souvenirs, il l'avait affublée d'un surnom qu'il était le seul à trouver charmant – Dummy.

TriBeCa désormais sombrait dans le crépuscule, de moins en moins familier à mes yeux. Aucun doute, je m'étais perdu. Je ne cessais de parcourir des rues dont les auvents métalliques, tous penchés, ne m'étaient pas inconnus – mais tous les immeubles de TriBeCa étaient flanqués d'auvents de travers. C'est seulement en arrivant enfin à Duane Park, îlot triangulaire et site de la première rencontre entre mes parents (c'était là en effet, une éternité plus tôt, que papa avait suivi maman dans le marché aux œufs) que je commençai à comprendre vaguement où j'étais. Je tournai à droite, dans une étroite allée pavée que surmontait non sans grâce une étroite passerelle, intime et couverte, qui reliait par l'arrière une grande et vieille bâtisse de brique à un immeuble plus petit. La grande bâtisse, m'avait dit papa, était l'ancienne Maison de premiers secours, l'un des services d'urgences médicales les plus anciens de la ville. Le petit bâtiment, postérieur, hébergeait la buanderie et les ambulances, à l'époque tractées par des chevaux. La mission de Quigley – réunir nos parents – me parut tout à coup la plus désastreuse qui soit, une erreur qui pouvait dégénérer gravement, et échapper à tout contrôle. Quigley n'arrivait pas à se mettre ça dans la tête. Nos parents devaient rester ensemble, certes – mais *à distance*. Liés mais séparés. La venelle où je me trouvais avait pour nom Staple Street, m'apprit un panneau. Un nom approprié. Il me semblait bien que cette petite passerelle si simple, si discrète, agrafait à la rue ces deux bâtiments courbés par le temps. Leur permettait, par ce lien solide, de rester debout. Elle était essentielle, cruciale. Je me représentais les deux bâtiments qu'elle raccordait, les deux moitiés asymétriques de la Maison de premiers secours, comme deux organismes vivants, siamois, dotés d'un cœur unique logé dans cette petite passerelle sans charme et légèrement déséquilibrée. J'étais à l'image de ce pont. Tant que je pourrais faire le lien entre les deux maisons de mes parents, elles ne s'effondreraient pas. Je devais faire en sorte que papa reste raccordé à nous, qu'il réponde de nous. Je devais lui procurer toutes les gargouilles dont il avait besoin pour payer les traites de notre maison. Mais je devais aussi, quoi qu'il en coûte, le maintenir à bonne distance de ma mère.

J'étais le pont qui séparait mes parents. En conservant ce rôle, je pouvais sauver la famille.

Lorsque je contournai le bâtiment principal de la Maison de premiers secours et me retrouvai devant sa façade, sur Hudson Street, le calme régnait. Même si la dame blonde à la poitrine généreuse qui remontait à grands pas le pâté de maisons me rappelait vaguement quelque chose, je ne la reconnus pas avant de l'avoir croisée, avec ses bottes en vinyle qui lui montaient jusqu'aux genoux. C'était la femme que mon père avait épiée aux jumelles lors de ma dernière visite. J'aurais reconnu son avant-scène hors du commun dans le plus dense des brouillards.

Je traversai Hudson Street et faillis percuter papa, lequel, jumelles autour du cou, venait d'émerger de Worth Street. Il avait l'air ravi de me voir.

« Un vrai gaillard ! clama-t-il en me donnant une tape maladroite sur l'épaule. Je savais que tu ne me lâcherais pas. On se trouve un chinois ? »

Le restaurant favori de papa dans Chinatown s'appelait, détail peu ordinaire, « Moi et Mon Pâté Impérial ». Quand nous eûmes fini nos côtelettes de porc délicieusement caramélisées, les doigts poisseux de sauce, ne laissant qu'une haute pile de petits os bien raclés au milieu de la table, le serveur nous apporta deux verres de vin de prune, cadeau de la maison.

« *Migraine instantanée* », déclara papa avant de repousser son verre avec une expression de dégoût exagéré et de se lever pour aller aux toilettes.

J'adorais être avec lui quand il faisait l'idiot.

Pendant qu'il était aux gogues, j'avalai le contenu des deux verres : on aurait dit un mélange de sauce aigre-douce et de sirop pour la toux. Puis je glissai les verres vides dans le chariot gris et luisant de graisse pendant que les serveurs regardaient ailleurs. Le vin de prune me réchauffa la gorge et m'embruma le cerveau, raison pour laquelle, sans doute, je fus tellement galvanisé par le film que papa m'emmena ensuite voir au Village, *Les Pirates du métro*.

C'était un thriller new-yorkais sans concessions dans lequel un gangster du nom de M. Blue – un déraciné, un type venu d'ailleurs arborant un imper à carreaux à larges revers – prend en otage une rame de métro pour obtenir une rançon avec l'aide de trois complices et finit par se suicider lorsque ses plans sont contrecarrés par un policier du métro, un type aussi obstiné qu'ingénieux, incarné par Walter Matthau. Alors que M. Blue rôtit et succombe dans le tunnel du métro, on voit la fumée sourdre de son trench-coat et s'enrouler autour de son visage pétrifié et cramoisi.

Ce qui m'épatait chez ce M. Blue, c'était sa parfaite maîtrise des mécanismes secrets de New York. J'avais toujours eu l'impression que la vie de la ville, la vraie, celle qui animait les gens et les rues, était cachée. Avant de voir *Les Pirates du métro*, j'avais imaginé cette force secrète sous forme de pièces de moteur qui ressemblaient vaguement à des rouages ou à des rouleaux couverts de schémas rangés dans des porte-bouteilles souterrains adaptés à cette mission spécifique. Puis vinrent *Les Pirates*, et cette énergie prit la forme d'une électricité qui parcourait, vibrante, furtive, tous les boyaux de la ville. Sous tous les trottoirs, tous les immeubles, sous Lamstons et Papaya King, sous la baleine en béton fendillé du Zoo des enfants, dans la gueule de laquelle on pouvait se tenir debout, courait un rail d'argent chargé d'une tension palpitante et mortelle.

8

ZEV, LE HIPPIE NERVEUX qui travaillait pour papa, nous attendait à la sortie du cinéma dans leur camion Good Humor. Il faisait vraiment noir à présent ; on approchait de minuit. L'eskimo spectral du camion était tout juste visible dans le flot de lumière que les portes grandes ouvertes du vieux cinéma laissaient passer. Papa me fit monter sur le siège du passager et Zev se colla entre nous. Tandis que papa roulait vers le sud de la ville, je m'attendais presque à entendre le camion égrener une petite ritournelle de fête foraine pour séduire les gamins. Mais le seul boucan qui en émanait était le vrombissement asthmatique de son vieux moteur, que j'avais pris naguère pour le ronronnement d'une unité de réfrigération.

« La voilà, notre mignonne en fonte », déclara mon père quelques minutes plus tard. Et de ralentir à proximité d'un lampadaire, que j'aie le temps de bien voir ce qu'il me montrait – un entrepôt de trois étages, aux murs blancs tavelés de rouille. En me penchant à la portière, je reconnus l'immeuble. C'était là que j'avais vu la blonde à la poitrine généreuse. Toutes les fenêtres, y compris celle de la dame, au dernier étage, étaient plongées dans l'obscurité.

« C'est l'une des dernières façades de ce genre à New York – tout en fonte, ce qui est loin d'être courant, m'expliqua papa. Tu vois ? Ces façades sont entièrement constituées de grandes baies qui couvrent deux étages, très élégantes, avec leurs arches.

— Oui, et alors ?

— Bon, et tu remarques que chacune de ces fenêtres est bordée de colonnes tout à fait remarquables, sur toute leur hauteur ? »

J'opinai.

« Eh bien, c'est ce qu'on appelle une façade "sperm candle". Quand ce bâtiment a été construit, il y a un siècle, les architectes trouvaient que ces colonnes ressemblaient aux longues bougies que l'on fabriquait avec l'huile de cachalot[1]. Mais peu importe le nom. Je voulais juste que tu te rendes compte de la beauté de la chose. Ce n'est ni plus ni moins qu'un palais vénitien en fonte. »

Je fis oui de la tête. Je n'avais aucune idée de la manière dont on pouvait construire des palais en fonte et je trouvais cette histoire de graisse de baleine un peu répugnante : cela ne m'empêcha pas de scruter l'immeuble avec une attention redoublée. Ce n'était pas rien, tout de même, quand on y réfléchissait. Un palais vénitien planté au cœur de la ville, là, comme ça. Sans que la chose choque vraiment, du reste. Au-dessus de son toit flottait une lune parfaitement ronde, comme une bouche d'égout, voilée de gris par quelques nuages.

À l'angle de la rue, juste derrière ce bâtiment en fonte, nous nous engageâmes dans une impasse étroite envahie de graffitis ; ça puait l'urine de clochard, là-dedans. De part et d'autre de la chaussée s'élevaient les murs arrière de deux entrepôts. Tous deux en brique d'un jaune sale, pourvus de hautes portes de tôle qui donnaient sur la rue. Les trois étages supérieurs étaient percés de fenêtres, sur lesquelles étaient rabattus des volets de fer mouchetés de rouille. Le mur de gauche était dans un état

---

1. *Sperm whale*, en anglais. D'où le nom de *sperm candle* attribué à ce style architectural. *(N.d.l.T.)*

particulièrement lamentable. Y était accolé un escalier de secours à la peinture noire passablement écaillée ; comme tous les escaliers de secours, il plongeait, zigzaguant, du quatrième au premier étage. Là, cependant, les marches s'enfonçaient dans un orifice pratiqué dans un auvent de plastique ondulé de piètre apparence, destiné sans doute à protéger les livreurs des intempéries. Le plastique ondulé était fendu sur toute sa longueur.

Avec l'aide de Zev, papa s'agrippa au premier échelon de l'escalier de secours et se hissa vers les hauteurs. Je le suivis, papa se penchant pour m'arracher aux épaules de Zev et m'envelopper dans son odeur de sueur et de tabac mêlés. Ne sachant toujours pas exactement ce que nous étions venus faire, je m'accroupis sur une des marches de l'escalier de secours, à côté de lui, et assistai à la suite des opérations.

Au pied de l'immeuble qui nous faisait face, Zev, d'un coup de pied, écarta un ou deux énormes cartons aplatis, dégageant de ce fait une longue planche qu'il fit passer à papa par le trou de l'auvent. La planche en question faisait bien cinq mètres de long.

« Parfait, Griffin. C'est là que tu entres en jeu, dit papa. Ou plutôt, c'est comme ça que tu rentres dans le jeu. »

Il tendit la main vers le bâtiment de l'autre côté de la ruelle, désignant, par-dessus le fragile auvent, par-dessus le gouffre, une fenêtre. Je me rendis alors compte que l'un des deux volets de ladite fenêtre était – seul de son espèce ici – entrouvert – oh, très peu, sur trente centimètres, peut-être ; une fine tige articulée le maintenait dans cette position. Papa avait repéré la seule faille dans l'armure du bâtiment.

« Une fois que tu te seras introduit de l'autre côté, déclara-t-il, tu descendras au rez-de-chaussée pour nous ouvrir. C'est aussi simple que ça. »

À la demande expresse de papa, je descendis précautionneusement sur le plastique ondulé, lequel frémit sous ce fardeau. En rampant, je sentais le plastique craquelé ployer sous mes genoux. Lorsque je fus parvenu au bord de l'auvent surplombant le milieu de la ruelle, avec sous mes yeux cinq mètres de vide puis les pavés de la chaussée, papa commença à faire glisser la planche vers moi.

« Il faut viser cette fenêtre entrouverte, là, de l'autre côté, chuchota-t-il. Prends ton temps. Évitons la prrrrrécipitation. »

Plus elle avançait au-dessus du gouffre, plus la planche me semblait lourde ; du reste, elle piquait de plus en plus du nez. Au moment où elle commençait à vaciller dangereusement au-delà de l'auvent, bien trop lourde pour que je puisse vraiment la retenir, elle se stabilisa soudain, me parut plus légère. Déconcerté, je baissai les yeux : Zev, campé sur la chaussée, avait à la main une sorte de perche improvisée – un long tasseau sur lequel était cloué un carreau de contreplaqué, tout simplement. C'était à l'aide de ce machin qu'il soutenait désormais la planche, la faisant lentement progresser vers l'immeuble d'en face, tandis que, à genoux sur l'auvent, je la poussais dans le même sens. Lorsque le bout de la planche fut arrivé à quelques centimètres de son but, Zev fit halte et, dans un chuchotement puissant :

« À la trois ! Un… deux… »

Quand il eut prononcé le « … trois ! », nous poussâmes simultanément : moi vers l'avant, lui vers le haut. Et que je brûle en enfer si notre planche ne se ficha pas du premier coup sur le rebord de la fenêtre.

« Vas-y ! » chuchota papa lorsque je me retournai vers lui.

Ordre qui s'accompagna d'un mouvement des deux mains, comme s'il poussait des miettes sur une nappe.

Ce qu'il attendait de moi – ramper sur une mince planche de cinq mètres de long, qui reposait d'un côté sur un pitoyable auvent en plastique ondulé et de l'autre sur six ou sept centimètres de pierre centenaire et sans doute pourrie – était vraiment insensé. Le sang jouait des percussions dans mes tympans. Pourtant, lorsque je me retournai de nouveau vers papa, dans l'espoir de le voir revenu, ne serait-ce qu'une seconde, à la raison, ses mains refirent le même geste. Chhhh, chhhh, ouste !

Si bien que je transformai la chose en jeu. Ces murs en surplomb devinrent les flancs de bois de deux grands trois-mâts dissimulant sous leurs contrevents des rangées de canons. Et j'étais là – moi, le gamin des rues, téméraire et fugueur qui m'étais engagé sur un navire de pirates pour explorer le monde – à quatre pattes sur une planche, à deux doigts de m'introduire dans un vaisseau à l'ancre où tous dormaient. Ce que j'allais accomplir une fois dans la place (trancher la gorge du capitaine, arracher sa fille aux bras de Morphée et à ses draps de soie ?), je ne l'avais pas encore décidé. Il me fallait d'abord survivre à la traversée.

Dans le vrai monde, j'agrippai la planche des deux mains et m'y hissai, genoux serrés pour ne pas tomber. En avançant par minuscules secousses, je me rendis compte que j'arrivais plus ou moins à garder mon équilibre. Lorsque j'eus atteint le milieu de la planche, pourtant, cette dernière se creusa de manière inquiétante ; quant à l'auvent, qui n'appréciait pas du tout mes manœuvres, il ne cessait de gémir avec une urgence lancinante et plaintive qui me flanquait une frousse bleue.

En baissant les yeux vers le gouffre effroyable de la rue, je vis Zev, les joues gonflées par l'effort, maintenant à grand-peine sa perche bricolée sous la planche.

« Bouge-toi ! grondait-il. *Allez, bouge !* »

Aucun pirate en herbe digne de ce nom ne finirait dans la mer aux flots salés et pisseux aussi près du but ennemi ! Par un effort de volonté, je parvins enfin à la fenêtre si maigrement entrouverte, rampant sur les derniers centimètres de planche et redressant comme je le pouvais la tête et le torse sous le volet d'acier qui saillait en diagonale au-dessus de l'abîme. Ce mouvement me déséquilibra.

Mon genou gauche dérapa sur la planche et je me sentis attiré vers le sol, tombant déjà – je dus me jeter avec l'énergie du désespoir vers le rebord de la fenêtre, par-dessus lequel je projetai mon bras droit, jusqu'à l'épaule ; bientôt le gauche le rejoignit et je pus essayer de faire suivre le reste de mon corps. Mes jambes cependant me paraissaient si lourdes ! Comme si les ténèbres de la rue me tiraient par les chevilles. Je soufflais comme un damné, cramponné de toutes mes forces à mon rebord de fenêtre. Je parvins toutefois à poser le genou droit sur la planche et, de là, me propulsai maladroitement de l'autre côté de la fenêtre, dans une pièce obscure. Je roulai sur le plancher, m'écorchant le front au passage.

Je restai étendu un long moment, dans un rayon de lune, mes poumons se repaissaient de la moindre molécule d'air et mon cœur retrouvait lentement un rythme normal. Pourtant, lorsque j'essayai de localiser ma peur, je constatai avec surprise que j'en étais incapable. Oh, elle devait bien être quelque part, pas de doute à ce sujet, mais elle s'était bien cachée. Et il s'écoulerait un très long moment avant que je m'autorise à l'affronter les yeux dans les yeux. J'évitais ainsi de me demander si ce que papa – un adulte – attendait de moi – un gamin de treize ans qui ne cherchait qu'à se rapprocher de son père – était bien raisonnable.

Papa et Zev, sacs de voyage à l'épaule, se faufilèrent dans l'immeuble par la porte de service, que je leur avais ouverte ; les accompagnait un Noir petit et trapu que je ne connaissais pas. Il portait une glacière POMPES FUNÈBRES ET CRÉMATORIUM DeCARLO.

« Je savais que tu t'en tirerais, fiston, me dit papa en me collant une bourrade un peu exagérée. Toi, en revanche, tu n'en étais pas sûr : mais je n'avais aucun doute. Je te présente Curtis. Curtis, je te présente Griffin. »

Curtis me décocha un grand sourire, découvrant une dentition visiblement mal entretenue. Il lui manquait une incisive ; quant aux autres dents, elles avaient l'air en bisbille.

Nous empruntâmes un large escalier, les lampes torches de papa et de Zev ne cessant de se croiser et de se séparer, comme des baguettes chinoises. Curtis suivait et je fermais le ban. Je ne suis pas certain d'avoir compris à cette époque la métamorphose que cette intrusion dans l'entrepôt avait opérée en moi. Ce n'était pas seulement la terreur que j'avais réussi à ravaler. L'essentiel était ailleurs : en franchissant cette absurde planche, j'étais entré dans le premier cercle de papa. M'intégrer à cette compagnie masculine, c'était me faire aimer un peu plus de lui – du moins, je l'espérais. Je me rappelle en tout cas avoir été particulièrement conscient de mon corps tandis que nous montions ces marches. Quelqu'un qui n'a pas encore fini sa croissance peut bien s'inquiéter de ce qu'il sera au final, grand ou petit, fort ou fragile, il jouit toujours du sentiment que tout est possible. Même si mes épaules ne sont jamais devenues aussi carrées que je le souhaitais, j'eus vraiment, cette nuit-là, l'impression qu'elles pourraient l'être un jour, que je commençais enfin à m'étoffer.

Au dernier étage, papa crocheta une serrure pour nous conduire dans la pièce la plus immense que j'aie jamais vue, immense loft illuminé par des arches argentées – le clair de lune se déversant par d'immenses fenêtres, aussi hautes que le mur.

Curtis posa la glacière des pompes funèbres près d'un lit encore défait.

« T'es sûr que la dame peintre a bien levé le camp ?

— Ouais, répliqua papa. Depuis six semaines que je la mate, elle n'a jamais passé un seul week-end ici.

— Bon, alors au boulot. On est venus pour ça. Vite fait bien fait. »

Curtis se dirigea vers une haute échelle de métal qui conduisait à une trappe carrée dans le plafond.

Le toit était une mer de goudron sur laquelle flottaient les vestiges de l'été : un parasol sens dessus dessous fiché dans le trépied d'une citerne. Deux chaises Adirondack tournées l'une vers l'autre, comme des conspiratrices. Un exemplaire de *D'accord avec soi et les autres* qui avait pris la pluie et gisait, dos contre terre, boursouflé, telle une carcasse d'animal.

Tandis que Curtis et Zev déballaient les outils contenus dans les sacs de voyage, papa me conduisit vers le parapet qui donnait sur la rue. Il faisait froid, là-haut. Il y avait du vent.

« Je veux que tu te penches par là-dessus et que tu me racontes ce que tu vois, dit-il. Au bas de la corniche. »

Il joignit les mains en une sorte d'étrier. J'y posai le pied et il me hissa jusqu'au sommet du parapet.

« Je te tiens ! » hurla papa dans le vent.

Il glissa les doigts entre ma ceinture et mon pantalon d'une main et de l'autre enserra ma cheville droite, juste au-dessus de ma chaussette en accordéon.

« Penche-toi le plus bas possible et fais-moi confiance. »

Je mis les mains sur le rebord du parapet, côté rue. Papa m'inclina vers la rue comme il aurait manipulé une saucière. Je m'abandonnai et, m'efforçant de maîtriser ma respiration saccadée, je m'écartai peu à peu du rebord, le regard rivé sur la façade sens dessus dessous. Ma ceinture me tirait sur la taille et me cisaillait les chairs au-dessus des hanches.

Je fermai les yeux, les paupières plissées, l'esprit concentré. Lorsque je les rouvris, ce fut pour croiser le regard indigné d'un barbu au visage inversé dont la tête saillait de la corniche. Créature de métal à laquelle son nez à la peinture écaillée donnait l'aspect d'un arrogant lépreux.

La première chose que je vis lorsque papa me ramena sur le toit, ce fut le visage de Curtis, les yeux écarquillés, affolés, ses lèvres craquelées arrondies en un O difforme. Il jeta à papa un regard furtif et sévère, se prépara à parler – puis se ravisa, ayant sans doute réfléchi.

« C'était qui, papa, ce beau gosse ? demandai-je à mon père en désignant le parapet d'un geste du menton. Grizzly Adams ?

— Je dirais Zeus, plutôt. Ou peut-être le premier propriétaire de ce palais. Ce qui est vraiment remarquable, en fait, c'est que c'est la seule corniche du quartier qui soit ornée de têtes – il y en a quatre, toutes sur le même modèle. C'est l'un des seuls bâtiments à charpente métallique de la ville qui te retourne ton regard.

— Eh bien, qui que ce soit, ce bonhomme, il n'a vraiment pas l'air content.

— Ça t'étonne ? Il doit être furieux que tu n'aies jamais pris la peine de lever les yeux pour le remarquer. »

Curtis et Zev avaient disposé leurs outils sur le toit en rangées ordonnées : des leviers, deux chaînes rattachées à une sorte de poulie double et un truc en bois, un genre de grand L à l'envers qui ressemblait à une petite potence.

« J'ai bien l'impression que c'est de la fonte galvanisée, dit papa, tourné vers la corniche. On pouvait s'y attendre. »

Il tendit le menton vers la scie circulaire.

« Vous avez bien mis la lame en carbure ? »

Curtis opina du chef.

« Bon. Mais les gars, s'il vous plaît, s'il vous plaît. On n'allume qu'à la dernière minute, et si vous êtes vraiment sûrs (papa regarda Zev), sûrs à cent pour cent, que vous ne pouvez pas faire sauter les boulons au tournevis électrique. D'accord ? Si vous pouviez vous abstenir d'utiliser la scie pour ce boulot-là, ça m'arrangerait. Vraiment. »

Les deux acolytes firent oui de la tête.

Papa me fit redescendre par l'échelle et je retrouvai la chaleur réconfortante de l'appartement de la dame à la belle poitrine. Il examina ses paumes, noircies par les saletés du toit, avant de les essuyer sur l'oreiller de la dame. Je n'eus pas l'idée de me demander ce qu'elle avait bien pu commettre pour mériter cette intrusion.

« Ce boulot, ça va être l'enfer », finit-il par dire en levant les yeux vers la trappe, un sourire sur le visage.

Charmeur et en coin, le sourire.

« Des fauteurs de troubles comme toi et moi, on mérite de rigoler un peu plus. »

9

NEW YORK REMET LES GENS À LEUR PLACE. Cette ville est plus vaste que toutes les autres ; elle a plus d'importance que toutes les autres. Elle est à la fois plus ancienne et plus récente. Elle bat tous les records : plus dominatrice et plus ordurière, plus industrieuse et plus contente d'elle-même, plus pressée et plus indolente, plus raffinée, plus dépravée, plus intemporelle, plus en retard au restaurant quand elle retient une table. Certains de ses secteurs sont toujours en mouvement, d'autres, innombrables, ne changeront jamais. Et de plus elle se fiche bien qu'on entretienne ou non une relation avec elle.

Pourtant, les murailles que forment ses rues, les kilomètres d'immeubles qui bordent n'importe lequel de ses grands axes : ça, ç'a a toujours été rassurant. On peut toujours compter sur ces remparts. Sans jamais leur accorder une seule pensée, j'avais appris à considérer ces murs comme immuables. Ils délimitaient mon chemin, me guidaient même dans mes périples urbains, à la manière dont un kayak d'eau vive se sent étreint par la certitude du canyon. Tandis que nous remontions la Deuxième Avenue dans le camion de glacier, avec papa – de nouveau sur la route après un rapide saut vers les 60es Rues où nous avions arraché un pilastre de fonte à la rambarde d'une maison de ville –, je me sentais chez moi dans ce couloir de brique et de grès ; derrière la vitre, à l'infini, défilaient les vieux immeubles familiers dans toute leur new-yorkité.

Et soudain : plus rien. Sans crier gare, sans aucune transition, les murailles de la rue s'effacèrent, remplacées par un paysage lunaire et dévasté qui finit par me faire douter de ce que je voyais. Vraiment. À l'est de la Deuxième Avenue, après les 20es Rues, toute une série de pâtés de maisons avaient été anéantis. Au lieu des immeubles d'habitation, des magasins, au lieu des vitrines, des perrons, des gens, il n'y avait plus que des décombres. Un quartier entièrement rasé.

« Seigneur, dis-je. Qu'est-ce qui s'est passé ?

— Rénovation urbaine. La municipalité a décidé d'envoyer les bulldozers écrabouiller sept pâtés de maisons de Kips Bay, pas moins. Des milliers de gens à la rue.

— Mais pourquoi ?

— Oh, pour construire une bordée de leurs fichues tours en brique, ils ne sont plus capables que de ça. »

Nous sautâmes par-dessus le grillage et parcourûmes ce qui restait du défunt quartier. Les décombres, hérissés, pulvérisés, avaient beau s'ébouler dangereusement sous nos pas, ils paraissaient curieusement homogènes. Une ruine, c'est une ruine, me disais-je. Dans notre exploration hésitante de ce tapis de débris, les yeux fixés prudemment sur le sol, je ne perçus rien qui donnât à penser que cet immense chaos avait pu revêtir un jour la forme solide, rassurante, d'un immeuble. Nous foulions un lendemain de cataclysme.

« J'ai beau avoir vu des dizaines de chantiers de ce genre, dit papa, je ne m'y fais jamais. On dirait une ville bombardée, Dresde ou je ne sais quoi. Sauf que, cette fois-ci, c'est notre propre patrimoine que nous avons détruit.

— Bon Dieu, marmonnai-je. Il n'y a plus rien ici. Le désert.

— Ce n'est pas tout à fait exact, en fait. »

Papa considéra le paysage désolé les sourcils froncés, les traits durcis par la lumière que répandait un réverbère au cou penché.

« Il y a encore des égarés dans ce désert, Griffin. Il suffit de savoir où les chercher. »

Il me fit un signe de la tête et se dirigea vers une sorte de pan de pierre qui émergeait à l'oblique des décombres. Je me rendis compte en lui emboîtant le pas que c'était la partie antérieure d'une marche de grès brun – peut-être même d'un perron. Je ne l'aurais pas remarqué sans papa.

« Voilà, dit ce dernier. Des gargouilles traînaient souvent, si je puis dire, autour des entrées de ces immeubles – un peu comme leurs habitants de chair et d'os, d'ailleurs. »

Cette plaisanterie innocente le fit glousser.

« Ce n'est pas une règle absolue, mais il était fréquent de trouver des portraits en clef de voûte, au-dessus de la porte d'entrée ou des fenêtres du rez-de-chaussée. Ils pouvaient aussi être insérés sur les moellons ou sous des médaillons de terre cuite, dans les étages supérieurs. »

Il y avait dans la manière dont il scrutait les ruines une concentration d'archéologue, une sensibilité de légiste. Tandis que je restais planté là à cligner des paupières comme un idiot, papa, sans hésiter, fit deux pas sur sa droite et poussa du bout de ses chaussures de chantier un bloc de pierre qui me semblait informe. Le bloc bascula, révélant une tête d'homme mutilée, sculptée dans une pierre de voûte couleur chocolat au lait. Même s'il lui manquait une partie de la bouche et du menton, le visage en triangle était des plus expressifs – orageusement confiant, bordé d'un merveilleux ouragan de moustaches et de favoris qui se tordaient, ondulaient, s'entrelaçaient, se métamorphosant en chemin en jeunes feuilles de lierre si délicatement ciselées qu'elles en acquéraient l'avide insistance de doigts humains.

« Oh, tu as vu ça ! s'exclama papa avec un ravissement sincère. Le tailleur de pierre a dû drôlement s'amuser avec ce gaillard. Je me demande à quel moment il a compris qu'il était en train de réaliser une pièce aussi originale. »

Il se pencha pour caresser de l'index les sourcils orageux de la figure de pierre. J'étais un peu irrité : il ne m'avait plus accordé un seul regard depuis sa découverte.

Papa se pencha de nouveau sur les décombres épars, les yeux plissés. Il avança de quelques pas, repoussant quelques débris au passage, avant de déloger d'un coup de talon un morceau de moellon de forme trapézoïdale. Il s'agenouilla pour le retourner.

Cette fois-ci, c'était une moitié, ou peut-être même seulement un tiers, d'une dalle rectangulaire en grès brun ornée d'un bas-relief finement détaillé. Y apparaissait une chimère multiforme en plein vol, mythologique et pleine d'un ressentiment à graver dans le marbre – un monstre marin gorgonesque à tête de lion, arborant ailes, nageoires et défenses, écailles, cornes et griffes, pourvue de mouvement, d'une énergie désespérée et d'un caractère infâme. Sans oublier les pectoraux. La bête avait des pectoraux infernaux, sans doute capables de vous expédier de l'autre côté de l'Hudson.

Papa était aux anges. Il ne m'avait jamais considéré avec autant de passion, je crois.

« Ça, c'est vraiment le produit d'une imagination enfiévrée. Ce que tu as sous les yeux est l'œuvre d'un tailleur de pierre immigré – britannique, italien ou allemand. L'influence de l'alcool est peut-être présente. Histoire de libérer son imagination.

— Tu es en train de me dire qu'il avait *bu* ?

— Pourquoi pas ? gloussa papa. Ces types commençaient leur journée de travail à 6 heures du matin ; le contremaître leur apportait de la bière dans la matinée. Il faut dire qu'ils en avaient besoin, avec toute la poussière de pierre qu'ils avalaient en plein soleil. »

Tout en me parlant, papa n'avait pas cessé d'observer les décombres ; à présent, toujours à genoux, il en retirait à la main toute une couche, révélant à nos regards un autre sujet de clef de voûte – une tête de femme, cette fois-ci, joues de hamster, sourire rusé et collier aux perles bulbeuses et sans élégance. Elle était en bon état, si ce n'est qu'il lui manquait le nez.

« Ah, c'est magnifique, ça, dit papa. Regarde ! La banalité dans toute sa transcendance.

— Qu'est-ce que tu veux dire ?

— Que c'est une vraie personne. Ni Athéna, ni Diane, ni reine de carreau.

— Et alors ? »

Ma voix était chargée de défi, presque aigre ; sans doute cherchais-je à le faire sortir de ses gonds, qu'il me remarque enfin. En vain.

« Eh bien, les tailleurs de pierre, de toute évidence, se sont lassés de sculpter les mêmes figures classiques ou historiques, toutes idéalisées. Ils se sont mis à représenter des gens qu'ils connaissaient, des aubergistes, des flics, des dockers. Cette bonne femme a une bouille bien trop comique pour être une déesse. C'est sûrement la bien-aimée de l'artiste, ou peut-être une serveuse de pub qui lui a tapé dans l'œil. Et c'est sa manière à lui de lui rendre hommage, tu comprends ? La représentation est pleine d'affection. Elle a un joli sourire, je trouve, tout à la fois sceptique et généreux. »

Je dus reconnaître que je comprenais son point de vue. La dame au collier me rappelait une serveuse douce-amère qui travaillait au comptoir du buffet du Woolworth de la 86ᵉ Rue – tout de suite à droite quand on arrive de la Troisième Avenue. Après avoir fait la tournée des fusils à air comprimé du rayon jouet, j'allais toujours lui commander une part de cheesecake. Elle détestait son boulot, ça se voyait comme le nez au milieu de la figure – elle était tout le temps sous pression et le long tablier de son uniforme à la Amelia Bedelia était constellé de taches de café et de moutarde. Mais, quand elle avait le temps, elle me traitait comme si j'étais le plus important des clients. Je m'asseyais sur le tabouret tournant en métal chromé juste en face de la part qui avait retenu mon attention. Le gâteau était exposé sur un petit piédestal recouvert d'une cloche en plastique transparent, comme le téléphone chez Batman ; la serveuse soulevait la cloche pour me servir avec autant de cérémonie que le commissaire Gordon lorsqu'il appelle le ténébreux héros.

« Le plus beau geste que pouvait faire un grand armateur international, dit mon père, c'était de donner le nom de sa dulcinée à un de ses vaisseaux. Après quoi, le navire levait l'ancre et ne revenait que tous les trois ou quatre ans. Quand il ne faisait pas naufrage. Mais les preuves de l'affection d'un tailleur de pierre, elles, sont permanentes. Le gars partait travailler le matin et rentrait le soir après avoir gravé le visage de sa bien-aimée dans le paysage de sa ville. »

Je voulus croire qu'il accordait du prix à ce que je sois, moi, son interlocuteur. Sans en être vraiment certain.

« On fait quoi ? » demandai-je.

Sur quelques dizaines de centimètres, le bas du grillage avait été descellé et relevé, ce qui nous laissait assez d'espace pour nous faufiler. Nous enfilâmes des gants de travail et rassemblâmes les gargouilles sauvées des décombres près de la clôture, hirsute petit conclave de réfugiés. Et que papa était fort ! Les gargouilles de terre cuite étaient déjà assez lourdes, bien que creuses. Mais ces moellons sculptés pesaient des tonnes.

Je suivis papa jusqu'au camion de glacier et l'aidai à en extraire un chariot de supermarché Daitch Shopwell dont une des roues était tordue. Puis nous partîmes faire nos courses en famille, poussant vers l'est de la Deuxième Avenue le chariot chargé de nos clefs de voûte et autres panneaux ébréchés. Il nous fallut plusieurs voyages.

Avant le dernier retour au camion, papa s'attarda encore un moment dans les ruines et déterra un lion édenté en grès brun et un chérubin de terre cuite que la perte de ses ailes avait relégué au rang de simple garçon.

Notre destination suivante n'était pas la porte à côté. Le nord du West Side à l'entour d'Amsterdam Avenue sommeillait lorsque nous nous garâmes près d'un autre immense champ de décombres, lequel s'étendait de la 87e à la 88e Rue.

À l'orée de ce terrain vague, au tiers du trajet vers Columbus, sur la 88e Rue, une maison en grès brun avait eu l'infortune de partager un mur avec un immeuble d'habitation déjà démoli à la boule de chantier. Les vibrations avaient déstabilisé la bâtisse, qui penchait désormais vers les décombres, cherchant peut-être à les rejoindre. Le mur mitoyen avait, à titre conservatoire, été étayé par un bouquet de piliers de bois, neuf bras pâles tendus en diagonale pour combattre la volonté qu'avait l'édifice de s'écrouler.

« Heureusement pour nous, commenta papa, les gens qui habitaient cette maison ont été évacués. Ils ont interdiction d'y remettre les pieds avant le feu vert des inspecteurs.

— Elle va se casser la figure ?

— C'est peu probable. »

Une partie du mur en péril était recouverte d'une sorte de bâche en toile huilée ou en papier goudronné. Suspectant quelque défaut, papa souleva l'un des coins de la bâche et découvrit une fissure en biais, ainsi qu'un petit trou, à hauteur de la rue, non loin de l'arrière de la maison ; une bonne dizaine de briques en avaient déjà dégringolé.

Papa me fit rentrer par le trou, muni d'une lampe torche dont je promenai le rayon sur le mur que je venais de traverser. Une brutale fissure, large de deux bons centimètres, lacérait le plâtre, du plafond jusqu'à environ un mètre vingt du sol. Ce détail quelque peu menaçant mis à part, l'édifice avait l'aspect de toutes les vieilles maisons en grès de ma connaissance : escalier à l'échine tordue s'élevant en spirale de son centre avec, au bas des marches, une paire de Puma taille enfant usées jusqu'à la corde qu'une mère avait dû poser là en soupirant – *pour l'amour du ciel, tu ne peux pas les remonter dans ta chambre ? Combien de fois faudra-t-il que je te le demande ?*

Papa m'attendait sur le seuil de la porte de service, son sac de plombier gansé de cuir à la main.

« Entrez donc, lui dis-je en m'inclinant bien bas. Faites comme chez vous.

— Je ne vais pas me gêner. »

Il entra, piétinant vigoureusement au passage le paillasson et son Bienvenue en majuscules ; un nuage de poussière auréola sa silhouette.

« C'est charmant, ton petit intérieur. »

Nous nous trouvions dans une vieille cuisine un peu lugubre qu'on aurait dite tout droit sortie des *Honeymooners*. Papa prit une lampe-cage dans son sac, l'accrocha à la poignée d'une passoire suspendue au-dessus du séchoir et la brancha. En émanait une lumière ténue et réticente dont j'espérais néanmoins qu'elle n'attirerait le regard d'aucun passant. Papa tira la poignée en chrome du vieux réfrigérateur – chtack ! – et se pencha vers l'intérieur.

« T'as faim, Griff ? »

Je répondis par l'affirmative.

« Oui, t'avais pas l'air trop fringant, tout à l'heure, dans le camion. Allez, je vais te préparer un petit quelque chose, vite fait. »

Dans la famille, depuis toujours, c'était papa qui cuisinait le mieux. Il possédait à la fois l'attention obsessionnelle aux détails et le don d'improvisation nécessaire à la chose. Il ne cessait de citer Craig Claiborne, histoire de critiquer l'absence d'enthousiasme que ma mère mettait à sortir le beurre. À Echo Harbor, la station balnéaire où nous avions l'habitude de louer un bungalow quand j'étais petit, il s'endormait sur le ponton avec sur la poitrine un exemplaire bleu et vert, tout maculé de sauce, du *New York Times Cookbook*.

« Ah, désolé, ni pickles ni sauce bolognaise », dit papa, la tête fourrée dans le réfrigérateur de la maison penchée.

Je compris immédiatement l'allusion. Lors de ces étés à Echo Harbor, j'étais si petit que je croyais que les grill cheese sandwiches étaient en fait des girl cheese sand-wiches : et ça ne me plaisait pas du tout, cette affaire. Plutôt que de me détromper, papa avait inventé un *boy* cheese sandwich – strictement interdit à Quigley comme à maman –, dans lequel figuraient plusieurs de mes ingré-dients favoris : sauce bolognaise Oscar Mayer, beurre de cacahuète Skippy avec de gros morceaux, pickles en tranches et olives piquantes – le tout fixé entre deux tranches de Wonder Bread par une matrice de cheddar Kraft liquide, orange et lumineuse.

Papa sortit deux ou trois bricoles du réfrigérateur des inconnus, remplit une grande casserole d'eau et la mit à bouillir sur la cuisinière.

« Ça va prendre un moment, annonça-t-il. En attendant, on va se mettre au travail. »

Il me tendit une chaise de cuisine et me conduisit au premier étage, dans celle des pièces qui donnait sur la 95e Rue. Une chambre d'enfant, sans doute – de petit garçon, pour être plus précis. Il y avait des lits super-posés : pas de draps sur celui du haut, une couverture Snuffleupagus sur celui du bas, au pied duquel était garé un tricycle en plastique rose. À quelques dizaines de cen-timètres, le mur, traversé comme celui de la cuisine, d'une fissure menaçante.

Papa repéra une lampe de chevet, qu'il alluma.

« Il y a quelque chose d'intéressant pour nous, ici ? lui demandai-je.

— Et comment. En parfait état et tout et tout. Bien plus précieux que ces bouts de pierre que nous avons récupérés sur le chantier. Mais il va d'abord falloir que nous fabriquions une structure qui ait exactement la même forme que cette fenêtre. Pour soutenir le cintre. »

Il leva le menton vers la fenêtre de gauche, dont l'embrasure figurait un long rectangle surmonté d'une arche délicatement incurvée.

Ce que papa assembla ensuite avec force clous ressemblait plus ou moins à un puzzle domestique. Il tronçonna la chaise de cuisine à la scie circulaire et m'envoya récolter tout ce que je pouvais trouver : des tiroirs de bureau, un pied de lit dans la chambre des parents, les portes de la commode du meuble à lavabo de la salle de bains du rez-de-chaussée. Mon coup de génie, dont je vis bien qu'il le rendait particulièrement fier de moi, fut de lui proposer le socle du cheval à bascule du petit garçon. Il avait, fis-je remarquer à papa, presque la même courbure que le contour du haut de la fenêtre – sens dessus dessous, naturellement. Papa, avec un rire réjoui, amputa le cheval de son socle et cloua la planche incurvée tout en haut de son cadre.

« Impeccable, commenta-t-il lorsque nous hissâmes notre création hybride dans l'embrasure de la fenêtre. Ça, c'est ce que j'appelle un étai de cintre ! »

Nous poussâmes les lits superposés contre la fenêtre, en guise d'échafaudage. Papa monta sur la couchette du haut, armé d'un Magic Marker rouge, et traça un rectangle horizontal à même l'enduit, juste au-dessus de la croisée. Je lui passai son sac à outils avant de le rejoindre. Assis sur le lit du haut, l'un à côté de l'autre, les jambes ballantes, nous nous attaquâmes au mur avec marteaux et burins. Lorsque nous eûmes retiré tout le plâtre à l'intérieur du rectangle tracé au feutre, nous attaquâmes la brique.

« Bien sûr, ce qui nous intéresse, me dit papa, c'est la clef de voûte, au milieu de l'arche. Pour l'atteindre, il va falloir faire sauter tout le mur autour. Il faut savoir que la plupart de ces maisons en grès brun sont bâties en strates. Les murs porteurs sont constitués de trois parois de briques.

— Tu veux dire que les briques sont posées les unes à côté des autres, sur trois épaisseurs ?

— Non, ce sont vraiment des parois[1] indépendantes. Mais tu as raison, les briques sont posées les unes à côté des autres ; la clef de voûte, en général, est insérée dans les deux premières strates. Toi et moi, nous allons nous concentrer sur la plus accessible pour le moment. »

Le mortier était vraiment friable et les briques se descellaient facilement. Elles tombaient les unes après les autres, atterrissant avec un bruit étouffé sur la moquette verte de la chambre.

Papa me pria de poursuivre ma tâche et fila au rez-de-chaussée.

Notre travail de démolition avait beau être salissant, il n'était pas bien difficile. En moins d'une demi-heure, j'avais détruit la première couche de briques, en mettant au jour une deuxième – mais aussi, au milieu de l'espace délimité par le rectangle rouge, le dos d'un trapèze grossièrement taillé de pierre brun chocolat. Une fine tige de métal saillait de son sommet, à l'horizontale ; elle était restée enchâssée quatre-vingt-dix ans dans la couche de mortier que je venais de faire sauter.

« La voilà, ta clef de voûte », me dit papa à son retour dans la chambre.

Il me passa deux leviers.

« On va la tirer de là, maintenant. »

Il remonta sur la couchette du haut, à mon côté, et nous nous remîmes à desceller les deux strates de briques qui entouraient la clef de voûte, nous servant des leviers pour nous débarrasser du mortier et extraire les briques.

---

1. Nick emploie le terme de *wythe* (paroi) ; Griffin entend *width* (largeur, épaisseur). D'où leur échange. *(N.d.l.T.)*

Bientôt, nous eûmes tous deux percé le mur, chacun de son côté, ajoutant ainsi à la façade deux fenêtres aux contours irréguliers par lesquelles on apercevait les silhouettes ratatinées de deux maisons en grès intactes campées sur le trottoir d'en face, dont les gargouilles de clef de voûte nous jetaient des regards mauvais.

« Parfait. Ça m'a l'air d'être le bon moment pour faire une pause, annonça papa. Viens. »

Au rez-de-chaussée, mon regard retomba sur la fissure qui zébrait rageusement le mur. Elle avait l'air plus longue. Et plus large.

Quand nous entrâmes dans la cuisine, l'eau était en pleine ébullition ; papa égoutta les spaghettis et les remit dans la casserole. Il avait disposé tous ses ingrédients sur le plan de travail, comme Julia Childs dans son émission de cuisine sur Channel 13. D'une seule main – le spectacle manquait de modestie mais n'en était pas moins drôle –, mon père, avec maints effets de manches, cassa un œuf dans un bol et le battit vigoureusement au fouet. L'œuf alla rejoindre les spaghettis, suivi par du bacon émietté et du parmesan.

Puis papa se passa un torchon sur l'avant-bras et inclina le torse, comme un serveur dans un restaurant trois étoiles.

« *Signore*, me dit-il en désignant d'un geste ample et comique l'unique couvert dressé sur la table. *Per favore.* »

Il écarta la chaise et me fit asseoir, avant de remplir mon bol d'un amas de pâtes fumantes dégoulinantes d'œuf et de bacon. Je n'avais jamais si bien mangé depuis l'époque des boy cheese sandwiches.

« Miam-miam, déclarai-je, la bouche pleine. Mais qu'est-ce que c'est, au juste ?

— Spaghettis à la Gargoilara, répondit papa avec un horrible accent italien. Les spaghettis des Chasseurs de gargouilles. »

Il s'adossa au réfrigérateur, lèvres crispées en une sombre tentative de sourire, m'observant tandis que j'avalais bruyamment les spaghettis nappés de jaune d'œuf. Il y avait dans ses yeux verts de la distance, de la solitude : ils étaient fixés droit sur moi, ces yeux, mais regardaient au-delà.

« Rien ne vaut un bon petit plat fait maison », ajouta-t-il.

Pour libérer la gargouille, il suffisait désormais de la détacher des rangées de briques entre lesquelles elle était insérée. La méthode paternelle me laissa sans voix. Il sortit de sa sacoche de plombier la boîte en plastique blanc que j'avais trouvée dans son établi et en extirpa la petite scie chirurgicale qui m'avait tant fait trembler, la roulette à pizza au long manche et à la dentition de piranha. Papa l'alluma ; la lame était si rapide que l'on n'en percevait pas le mouvement. Puis il l'inséra dans l'interstice qui séparait la clef de voûte des briques adjacentes. Avec une précision et une délicatesse de joaillier, il mania la scie d'avant en arrière, projetant dans la chambre une pluie de poussière grise et granuleuse. Bientôt, il eut extrait presque tout le mortier de la cavité.

La clef de voûte était à présent quasiment descellée ; ne la soutenait plus que notre cadre de bois improvisé. Papa et moi poussâmes les lits superposés tout contre la fenêtre et, agenouillés sur la couchette du haut, étreignîmes la gargouille et l'attirâmes d'une secousse brutale vers l'intérieur de la pièce.

Si quelqu'un nous avait observés de la rue, à quel spectacle aurait-il assisté ? Sans doute aurait-il cru avoir sous les yeux un monstre mythologique inconnu à la tête brune en forme de coin, pourvu de deux paires de bras, une adulte et une enfantine, et se prenant la tête à quatre mains en plein milieu d'un mur fissuré.

Lorsque la clef de voûte se sépara enfin de son écrin de briques, elle se renversa et tomba sur le matelas du haut, où elle creusa un modeste cratère. Scène étrangement intime que celle qui nous rassemblait tous les trois après cette longue lutte – si bien que l'espiègle personnage qui me fixait de ses yeux de grès sombre me fit éclater de rire. C'était un homme au nez épaté et aux lèvres ricanantes, dont la tête en forme de chou-fleur était enturbannée de multiples bandages, comme si ses amis, croyant bien faire, avaient pansé son pauvre crâne endolori après quelque bagarre de bar.

« Ah ! s'écria papa. Regarde-moi cette étincelle d'insolence dans le regard du boxeur, cette promesse immanquable de désordre. Est-ce moi, ou... Si ! Ses yeux lui sautent des orbites. Griffin ! »

Papa saisit le menton de pierre brune dans sa main et fixa les pupilles de la gargouille.

« C'est incroyable ! Le tailleur de pierre a exagéré la saillie de ses yeux pour les rendre plus expressifs. »

Leurs regards se croisèrent. Papa ne cilla pas. Une minute passa, puis deux, trois peut-être.

« Ce pont qui nous relie au passé, me dit-il, il est si émouvant. Je songe aux tailleurs de pierre venus d'outre-Atlantique qui émigrèrent ici et réalisèrent ces œuvres pour d'autres. Eux-mêmes n'étaient rien, des ouvriers itinérants pour la plupart, sans vrai toit au-dessus de leur tête. Et je les retrouve par-delà le temps. »

J'étais mort de fatigue, papa s'en rendit compte. Il me demanda de rester tranquillement dans la chambre pendant qu'il transportait la tête jusqu'au camion à l'aide du chariot de supermarché. Il reviendrait me chercher.

Trop épuisé pour ranger ses outils dans le sac de plombier, je balayai les morceaux de brique et les bouts de mortier qui jonchaient la couverture du gamin et m'allongeai sur son lit. Il faisait vraiment froid à présent dans la chambre ; de temps à autre, un courant d'air glacial venu de la rue s'introduisait dans le trou que nous avions creusé ; j'avais des frissons. Aucune importance. Je serrais la couverture contre moi ; je me sentais en sécurité, comme à la maison.

Au réveil, je ne compris pas immédiatement où je me trouvais. Puis la réalité me rattrapa. Ma tête ballottait sur le côté. Un filet de salive dégoulinait de la commissure de mes lèvres sur l'épaule gainée de velours côtelé d'un homme qui me tenait tendrement dans ses bras. Il faisait encore nuit ; nous traversions un chantier de démolition. Je sentais l'air passer dans les poumons de papa, mon corps s'animer au rythme de sa respiration forcée. Encombrant comme je l'étais, avec des bras et des jambes si longs, je devais constituer un vrai poids mort. Un fardeau inattendu. J'étais trop grand maintenant pour être facilement porté. Pourtant mon père m'avait pris dans ses bras.

10

ICI, LE SOLEIL SE LÈVE TOUJOURS À L'HEURE DITE, mais la ville ne vous le montre jamais avant qu'il soit vraiment prêt à entamer sa traversée quotidienne. Le lendemain matin, le ciel de TriBeCa avait cet éclat voilé qui annonçait le commencement du jour. Si vous habitez en dehors des cinq arrondissements de la ville en quelque coin reculé et agreste où la nature a encore son mot à dire, vous avez eu déjà droit à ce curieux spectacle pyrotechnique que la sagesse populaire appelle « lever du soleil ».

Pas de ça à TriBeCa. Sur West Street, où je marchais vers le nord entre le fleuve et la chaussée surélevée de la défunte et fantomatique West Side Highway, le point du jour était surtout le moment où l'on sentait que Manhattan bandait ses muscles. Ce matin-là, j'avais particulièrement besoin de ressentir cette impression. Cette énergie, je voulais l'affronter sans flancher. J'avais dit à papa qu'il me fallait rentrer, que maman allait m'attendre ; il m'avait donné de l'argent pour le taxi et un bagel à l'oignon, et zou, en route.

Les berges de l'Hudson étaient dans un triste état dans ces quartiers ; les vagues creusées par le vent se brisaient contre les poteaux pourris des docks disparus. La chaussée était bordée d'ordures. À quelques pâtés de maisons au-dessus de Chambers Street, le camion Good Humor était resté là où nous l'avions garé, le long d'un quai en voie d'effondrement. J'escaladai notre bolide en commençant par le pare-chocs et me campai sur le toit, en plein vent, attendant que la ville veuille bien se dévoiler aux regards. Au bout du quai, une péniche armée d'une grue dodelinait sur les eaux, ses amarres gémissant de temps à autre, en harmonie avec le claquement incessant des écoutes sur son mât sans fanions. Une bouteille verte jouait les métronomes sur l'asphalte du quai, répétant sans cesse son arc de cercle tintinnabulant.

Je me détournai du fleuve pour contempler la ville, sa longue échine hérissée de tours. Dans l'ébauche de lumière matinale, ces milliers d'immeubles avaient un aspect maussade et monochrome. Pourtant, tandis que j'étais là, sur le toit du camion, à esquisser une petite danse tremblante pour me tenir chaud, le soleil, en une seconde, passa au-dessus des immeubles et des tours, s'éleva à toute vitesse, embrasant au passage des parois entières de fenêtres et de baies, et la ville se ranima – si elle avait jamais perdu connaissance. Mon œil à présent était aimanté par les merveilles qui se détachaient du paysage urbain. Pile en face de moi, de l'autre côté de la ville, le ciel était transpercé par une tour crénelée à flèche verte qui ressemblait, dans sa majestueuse excentricité, à une cathédrale de sable mouillé. Un peu plus au nord, une autre immense spire était couronnée d'une colonnade circulaire, laquelle à son tour était surmontée de la statue de quelque déesse vert-de-gris qui ressemblait, ma foi, à une colossale girouette. Et à quelques pâtés de maisons surgissaient du bas de la ville les Léviathan jumeaux du World Trade Center, dont la construction avait été entamée en fanfare alors que j'étais encore à l'école maternelle, pour ne s'achever que quelques années plus tard.

Et penser à toutes les gargouilles que renfermait l'estomac du camion, juste sous mes pieds – quel bonheur ! La ville m'appartenait. Je ne me laisserais ni moquer, ni mépriser, ni humilier d'un ricanement mauvais par ces personnages des sphères supérieures. Je ne me laisserais ni regarder de haut ni remettre à ma place. Avant longtemps, ces masques de pierre au sourire prétentieux seraient tombés de leurs perchoirs. Et, si nécessaire, je contribuerais à leur chute, les descellerais à coups de ciseau, les ferais miens ! Certes, la ville serait toujours pleine de surprises, mais j'en étais désormais une moi-même. Je le comprenais bien maintenant : il ne fallait pas se contenter de laisser New York évoluer autour de vous – évoluer en vous ; non, on ne pouvait pas s'en satisfaire. Il était inutile d'errer dans la ville en attendant qu'elle vous balance votre avenir sur la tête, quelle que soit sa forme, gargouille, corniche ou cantine de maçon.

Alors, naturellement, le soir même, j'allai sans y être invité à la soirée de Dani. Le portier de son immeuble de West End Avenue était un korrigan bourru dont les poignets velus dépassaient des manchettes gansées de son uniforme. Il se tenait juste de l'autre côté de la porte d'entrée, derrière une petite table sur laquelle reposait un bloc-notes.

« Vous êtes irlandais ? lui demandai-je. Un fils de l'île d'Émeraude ? »

Ses yeux de Celte n'avaient rien d'affable.

« Pourquoi cette question ?

— Uniquement parce qu'une grande partie des tailleurs de pierre de New York était des Irlandais et qu'ils aimaient sculpter leurs amis. Or, le gars dont la bobine orne la porte d'entrée de cette maison de ville, à deux numéros d'ici (j'indiquai la direction d'un geste de la main), vous ressemble pas mal. Mais vous l'avez sûrement déjà remarqué. »

Il fit un pas vers la porte, qu'un bout de ficelle effrangée passée autour de la poignée et reliée à un œillet de laiton fiché dans le mur maintenait ouverte.

« À deux numéros d'ici ? »

Je hochai la tête. Il esquissa un pas de plus pour jeter un coup d'œil dans la rue, ce qui me laissa le temps de regarder la liste de Dani, sur le bloc-notes. J'y repérai deux ou trois noms qui n'avaient pas été biffés.

« Vous avez de la chance, l'immeuble n'a pas encore été démoli, poursuivis-je. Parce que, avec tous ces incendies que les gens allument pour toucher l'argent des assurances et les démolitions – vous vous rendez compte, tous les mois, la municipalité détruit plus de cent immeubles abandonnés dans Harlem ou dans le South Bronx –, les sculptures de vos ancêtres risquent fort d'y passer, elles aussi.

— Mes ancêtres ? fit le portier, interloqué.

— Bien sûr. Enfin, je ne dis pas que le type de la clef de voûte est vraiment un parent à vous. Ça, ce serait trop bizarre comme coïncidence. Mais ce qui est sûr et certain, c'est que c'est un de vos copains, une âme sœur. La ressemblance est tellement dingue.

— Vous trouvez ?

— Ouais. Vous avez le même menton en galoche et le même air héroïque et désespéré du gars qui souffre d'hémorroïdes depuis des siècles. »

Le bonhomme me fusilla du regard avant de retourner derrière la table en grommelant, furieux. Malgré tout, lorsque je lui donnai l'un des noms de la liste – Elliot Blum, le binôme de Quigley en cours de sciences nat –, il n'eut pas d'autre choix que de me laisser entrer.

« Sans me vanter, car ce n'est pas du tout mon genre, lui dis-je avant de m'engouffrer dans l'ascenseur, je suis hyper-cultivé dans le domaine de l'architecture ornementale. »

Le portier avait sûrement prévenu de mon arrivée : Dani me prit au dépourvu en ouvrant la porte quinze secondes après mon arrivée sur le palier ; j'étais en train de réfléchir à ce que j'allais lui dire. Elle portait une salopette OshKosh B'Gosh et rien en dessous, à l'exception d'un soutien-gorge noir. À cette vue, mon rythme cardiaque s'accéléra pendant quelques secondes.

« Tu n'étais pas censée m'ouvrir, protestai-je.

— C'est bien pour ça que je l'ai fait. Le portier m'a dit qu'il venait de faire monter un moulin à paroles.

— Et tu t'es dit que ce n'était pas vraiment le genre d'Elliot, hein ?

— Pas vraiment. »

Elliot était un gamin de seconde au menton fuyant, toujours un bouquin à la main ; il avait l'air de passer l'essentiel de son temps à ne pas se faire remarquer.

« Tu devrais peut-être me demander mon manteau, non, maintenant ? Faire poireauter un invité indésirable dans l'entrée, ce ne sont pas des manières. »

Elle regarda par-dessus mon épaule. Je ne sais pas ce qu'elle vit.

« C'est un cadeau ? »

Elle désigna le gros paquet rond que j'avais sous le bras.

« Peut-être bien. »

J'avais un tel mal de chien à ne pas remarquer les bretelles de son soutien-gorge noir que je finis par baisser les yeux. Elle avait les pieds légèrement en dedans ; les bouts de ses chaussures de bowling blanc et bleu convergeaient de quelques degrés l'un vers l'autre. *Très* mignon.

« J'adore les cadeaux », dit-elle, mutine.

Je lui tendis le paquet. C'était un encombrant colis, de la taille et de la forme d'une assiette à pizza extralarge ; je l'avais emballé dans des pages de journaux chinois. L'article du dessus était illustré par une photo représentant une rangée de Chinois torse nu dans un laboratoire, levant le coude à l'unisson pour que leurs aisselles puissent être scientifiquement reniflées par un assistant en blouse blanche. Ce dernier remontait la rangée, le nez en l'air.

Dani gloussa.

« Joli papier cadeau. »

Elle l'arracha ; avant même de s'attaquer au papier bulle, elle était hilare.

« Je me demande comment tu as pu savoir que j'en avais justement besoin ? me demanda-t-elle en dégageant la roue avant de mon vélo de son double emballage.

— Oh, le bouffon voit souvent juste, je crois.

— En tout cas, merci. Tu veux du gâteau, un truc à boire ? Il doit en rester un peu. »

Elle fit volte-face et repartit dans l'appartement sans m'attendre. Je vis sa silhouette menue, d'une maigreur de clou, s'éloigner dans le couloir.

L'appartement était typique de l'Upper West Side d'avant-guerre, avec ses pièces et ses placards innombrables. Dans l'une des chambres où je jetai un œil, je crus voir deux ou trois couples se peloter dans le noir. Dans une autre pièce, plongée dans la pénombre – on avait posé des carrés de batik sur les abat-jour –, un groupe de filles de seconde étaient assises en rond sur le tapis touffu, autour d'une platine ; elles écoutaient « Ziggy Stardust » avec sur le visage une expression christique. Quigley était du nombre. Elle arborait un pantalon pattes d'ef jaune apparemment en plastique, et un haut Danskin aux motifs psychédéliques, dont les manches lui arrivaient pratiquement aux poignets. Quigley ne portait jamais de manches courtes. Elle était atteinte d'un psoriasis sévère qui s'attaquait à ses coudes, dont la peau par conséquent était tellement à vif et enflammée qu'on aurait pu la croire écorchée par une râpe à fromage. Pour soulager la douleur avant de se rendre à des auditions, ma sœur n'avait qu'une solution : se tartiner les coudes d'une crème blanche à l'aspect répugnant et s'envelopper les bras dans du film étirable pour que l'onguent puisse faire son effet toute la nuit. Opération malaisée qui réclamait au moins trois ou quatre mains, mais que Quigley effectuait toujours seule.

Depuis des années, je l'entendais réclamer de l'aide à maman. La dernière tentative remontait à quelques semaines.

« Oh, je ne dirais pas non, avait répondu maman en gesticulant. Mais tu sais à quel point je suis peu douée pour ce genre de choses ; et puis j'ai promis à *Monsieur*** Claude de l'aider pour son renouvellement de visa. »

Maman s'esquivant, j'avais senti le regard de Quigley se poser sur moi, plein d'espoir. Il était hors de question que j'accomplisse quelque chose d'aussi répugnant pour le compte de ma sœur. Son sort m'attristait, assurément, mais tout ce que je pouvais lui offrir, c'était une violation de son intimité. Un soir, je l'avais épiée par la porte entrouverte de sa chambre. Elle avait les bras noués en bretzel au-dessus de la tête, et l'un de ses coudes saillait, rose et furieux, tandis qu'elle se tortillait désespérément pour venir en aide à sa peau. Un des bouts du film étirable ne cessait de se recoller sur l'autre ; il lui fallait sans cesse tout retirer, les larmes aux yeux, les jurons aux lèvres, et tout recommencer. Lorsqu'elle avait enfin réussi à envelopper ses deux coudes malades dans leur emballage plastique, elle s'était assise par terre, épuisée, solitaire, ses bras déformés par leur ignoble bandage de film ménager. Elle avait l'air d'un tas de restes.

Retour chez Dani, où je m'aventurai dans un couloir, au fond de l'appartement, à la recherche de la pièce que mon père m'avait chargé de trouver – le bureau du père de Dani. La veille au soir, tandis que nous remontions vers le nord de la ville dans notre camion de glacier, papa m'avait dit, comme ça, en passant, qu'il serait ravi si je pouvais fouiller dans les papiers du père de Dani. Si je voyais quoi que ce soit en rapport avec un certain Laing, je devais l'embarquer.

« Son père est architecte, c'est ça ? » avait demandé papa.

Je n'en savais strictement rien. Pour moi, ce devait être un prof ou quelque chose du même ordre.

« Oui, c'est ça, je pense que c'est lui. Il est professeur d'architecture à Columbia, pour les troisième cycle. »

Papa avait proposé de nous inviter à dîner, Quigley et moi, le lendemain de notre chasse à la gargouille, une fois qu'il aurait changé la vitre de ma fenêtre. C'est là que Quig lui avait parlé de la soirée chez Dani Gardner. Ce nom de famille avait intrigué papa, qui avait consulté la liste des élèves et découvert que le père de Dani, Andrew, avait le même nom qu'un architecte dont le travail l'intéressait. Si le père de Dani était bel et bien le Gardner de papa, toute information sur ses plans et ses associés pouvait lui donner un sacré coup de main.

Avec toute la sournoiserie dont j'étais capable, je me faufilai promptement dans la première d'une rangée de chambres : c'était la tanière de Dani. La pièce était plongée dans l'obscurité et je manquai me casser le cou en posant le pied sur un objet qui tenta de se dérober à mon contact. J'allumai la lumière et découvris la vraie nature de ce rebelle – un petit plateau à pizza en métal argenté au centre duquel étaient fixés deux anneaux de velcro noir. Après un moment de réflexion, je compris qu'il devait s'agir d'un bouclier conçu et fabriqué par Dani.

Celle-ci était une fondue de Donjons et Dragons, un nouveau jeu de fantasy auquel son grand frère Luke consacrait une partie de ses week-ends avec quelques-uns de ses amis, Max Schloss, par exemple, le frère aîné de Lamar (alias Grosse Tête). Ils laissaient Dani jouer avec eux ; un jour, comme ils avaient besoin d'un joueur en plus, Max avait même amené Lamar. Lequel essayait toujours de me parler de Donjons et Dragons ; il était sûr que j'aimerais ça. Vu le baratin bizarroïde qu'impliquaient les règles, j'étais certain du contraire.

D'après ce que j'avais pu en comprendre, Donjons et Dragons consistait en une série d'aventures dans lesquelles chaque gamin s'identifiait à un personnage humain ou à une créature imaginaire, genre nain ou elfe. Il n'y avait qu'une seule équipe et les participants étaient censés affronter ensemble monstres et dilemmes moraux dans un esprit d'entraide. Mais le jeu était si hâtivement conçu et les règles si lacunaires que les parties finissaient toujours en batailles oratoires – une troupe d'avocaillons bourrés d'acné s'insultant à coups de Points de Vie et d'Axe de la Morale.

Ce que Dani aimait dans D&D, c'était la fantasy, le côté jeu de rôle, le fait qu'on pouvait incarner, ne serait-ce que temporairement, des guerriers du Moyen Âge bardés de muscles. Les arguties des garçons l'énervaient au possible, si bien qu'elle avait fini par introduire une méthode de résolution des conflits beaucoup plus radicale : la joute, et pas dans sa version oratoire. Suivant son exemple, tous les garçons s'étaient confectionné des épées en enveloppant des tronçons de manche à balai dans de la mousse de latex fixée au rouleau adhésif. Chaque fois que deux participants étaient en désaccord sur les règles, ils se défiaient dans la salle à manger, épée à la main, et se tapaient dessus comme des sourds pendant trente secondes. Le moins endommagé des deux combattants était déclaré vainqueur.

Dani excellait à ce jeu : petite, certes, mais rapide. Comme elle avait trois frères plus âgés qu'elle, elle prenait plaisir à battre les garçons. Le maniement de l'épée était devenu une affaire si sérieuse à ses yeux qu'elle avait commencé à suivre des cours d'escrime en dehors du lycée pour améliorer sa technique. Je l'avais imitée, pour la regarder travailler ses gestes.

Je sortis de la chambre de Dani pour reprendre ma recherche. Il me suffit d'un coup d'œil à la pièce suivante pour comprendre qu'il s'agissait bel et bien du bureau de son père. Je me rendis compte qu'une exploration des lieux était cependant prématurée. De la cuisine toute proche me parvenait un chuchotement rauque – une voix masculine qui devait être en train d'étouffer ses éventuels interlocuteurs sous le torrent de ses propos d'un colossal ennui.

« … la ville manifestement a abdiqué toute responsabilité en matière fiscale… une dette de 3,4 milliards de dollars en obligations à court terme… s'appuyant de manière irréaliste sur le marché des bons du Trésor municipaux… »

Je tendis le cou et aperçus un petit homme vêtu d'un veston en tweed adossé à un billot de boucher transformé en plan de travail, poing serré sur un verre de vin rouge. Il me tournait le dos. Lui faisait face, pratiquement clouée à la cuisinière par le flot de paroles du bonhomme, Kathleen Shaw, une jolie fille de seconde qui portait toujours des pantalons taille haute, trop haute. Sa bouche semblait figée en un demi-sourire factice ; son regard exprimait la stupéfaction et la douleur. De toute évidence, elle aurait préféré se trancher la gorge à l'aide d'un canif rouillé plutôt que d'entendre le bonhomme déblatérer une seconde de plus. Kathleen, à n'en pas douter, échapperait au bavard à la première occasion. Pour distraire le père de Dani pendant que je fouillais dans son bureau, il allait me falloir de l'aide.

Où était passé mon copain Rafferty ? Peut-être était-il parmi les heureux élus de la chambre des baisers. Kyle, en revanche, se trouvait dans la salle à manger, dans un fauteuil de cuir à côté d'un gamin coiffé au bol que je ne connaissais ni d'Ève ni d'Adam. Kyle me fit signe d'approcher. Je ne l'avais jamais vu aussi sérieux.

« Griffin, viens t'asseoir. Greeley et moi, on était justement en train de parler de religion. »

Je les saluai et pris un siège.

« Greeley est à St. David. Il veut aller à la fac religieuse après le lycée. Au séminaire, plutôt, c'est comme ça qu'on dit, d'après lui. »

Le gamin opina du chef, l'air content de lui. Il avait le regard laiteux et une expression aimable, un peu vide.

« À l'évidence, Kyle n'a pas beaucoup d'éducation religieuse, me dit-il. Mais il a le cœur à l'écoute, et c'est tout ce que l'on peut demander. »

Kyle se pencha tout contre Greeley.

« C'est sûr, je ne suis pas vraiment un mec religieux, confia-t-il à son nouvel ami. Mais ce que tu me racontes, c'est super-fascinant. Si je te comprends bien, Dieu est partout, hein ?

— Exact.

— Partout ?

— Partout.

— Donc, au moment où nous parlons, Dieu est partout dans le monde ? Il est dans cette pièce, Il est au sommet de la tour Eiffel, Il est dans le Bowery...

— Oui, oui, tout à fait, l'interrompit Greeley. Cela dit, ce n'est pas seulement vrai du monde matériel, bien sûr. C'est aussi le cas dans le monde spirituel. Dieu n'est pas seulement partout autour de nous. Il est aussi en nous.

— *En* nous. »

Le regard de Kyle s'illumina.

« En nous.

— Donc, Dieu est vraiment partout ?

— Oui, dit Greeley en souriant. C'est ce que je viens de dire.

— Il est en toi.

— Oui.

— Il est en Griffin.

— Bien sûr.

— Il est en moi.

— C'est certain.

— Il est dans mon âme, dans mon esprit et dans mon cœur.

— Voilà, tu as compris.

— Il pénètre en moi, envahit toutes les parties de mon être.

— Oui, il est *partout*. »

Kyle se leva d'un bond. Il avait du mal à réprimer sa joie.

« Donc, Dieu est dans mon cul ! claironna-t-il.

142

— Euh… pardon ? fit Greeley en levant les yeux, aba-
sourdi.

— Dieu… est dans mon CUL ! caqueta Kyle. Tu viens
de dire qu'il était partout. Donc, Dieu est dans mon cul ! »

Plus rien ne pouvait le retenir désormais. Les autres
conversations s'arrêtèrent net ; tous les yeux se braquèrent
sur Kyle, qui gambadait joyeusement autour de la salle à
manger, tout à sa danse exubérante, le menton frôlant la
moquette et le postérieur triomphant dressé vers les cieux.

« Dieu est dans mon *cul* ! Dieu est dans mon *cul* ! Dieu
est dans mon *cul* ! »

Le temps que Kyle arrête son manège pour reprendre sa
respiration, Greeley, mort de honte, s'était volatilisé dans
quelque recoin de l'appartement. J'attrapai l'illuminé par
la manche.

« Dis-moi, c'est une sacrée révélation que tu viens
d'avoir, lui dis-je. Pour trouver Dieu, ça, tu l'as trouvé.

— Ouais, répliqua Kyle, les joues en feu. Suffisait de
savoir où chercher. »

J'avais une petite ouverture avec Dani, lui confiai-je,
et j'avais besoin de son aide. Pouvait-il accaparer le père
pendant que j'avançais mes pions avec la fille dans une
des chambres de bonne ? Lui et moi savions très bien que
je n'avais jamais vraiment tenté quoi que ce soit avec une
nana – en tout cas, rien qui ait donné des résultats. Mais
il faut bien avoir des désirs à cet âge. Kyle ne pouvait se
gausser de mes pauvres états de service, ç'aurait été faire
insulte à l'éventualité même que se réalise notre éternel
projet commun, qui était d'arriver à quelque chose dans
ce domaine.

« Tu voudrais qu'elle te chatouille la touillette ? »
demanda Kyle.

Je ne répondis pas immédiatement.

« Ou qu'elle te secoue la saucisse ? Si, si, tu vas sûrement
lui demander de te secouer la saucisse.

— Kyle…

— Ou de te bouturer le boudin ? Tu devrais vraiment...

— "Bouturer" ? l'interrompis-je.

— Ben oui, "bouturer". C'est bien "bouturer", non ?

— Je pense que tu veux dire "brouter". Bouturer, c'est un machin que tu fais avec les plantes. Des boutures.

— Ce n'est pas "bouturer" ? reprit-il, le front plissé. T'es vraiment sûr ? "Bouturer" ?

— Bon Dieu, Kyle, tu ne vas pas la fermer ? Tu me le donnes, ce coup de main, oui ou merde ? »

Il finit cependant par m'apporter toute l'assistance qu'on peut attendre d'un camarade d'escadrille en allant discuter le bout de gras avec le père de Dani dans la cuisine pendant que je me faufilais dans le bureau du susdit, à l'autre bout du couloir.

La lampe de travail de M. Gardner était déjà allumée : c'était l'un de ces modèles à l'ancienne un peu m'as-tu-vu, pied de laiton et abat-jour de verre vert. La pièce était plus longue que large. L'un des deux murs était tapissé de liège et recouvert, du sol au plafond, d'une foule de photographies et de plans qui jouaient des coudes les uns avec les autres. Sur l'autre mur, les étagères regorgeaient d'ouvrages affublés de titres du type : *Sauvegarde patrimoniale, Une préservation raisonnée de l'environnement architectural.* Puis, posés devant les livres et surplombant la pièce selon tous les angles possibles et imaginables, on voyait des maquettes d'immeubles en balsa poussiéreux. On avait l'impression, en ce lieu surchargé, de parcourir une rue étroite dont les façades se penchaient, hargneuses, de part et d'autre de la chaussée.

Faisant fi de mon frisson claustrophobe, je me mis au travail. La plupart des plans punaisés sur le liège portaient le nom d'un client dans le coin inférieur droit : n'y figurait pas un seul Laing. De même des maquettes, dont quelques-unes indiquaient une adresse et un patronyme. Pas plus de Laing que sur les plans. En revanche, je dénichai un petit flacon de vodka Smirnoff plat comme une flasque dissimulé dans un immeuble d'habitation du 840, Cinquième Avenue (un cinquième de litre dans la Cinquième Avenue : était-ce une blague que Gardner était le seul à comprendre, ou un moyen mnémotechnique pour remettre rapidement la main sur sa bibine ?) J'en bus une petite gorgée : le breuvage était si révoltant que je recrachai tout sur la bibliothèque, arrosant plusieurs immeubles d'une mousson à quarante degrés.

L'interphone sonna dans le vestibule, juste en face du bureau, et je sursautai. M. Gardner répondit à l'appel, de sa voix lugubre et monocorde. Oui, le portier pouvait faire monter telle ou telle personne.

« Oh, c'est vraiment passionnant, ce que vous venez de dire, roucoulait à présent Kyle, à deux pas de la porte du bureau. Je ne savais pas que la pierre, pourtant si dure, pouvait être, comme vous dites, si vulnérable.

— Mais si, le grès est fragile, c'est un fait connu, surtout sous ce climat. Et le grès brun n'est qu'une variété de grès, après tout. »

Les murmures soporifiques de M. Gardner continuaient à s'écouler dans la pièce étroite tandis que je farfouillais dans la paperasserie étalée sur son bureau.

« Les roches sédimentaires, vois-tu, se constituent en couches, en niveaux parallèles à la surface de la terre. Mais lorsque les immeubles de la ville ont été construits, leurs façades de grès brun ont dans la plupart des cas été érigées de telle manière que leur sens de sédimentation était perpendiculaire à la terre.

— Oh, c'est vraiiiiiment incroyable. »

Les tiroirs du bureau étaient quant à eux pleins d'un fourbi éclectique : vaporisateur nasal, souches de tickets, une autre petite bouteille de vodka, des classeurs contenant des schémas de plomberie.

« C'est la raison pour laquelle les façades en grès brun s'émiettent aussi facilement, bavassait M. Gardner.

L'orientation de la pierre crée des faiblesses et la gravité effeuille tout simplement les couches. »

J'ouvris le tiroir supérieur du classeur à dossiers en métal vert aussi discrètement que possible et commençai à en faire défiler le contenu. Le meuble était un peu trop proche de la porte à mon goût ; entre les gonds de celle-ci apparaissait une longue bande de tweed – le veston de M. Gardner.

Je trouvai ce que je cherchais au milieu du deuxième tiroir : un dossier portant l'inscription *Laing, Edgar* et contenant une enveloppe en kraft et quelques reçus. Je le fourrai sans le regarder dans mon sac à dos et repoussai prudemment le tiroir.

« Tout ça, disait à présent Kyle, c'est vraiment, mais alors… complètement sidérant. Vous savez, monsieur Gardner, j'ai appris quelque chose de tout aussi fascinant ce soir. Saviez-vous que Dieu est partout ? »

Cela me pétrifia. Mais au lieu de répondre à Kyle, M. Gardner se mit à vociférer.

« Oh là, oh là, oh là ! Hé, minute papillon, toi ! Je te signale que tu n'as qu'un anniversaire, porcinette. Je ne vois donc pas ce qui t'autorise à prendre une *seconde* part de gâteau. Allez, donne-moi ça. »

Le bouton de la porte du bureau fut saisi d'un léger spasme. J'empoignai mon sac à dos avant de filer dans la salle de bains qui séparait les deux chambres de bonne. Lorsque j'essayai d'en ouvrir la porte, je constatai qu'elle était verrouillée – de mon côté. J'actionnai le petit verrou en forme d'ancre et me précipitai dans l'autre chambre. Où je percutai Dani. Elle poussa un petit cri d'affolement, avant de me frapper le torse du plat de la main, une fois son agresseur identifié.

« Espèce de connard ! siffla-t-elle en s'efforçant de retenir ses larmes. Qu'est-ce que tu fiches dans *ma* chambre ? »

Je fermai la porte de la salle de bains. Le plateau à pizza transformé en bouclier gisait toujours à terre, en

146

compagnie d'une collection de pochettes d'album, de tennis et d'un exemplaire écorné de *La Communauté de l'Anneau*. Je pris Dani par les épaules. Elles étaient si frêles, si tièdes, si douces sous mes mains.

« Hé », chuchotai-je doucement.

Elle se dégagea.

« Tu étais où ? Je t'ai cherché partout dans l'appart avec ta part de gâteau à la con !

— Il te culpabilise. Tu ne devrais pas le laisser faire, repris-je. Ce qu'il t'a dit, ça n'a pas de sens. Tout ça pour du gâteau.

— Mais je n'en voulais même pas, de ce gâteau. Je hais les gâteaux. C'était ta part ! »

Elle tremblait de tout son corps.

« Tout ce que je voulais dire...

— Dégage, tu veux ? Fiche le camp de chez moi. »

Elle avait les paupières rougies.

« Je ne veux plus te voir ici. Tu piges, tête de lard ? Zut, t'étais même pas invité ! »

Je ne savais pas trop sur quel pied danser mais finis par obtempérer et m'esquivai du mieux que je pouvais en évitant d'écraser en chemin un de ses disques. J'avais les tripes nouées.

Il n'y avait plus que Kyle dans la cuisine, aux prises avec le polémique gâteau. Au lieu de s'en couper une tranche comme l'aurait fait tout être civilisé, Kyle avait embroché la chose (dont il ne restait pas moins d'une moitié) sur les dents d'une fourchette à gigot à manche d'ivoire – fourchette qu'il faisait tourner toutes les dix secondes de façon qu'aucune portion du glaçage, même infime, n'échappe à ses mâchoires béantes. Son regard scintillait d'un plaisir égoïste.

« Quoi ? éructa-t-il en me voyant entrer, les joues gonflées d'une innocence factice, une avalanche de miettes se déversant de ses lèvres à sa chemise. Qu'est-ce que tu as à me regarder comme ça ? »

Le visage de Kyle était barbouillé d'un sinistre sourire de clown bordé de glaçage brun. Il avait l'air incroyablement content de lui et eut un gloussement étouffé.

« Il faut qu'on y aille, lui annonçai-je. Nous ne sommes plus les bienvenus ici.

— *Nous ?* »

Nous prîmes nos blousons et Kyle m'emboîta le pas. De la cuisine au vestibule et du vestibule à l'escalier de service, sale et mal éclairé. Sur chaque palier, une fenêtre pourvue d'une vitre en verre dépoli et une porte grise, massive, au-delà de laquelle les câbles d'ascenseur cliquetaient et fredonnaient.

Après avoir descendu deux ou trois étages, je fis halte devant un des tuyaux à incendie. Soigneusement enroulé dans son support métallique vissé au mur, il s'achevait sur une embouchure en laiton.

« Qu'est-ce qu'il y a ? demanda Kyle.

— Tu ne t'es jamais demandé comment on pouvait obtenir suffisamment de pression pour l'eau, à cette hauteur ? C'est vraiment un miracle de la technique, cette affaire. Lutter contre la loi de la gravité, mètre après mètre.

— Non, Griffin. Je ne me suis jamais posé ce genre de question. »

Il poursuivit sa descente.

« Allez, viens.

— Oui, mais en même temps, Kyle, comment peux-tu être sûr qu'il y a vraiment de l'eau si tu ne testes pas la chose ?

— Je suis sûr qu'ils vérifient. C'est comme pour les ascenseurs. On y va, Griffin. »

Je posai les mains sur le volant de métal rouge.

« Griffin ? »

La voix de Kyle exprimait une certaine insistance ; de la méfiance aussi, peut-être.

« Mais comment le sais-tu ? repris-je. Comment peux-tu être certain d'être en sécurité tant que tu n'as pas testé le dispositif ? »

Je me penchai vers le volant que je fis pivoter. Il me résista un instant, avant de céder. Un grondement saccadé se fit entendre dans les profondeurs, suivi d'un moment durant lequel rien, apparemment, ne se produisit. Après quoi, tandis que le regard de Kyle s'écarquillait de manière démentielle, il y eut comme une secousse – j'en percevais les vibrations contre mes paumes – puis un *chhhhhhhhh* fusant des étages inférieurs, de plus en plus sonore. Nous échangeâmes un long regard, où l'attente le disputait à l'incrédulité. Le chuintement était de plus en plus proche ; bientôt, le bas du tuyau fut pris de convulsions et commença à se gonfler d'eau.

Kyle se mit à glousser.

« Espèce de *crétin*, va ! Ah oui, un crétin complet ! »

Et nous partîmes en courant et en rigolant comme des fous, descendant quatre à quatre les marches, l'hilarité de l'un redoublant celle de l'autre, et inversement.

Le volant de l'étage suivant était moins résistant. Et le tuyau, sagement enroulé, se remplit bien plus rapidement.

« Griffin ! Ça suffit ! »

Kyle rigolait si fort qu'il avait du mal à parler.

« Sérieusement, zut ! »

Et de cavaler. De cavaler en gloussant.

Au troisième tuyau, ma technique était au point. J'agrippai le volant de la main gauche et le tournai juste assez pour ouvrir les vannes, tout en gardant l'élan de ma course. Il nous fallait à tout prix atteindre le rez-de-chaussée avant le déluge.

Lequel s'annonçait. Au début, ce n'était qu'un filet d'eau descendant tranquillement de marche en marche. Mais, tandis que les eaux du premier tuyau se joignaient à celles du deuxième, leur débit et leur force se multiplièrent, ruisselant de concert vers le troisième, puis le quatrième, le ruisseau devenant torrent, le torrent rivière, la rivière inondation.

« Hé, mec, pouffa Kyle, c'est *L'Aventure du Poséidon* ! Je suis Ernest Borgnine !

« — Hors de question ! C'est moi, Borgnine. Toi, tu fais Gene Hackman.

— Aucune envie de faire Hackman !

— Mais si, c'est toi, Hackman, insistai-je. Le prêtre en pleine crise religieuse… qui se demande si par hasard Dieu n'est pas dans son cul !

— Bon, bon. Mais si je fais Hackman, toi, c'est Shelley Winters.

— Attends, c'est cette grosse dame super-chiante qui remonte la vague monstre à la nage et qui se noie à la fin ?

— Tout juste.

— *Salaud !* »

Nous nous rendîmes compte qu'en nous partageant la tâche, nous descendions encore plus vite. Pendant que Kyle prenait le temps d'ouvrir les vannes à fond à son étage, je filais à celui du dessous pour en faire autant. Oh, les vibrations grondantes du volant dans mon poing, la sensation de puissance avec laquelle mes doigts s'écartaient du métal !

La situation devenait sérieusement humide. L'eau avait suffisamment monté sur les paliers supérieurs pour déborder des rambardes et se déverser dans le puits de la cage d'escalier, en cascade, sur les onze niveaux qui séparaient l'étage de Dani du rez-de-chaussée. Lorsque nous parvînmes au terme de notre périple, une mare commençait à se former au bas de ce Niagara intérieur. Kyle longea la vaste flaque en levant haut les genoux et je voulus le suivre. À mi-chemin, pourtant, je dus m'arrêter pour reprendre mes esprits. Je riais tellement que j'en avais mal au ventre.

« Grouille-toi, Shelley, grouille-toi ! fit Kyle. Tu vas y arriver, ma vieille ! Souviens-toi des cours de natation de quand t'étais petite ! »

Tous les deux, nous parvînmes enfin, hoquetant, chancelants, à pousser une lourde porte qui se referma derrière nous en claquant. Nous étions dans la partie luxueuse du vestibule – moulures dorées et lustres aux ampoules en forme de flammes. Plantés sur le tapis persan, nous nous étranglions encore de rire, fixant, pleins d'espoir, la porte que nous venions de franchir. Combien de temps encore avant que l'eau commence à surgir sous le battant ?

« Qu'est-ce que vous regardez, là, tous les deux ? grommela le portier dans notre dos. Qu'est-ce qui se passe ? »

Nous nous retournâmes vers lui.

« Je me disais que quelqu'un avait peut-être oublié de fermer les robinets de sa baignoire, répondit Kyle. Parce que ça commence à être un peu humide, là-dedans. Vous devriez peut-être faire quelque chose. »

Nous passâmes devant l'homme d'un pas précipité et sortîmes de l'immeuble. Et même si je ne vis pas mon camarade de la verte Erin ouvrir la porte qui donnait sur la cage d'escalier, j'aimais à penser, comme je l'expliquai à Kyle en dévalant la 93e Rue, que le bonhomme avait été emporté par un torrent furieux jusqu'à West End Avenue, les bras en croix comme dans un dessin animé.

Nous étions presque arrivés à Riverside, à l'endroit où les clochards dorment dans les buissons, au pied de la statue de Jeanne d'Arc, lorsqu'une voix de stentor résonna à nos oreilles.

« Hé ! Vous deux, là ! »

Nous fîmes volte-face. Un flic courait à grandes enjambées vers nous, brandissant sa lampe torche comme une matraque. Au coin de la rue, derrière lui, une voiture de police près de laquelle un second poulet recevait les doléances du portier, lequel nous désignait d'un index furibond.

« Oui, vous deux. Par ici, et que ça saute, vociféra notre poursuivant. J'ai deux mots à vous dire. »

Il s'arrêta à une cinquantaine de mètres, attendant que nous nous exécutions.

Kyle et moi échangeâmes un regard stupéfait.

151

« Nom de Dieu, marmonnai-je. Comment ont-ils pu venir aussi vite ? »

Situation absurde. La téléportation, c'était uniquement dans *Star Trek*, non ?

« Je ne pense pas qu'ils soient venus pour nous, fit Kyle. Avant même que tu te pointes, il y avait déjà des types de Collegiate qui balançaient des bombes à eau de chez Dani.

— Donc, nous n'avons rien à nous reprocher. »

Kyle me fixa, pétrifié, bouche bée.

« Absolument rien », poursuivis-je avant de me diriger d'un pas tranquille vers le flic.

Kyle m'emboîta le pas.

« Et c'est la raison pour laquelle nous sommes détendus à fond. Toi aussi, Kyle, hein ?

— Ah, mais oui », répondit-il, ce qui ne s'entendait guère à son ton.

Après un silence :

« Mais, au fait, pourquoi suis-je détendu, Griffin ?

— Parce que nous n'avons strictement rien fait. Nous sommes sortis de chez Dani après ces affreux mecs de Collegiate, et maintenant nous allons nous entretenir un moment avec le gentil policier.

— D'accord, fit Kyle, toujours à mon côté. Et nous discutons tous les deux sans la moindre inquiétude, comme des gens qui n'ont absolument rien à se reprocher. »

Nous étions pratiquement arrivés à la hauteur du policier maintenant. De près, il avait l'air plus massif. Son front était barré de deux sourcils épais et coléreux, séparés par un isthme velu. Il nous inspecta rapidement du regard.

« Ne me racontez pas de bobards, tous les deux. Qu'est-ce que vous avez foutu ces cinq dernières minutes ? »

Je le regardai droit dans les yeux en lui expliquant que nous venions de quitter l'appartement de Dani. Je fus poli, mais sans nervosité ni obséquiosité. Nous avions, racontai-je, entendu un drôle de sifflement dans l'escalier de service, comme un tuyau de chaudière qui explose, peut-être, et cela nous avait affolés : si bien que nous étions sortis de l'immeuble aussi vite que possible.

« Qu'est-ce qui s'est passé, monsieur l'agent ? demandai-je. Personne n'a été blessé ? S'il y avait de la vapeur, ce peut être dangereux. »

Le flic me scruta pendant de longues secondes. Au moment même où il commençait à se détendre, il repensa visiblement à quelque chose et son visage, de nouveau, se crispa, soupçonneux.

« Mais le portier vous a formellement reconnus ! Vous étiez tous les deux dans le vestibule de l'immeuble à regarder la porte de service comme si vous saviez ce qui se passait dans la cage d'escalier. Il va falloir que vous m'expliquiez ce petit détail. »

Kyle me lança un regard totalement dépourvu d'expression. Je le connaissais assez pour savoir que cette hébétude masquait une terreur sans bornes. Je tournai la tête vers le flic. Ce dernier me toisait de toute sa hauteur, attendant ma réponse.

« En fait, ce n'était pas la porte, dis-je.

— C'est-à-dire ?

— Ce que nous regardions... Ce n'était pas la porte.

— Ah oui ? C'était quoi, alors ?

— C'était la moulure au-dessus de la porte, monsieur l'agent. Celle qui longe le plafond. »

Le flic tendit l'oreille.

« Oui, et alors ?

— Eh bien, pour commencer, la dorure n'en est pas vraiment une. C'est une restauration à la va comme je te pousse, à la peinture pour radiateurs. Dans les années 1940, quand on a commencé à en fabriquer, c'était comme de l'or en pots pour les restaurateurs, pas moins. Ce qu'ils ne savaient pas, c'est qu'avec le temps elle fonce, se ternit et prend un aspect minable. »

Le flic me sondait du regard.

« C'est pour ça que tu regardais le plafond ?

153

— Euh, pas tout à fait. Le truc, c'est que j'étais en train de montrer la moulure à mon copain Kyle, ici présent, parce que c'est un super-exemple d'ove.

— D'œuf ?

— "Ove", pas "œuf". C'est l'un des motifs les plus utilisés pour les moulures ornementales dans l'architecture occidentale. Mais il y a quelque chose de plus dans ce vestibule, et c'est cela que je voulais montrer à Kyle. Juste au-dessus de l'ove, il y a une autre moulure, en dentyne. »

Kyle opinait du chef.

« Ça fait comme des petites dents, d'où le nom, m'empressai-je d'expliquer. C'est un motif de l'époque classique. Il y a de ces moulures en dentyne partout dans New York : pas seulement à l'intérieur des immeubles. Sur les façades, aussi. Sculptés dans la pierre au-dessus des fenêtres, des porches – tout ce que vous voulez. »

Le flic me considéra encore un certain temps sans rien dire. Je m'abstins également d'ouvrir la bouche, respectueux de son autorité.

« Bon, vous deux, finit-il par articuler avec un hochement de tête hargneux, dégagez, que je ne vous voie plus. »

Nous ne nous fîmes pas prier. Cette fois-ci, nous n'échangeâmes pas un seul mot avant le carrefour avec Riverside.

Kyle était blanc comme un linge.

« Oh, ne fais pas ton délicat, fis-je, la main à plat sur son épaule, en le repoussant d'un geste taquin. Si tu veux mon avis, c'est peut-être bien le plus merveilleux...

— Griffin ? » m'interrompit Kyle.

Il s'arrêta pour me forcer à le regarder dans le blanc des yeux. Sa voix tremblait ; il avait l'air du type qui va dégueuler dans la minute.

« Ouais ?

— Va te faire foutre. »

11

EN RENTRANT DANS MA CHAMBRE, je constatai que ma fenêtre était comme neuve. La vitre que papa avait posée me plaisait davantage que la précédente : hormis quelques empreintes digitales plus ou moins brouillées qu'il avait laissées sur le bord du carreau, elle ne faisait pas obstacle à la vue, au contraire de celle cassée par Quigley, dont le verre, ancien, parcouru d'ondulations, vous donnait le mal de mer rien qu'à le regarder.

Je commençai à ramasser les bouts de verre que papa avait laissés sur le plancher et les rangeai dans l'une des boîtes à cigares que j'avais récupérées au grand tabac Te Amo de Lexington Avenue. J'aurais presque apprécié la complexité de la tâche – tout récupérer sans me couper – si Quigley n'avait pas été saisie d'une furie de claquettes ; sa chambre se trouvait juste au-dessus de la mienne. Même si j'avais maintenant l'habitude de l'entendre répéter pour le spectacle du lycée, elle atteignait ce jour-là un nouveau palier dans l'hystérie. À vous briser le crâne : on aurait dit Woody Woodpecker sous amphétamines. Ou un bataillon d'aveugles armés de cannes blanches s'adonnant à un concours de composition en morse après avoir avalé un litre de café chacun.

Il me fallut taper du poing un long moment sur la porte de Quigley avant qu'elle veuille bien s'interrompre et m'ouvrir.

« Bon Dieu, qu'est-ce qui se passe là-dedans ? lui demandai-je. Ça va ? »

Les joues couvertes de taches de rousseur de ma sœur étaient cramoisies, ses yeux luisaient d'un éclat fou. Ses mèches carotte, baignées de sueur, lui collaient au front.

« Ils se sont embrassés ! haleta-t-elle. Enfin, je crois. J'avais le nez sur la vitre et il y avait de la buée.

— Mais de quoi tu parles ?

— Papa et maman, ils se sont embrassés ! Grâce à moi. J'étais enfermée à l'extérieur, les pieds complètement nus, et il faisait un froid de canard, mais tout se passait super-bien – mieux que ça, incroyable – et puis… patatras. Il y a trop de monde ici, Griffin. Trop de monde. C'est impossible. Je ne peux pas faire mieux que ça. Non, je ne peux pas. J'ai mis le paquet, Griffin, vraiment ! »

Je réussis à la faire asseoir sur le lit et à lui faire raconter son histoire plus lentement. Le fait est que Quig n'était pas restée longtemps chez Dani, préférant surveiller les effets de sa dernière machination familiale en date.

Mon père, comme d'habitude, était entré sans prévenir ; ma mère, cette fois-ci, ne s'en était pas émue. Elle était même montée dans ma chambre le remercier d'être venu changer la vitre. Il était en train de lisser les derniers joints au mastic, du bout de l'index. Pendant tout ce temps, Quig n'avait pas cessé de les épier, depuis le vestibule. Puis papa avait fermé ma contre-fenêtre pour protéger la vitre neuve de tout attentat à la balle de base-ball. Lorsque mes parents étaient montés au troisième pour fermer l'autre contre-fenêtre, Quig avait filé au dernier étage pour ne pas les croiser. Erreur stratégique : lorsque maman demanda à papa son avis sur la curieuse excroissance qui avait fait son apparition sur le haut du mur, au quatrième, Quigley se trouva prise au piège. Tandis que nos parents montaient l'escalier, elle dut se réfugier sur le toit pour éviter d'être repérée.

Le quatrième étage de la maison n'en faisait pas partie du tout, techniquement parlant. À l'origine, la construction ne comprenait que trois étages. Peu après ma naissance, cependant, papa avait construit un atelier pour maman, sur le toit. C'était de facto un petit pavillon de banlieue invisible de la rue, posé sur la toile goudronnée au milieu des cheminées, des tuyaux et des bouches d'aération. La maisonnette était pourvue d'un toit pointu ; ses murs étaient couverts de planches blanches et ornés de jardinières. Une porte vitrée garnie de persiennes donnait sur une pelouse de papier goudronné. En des temps plus fastes, maman avait peint des volets verts en trompe-l'œil sur la façade et papa avait installé des plants de tomate dans de vieux seaux à plâtre. Lorsque mon père vivait encore à la maison, mes parents se réfugiaient parfois là-haut pour batifoler dans l'intimité.

Avant de partir, papa s'était d'abord installé au quatrième. Il avait vidé son placard et sa commode et tout emporté dans la maisonnette ; il y avait dormi pendant des mois sur un vieux matelas, avec pour seule compagnie une plaque chauffante et un percolateur à café électrique rondouillard.

À l'époque, je n'avais aucune idée de la manière dont les choses allaient tourner. L'exil de mon père sur le toit me semblait plus singulier qu'inquiétant. On aurait dit de longues vacances en camping. Et je pouvais passer quand je voulais. La plupart du temps, il était d'une humeur de dogue ; lorsque je venais le voir le matin, il retrouvait un peu d'allant. Ça me donnait de l'importance. J'enfilais ma robe de chambre bleu pâle gansée de blanc – celle que je portais aux urgences le jour où Quigley m'avait ouvert le cuir chevelu sur le petit lit de fer – et je jouais les mini-majordomes, lui apportant joyeusement du lait pour son café, tout imbu de ma fonction.

Ce que j'aimais particulièrement, c'était assembler le percolateur dont les curieux éléments, si antiques d'aspect

– oh, le disque perforé ! Le fin tube de métal gris ! Le ressort qui faisait *bzoïng* ! – me faisaient penser aux ingénieuses machines de Léonard de Vinci. Papa m'avait emmené voir l'expo. Léonard de Vinci prenait toutes ses notes de la main gauche, en écriture inversée, insérant immédiatement ses réponses en code dans l'énoncé des problèmes que ses inventions étaient destinées à résoudre. Le percolateur quant à lui était un problème en lui-même, un casse-tête complexe qui, une fois résolu, rendait le sourire au visage moustachu de papa et faisait passer le café dans la sphère de fer qui couronnait son assemblage.

Quig, donc, avait posé le nez sur la porte de verre tandis que maman montrait à papa un des murs de la maisonnette, dont le placoplâtre du plafond était gonflé et maculé. Papa n'avait pas eu l'air impressionné ; apparemment, il s'était gentiment moqué d'elle. S'affoler pour une petite fuite de rien du tout ! Ce devait être le toit. Elle lui avait donné une légère bourrade, en riant ; il l'avait imitée en retour, d'un geste doux, la main posée sur la clavicule de ma mère. Ils avaient eu un petit rire, se découvrant une intimité inattendue après ces mois de conflit à la hargne partagée. Non loin de la fuite, l'œuvre la plus récente de maman était en train de voir le jour sur le plan incliné d'une table d'architecte. Ma mère avait changé de sujet. L'immense mosaïque représentait une maison en grès qui devait être la nôtre ; les mots *Ceci n'est pas un œuf**, en lettres anglaises composées de fragments de coquille, se dissimulaient comme les Nina de Hirschfeld[1] dans les décorations en fonte des rampes de notre perron.

Maman s'était avancée vers la mosaïque, avait ramassé un morceau de l'un de ses longs ongles marron ; papa l'avait rejointe pour regarder le tableau. Il lui avait dit

---

1. Ce fameux caricaturiste (1903-2003) qui travailla notamment pour le *New York Times* avait pour habitude d'introduire discrètement dans ses dessins le prénom de sa fille, Nina. *(N.d.l.T.)*

quelque chose ; elle avait réfléchi un instant, avant de lui répondre. Au bout d'un moment, ils s'étaient retrouvés dans une situation dont ils n'avaient, je crois, plus l'habitude depuis longtemps : discuter en s'écoutant l'un l'autre. Papa s'était encore rapproché du tableau pour mieux le voir ; maman s'était penchée, elle aussi, disparaissant ainsi hors du champ de vision de Quig. Sans doute, alors, leurs lèvres s'étaient-elles jointes, car la tête et le dos de papa s'étaient arrondis en une courbe insistante, avalant la silhouette de maman dont n'étaient plus visibles que des ongles sombres cramponnés à la nuque de papa.

Quig avait si froid aux pieds qu'elle ne sentait plus ses orteils, mais elle était folle de joie. Elle ne cessait de détourner les yeux puis de recoller le nez à la vitre, ne sachant quelle était la marche à suivre ensuite pour une espionne en herbe. Puis la tête de papa s'était brusquement tournée. M. Price venait de surgir, le costume froissé, l'expression embarrassée, en haut de l'escalier, un panier d'osier rapiécé au bras, rempli de linge à faire sécher. Se rendant compte de sa gaffe, il avait bredouillé quelques excuses et rebroussé chemin. Mais papa s'avançait déjà à grands pas vers lui.

« Dieu du ciel ! C'est trop vous demander que de frapper à la porte ? »

Le visage et la nuque de M. Price s'étaient empourprés jusqu'à la racine des cheveux tandis qu'il bégayait des explications confuses. Apparemment, il venait de temps en temps étendre son linge sur les cordes que maman avait installées pour faire sécher ses gravures sur bois. M. Price ne mentait pas, s'était empressée de préciser maman ; c'était une vraie gaffe de sa part, rien de plus. Ainsi s'était achevé ce bref moment de tendresse entre nos parents : aussi rapidement qu'il avait commencé.

12

TOUT DANS LA VILLE SE CONFORMAIT à des règles invisibles. Il suffisait de les connaître. Le métro obéissait à des signes souterrains et mystérieux, à des plans secrets, traversant des stations spectrales dans lesquelles on passait à toute allure, selon une logique de mouvement global. L'alimentation en eau de la ville disposait d'aqueducs, de cabines de barragiste et de plus de neuf mille kilomètres de canalisations souterraines dans lesquelles des millions de litres d'eau circulaient tous les jours, suivant quelque plan énigmatique conçu, imaginais-je, par des ingénieurs moustachus vêtus de trench-coats à la ceinture dûment serrée. Et le temps lui-même pouvait être dompté, pourvu que l'on soit maître de la science occulte qui permettait, d'un magistral trait de feutre magique, de dessiner un orage menaçant au-dessus de Battery ou de Hell Gate : ainsi procédait Tex Antoine, le Monsieur Météo qui dessinait ses cartes à la fin de *Eyewitness News*.

La colère de mon père, comme toute l'infrastructure déconcertante de mon univers, devait elle aussi se conformer à des schémas invisibles. De même, j'en étais certain, que ses éruptions, surgissant de failles obscures, mais repérables, sous l'asphalte des rues. Mais, contrairement aux transports en commun et à l'alimentation en eau, dont j'avais essayé, pendant des années, de percer certains secrets en consultant les plans et brochures jaunis qui avaient envahi la maison dans l'éventualité d'une revente, les lois qui gouvernaient l'humeur cyclothymique de mon père n'avaient pas encore été découvertes. Ce ne fut que par le plus sot des hasards que je finis par découvrir un système qui me permettait de décoder et même, pendant un temps, de contenir ses fureurs.

La solution, pourtant, je l'avais toujours eue sous les yeux. Le lendemain de la scène entre papa, maman et M. Price, je me faufilai dans l'escalier en colimaçon qui menait des salles de classe situées au sous-sol jusqu'à l'église voisine.

L'église du Repos-Céleste était une bâtisse remarquablement lugubre, vaste univers de voûtes, d'arches immenses et de vitraux rouge sang. Derrière l'autel étaient sculptés des bonshommes moustachus à la mine mortellement sérieuse. Notre école étant dépourvue de grande salle, toutes nos représentations théâtrales et musicales s'effectuaient dans l'église. Mon intention, cet après-midi-là, était de contempler Dani, ne serait-ce qu'un moment : elle devait être en train de répéter son numéro d'escrime pour le spectacle du lycée. Mais j'avais mal choisi mon jour : la scène était en pleine construction. Avant même que je puisse m'esquiver, M. Krakauer, notre professeur de théâtre, me repéra.

« Watts ! Inutile de te cacher derrière les piliers. Viens plutôt nous donner un coup de main. »

Au cours de la petite pause que je m'accordai au bout d'une heure de manutention, mon regard fut attiré par une série de nombres à trois chiffres inscrits sur le mur de pierre, derrière le pupitre. Je les avais sans doute vus mille fois déjà depuis que j'étais à l'école, sans jamais me demander ce qu'ils fichaient là ni quel sens mystérieux pouvait avoir leur combinaison.

Exposés au vu et au su de tous sur une massive muraille de pierre, ces chiffres me parlaient de permanence. Et pourtant, ils étaient également éphémères : chacun d'eux était imprimé sur une petite carte couleur jaune d'œuf, insérée dans un cadre comme ceux que l'on voit parfois dans les cafés pour annoncer le plat du jour.

Ils me faisaient penser aux statues de femmes nues que j'avais vues sur l'estrade, dans l'atelier de papa, et dont les biceps – je me le rappelais à présent avec le frémissement de la coïncidence – étaient également marqués d'un nombre à trois chiffres – tracé à la craie jaune, en l'occurrence. Sur la petite étagère attenante au banc, je trouvai un bout de crayon et une carte « Rejoignez notre paroisse ! » sur un coin de laquelle je recopiai les cinq nombres à trois chiffres du mur, persuadé d'être sur le point de recevoir une illumination cruciale.

Tandis que M. Krakauer considérait son plan de scène d'un œil amer, je me fondis dans les ombres du fond de l'église puis sortis dans la rue.

L'explosion de soleil sur la Cinquième Avenue m'éblouit, après tout ce temps passé dans le ventre sépulcral de l'église. J'étais trop excité pourtant pour me soucier de l'état de mes yeux. Je clignai des paupières jusqu'à ce que les chiffres sur la carte retrouvent leur netteté. Le premier était le 592.

Ça me disait quelque chose, 592.

Avant même de comprendre ce qui m'y poussait, je me rendis compte que mes jambes me portaient vers le nord et que je venais de dépasser l'immense demeure de calcaire et de brique du Cooper-Hewitt Museum, aux riches ornementations.

À deux pâtés de maisons du lycée, je les vis : deux têtes de lion à la somptueuse crinière, sculptées dans une pierre d'un beau rouge, rugissant à pleine gorge, le regard baissé, du haut des colonnes qui encadraient la porte d'une maison de ville. C'était la première fois que je les remarquais. L'expression des deux fauves reflétait une si colossale irritation, les détails de leurs gueules étaient si finement reproduits que l'on pouvait pratiquement sentir l'odeur de la viande de caribou charriée par leur haleine et détecter, sur telle ou telle de leur canine, les premières attaques du tartre.

Je levai les yeux vers les deux panneaux de rue qui pendaient, à angles opposés, au lampadaire du carrefour. E 92 St. et 5e Av.

92 et 5 : 925.

Ou bien, en inversant les pancartes : 5 Av et 92 St.

5 et 92 : 592. *592 !* Les nombres inscrits sur le mur de l'église ! J'y étais parvenu, enfin. *J'avais déchiffré le code.*

Il me fallut plus d'une semaine pour explorer tous les carrefours auxquels renvoyaient les nombres de l'église, car ils étaient répartis dans toute la ville. À une seule exception près, ils me menèrent toujours devant une façade où trônait une gargouille ou tout autre ornement assez précieux en apparence pour que papa puisse souhaiter l'acquérir et le revendre. Je l'avais trouvé, donc, *le dessein secret qui structurait et nourrissait le désir de possession de la ville dont mon père était hanté.* Si j'apprenais à m'en servir, j'avais là l'outil rêvé pour dompter les frustrations qui le torturaient.

Lorsque je retournai voir Dani répéter son numéro d'escrime – je dois dire qu'avec son short en jean et son foulard rouge en guise de bandeau, elle avait bien meilleure allure que les jolies petites danseuses en maillot rose –, les nombres avaient changé. Cette fois-ci, m'étant équipé, je pus les recopier dans un carnet en moleskine que j'avais acheté chez Blacker & Kooby : 237, 348, 590, 256.

Je n'avais parlé de ces numéros à personne. Ni à Kyle, ni à Quig, ni à maman. Je ne savais que faire de ma révélation : devais-je avouer à papa que je savais désormais comment il repérait ses gargouilles ? Mais, en apprenant que son secret n'en était plus un, ne se retournerait-il pas contre moi ? Il ne fallait pas rater son coup.

Les choses se compliquèrent avec l'inquiétante lettre recommandée de la Chase Manhattan Bank pour laquelle je signai le registre du facteur avant d'en prendre connaissance, maman n'étant pas là, comme souvent l'après-midi, pour aller ouvrir la porte. Il s'agissait d'une réclamation pour arriérés de paiement rappelant à mon père qu'il était en retard de plusieurs mois dans le remboursement de notre maison. C'était la première fois que je lisais ce mot, « arriérés ». Il me donnait l'impression que la banque nous montrait son postérieur.

Les caisses de papa étant visiblement vides, je devais prendre les choses en main. Ce jour-là, à la nuit tombée, j'avais déjà raflé le vieil étui à violon de Quigley pour y entasser les quelques accessoires dont je pensais avoir besoin pour ma mission. Si maman ne se montra pas de la soirée – elle ne passait plus guère de temps à la maison ces temps-ci, me semblait-il –, Quigley, elle, s'attarda un long moment dans la cuisine et la salle à manger. Le chaos qui régnait chez nous lui était insupportable. Les locataires ne faisaient jamais leur ménage. Quigley voulait retrouver un peu de l'ordre qui s'était désintégré en même temps que l'union de nos parents : elle redescendait systématiquement au rez-de-chaussée, une fois les locataires couchés, faisait la vaisselle, poussait les chaises contre la table, vidait les cendriers. L'idée de se réveiller dans un capharnaüm la désespérait.

À 23 h 17 pile, lorsque Quigley fut enfin montée dans sa chambre écouter les chansons de son numéro de danse, je partis dans les rues sombres avec son étui à violon. J'avais eu tout mon temps pour choisir ma première destination en fonction des nombres notés dans le carnet de moleskine – 590.

Le carrefour de la 90ᵉ Rue et de la Cinquième Avenue était sans conteste le plus proche de chez moi de ceux qu'indiquaient mes nombres sacerdotaux de la semaine.

C'était du reste là que se dressait l'église du Repos-Céleste. J'y allai à pied, les outils brinquebalant dans l'étui en bandoulière. Je n'étais, je dois le dire, pas franchement rassuré de devoir longer le parc à une heure aussi tardive. Au croisement de la 90ᵉ Rue et de Madison, j'aperçus des portiers en longue redingote derrière les portes de verre des deux immeubles qui se faisaient face côté ouest, chacun exhibant son damier de fenêtres, illuminées ou non. Mais tandis que je me dirigeais vers la Cinquième Avenue, les immeubles d'habitation s'évanouirent, laissant place aux ténèbres qu'éclairaient les lueurs jaunâtres des hauts lampadaires gris argent courbant le col pour observer ma lente et furtive progression. Au carrefour de la Cinquième Avenue et de la 90ᵉ Rue, deux des quatre réverbères d'angle ne fonctionnaient plus vraiment. L'un était éteint et l'ampoule de l'autre, côté sud, faisait pleuvoir sur moi une lumière vacillante. Derrière, on devinait la masse sombre de l'église du Repos-Céleste. En ces temps-là, rien ne marchait plus vraiment dans cette ville.

Bon : mais où était-elle, la gargouille que j'étais censé capturer ? Une opportunité crevait les yeux : l'église elle-même, dont le massif portail de pierre était orné de couronnes, de crosses de berger et autres symboles sacerdotaux. Mais se pouvait-il que le nombre 590 soit apparu dans l'établissement même que je me proposais de piller ? Cela paraissait peu probable. Je traversai donc la rue pour jeter un coup d'œil à l'enceinte du musée Cooper-Hewitt, un mur de granite surmonté d'une grille en fonte renfermant une épaisse colonne d'angle dont l'ornement en forme d'urne, cependant, devait se trouver à cinq bons mètres de haut et était de surcroît beaucoup trop gros pour que je puisse le desceller.

Quelle frustration ! Le vent commençait à se frayer un chemin le long de mes jambes de pantalon, remontant ensuite jusqu'à ma gorge par les plis de mon écharpe. Misère ! Je me forçai à trouver mon sort vraiment pitoyable : ces respirations qui flottaient, blanches, vers Central Park, démontraient à l'évidence que je gelais sur place. C'est alors que je me rendis compte que mon regard était fixé sur le but réel de ma quête.

De l'autre côté des douves d'asphalte de la Cinquième Avenue se dressaient les deux piliers de pierre de la porte des Ingénieurs, de part et d'autre de l'entrée du parc. Je fermai les yeux et m'engageai dans un bref débat avec ma conscience. Se rapprocher du parc à cette heure, quelle imprudence ! Tout le monde le savait, il fourmillait de voleurs à la tire, de violeurs et de tous les autres criminels possibles et imaginables. Je fus agréablement surpris en rouvrant les yeux de constater que personne n'avait jailli des ténèbres pour se jeter sur moi. Je traversai la Cinquième Avenue lorsque le feu passa au rouge et me retrouvai devant l'une des deux colonnes. Un barbare quelconque avait cassé l'ampoule du lampadaire d'un jet de pierre ; il y avait cependant assez de lumière pour distinguer les armoiries finement détaillées – et totalement bizarres, pour ne rien vous cacher – qui ornaient l'extérieur du pilier. On aurait dit une affiche psychédélique à la Peter Max gravée dans la pierre, le genre de bas-relief délirant que pouvait avoir conçu un artiste de cour dont on aurait saupoudré les céréales avec un peu d'acide. Au centre du motif rayonnait une tête de fauve ultra-prétentieuse – un puma ou un lion – affublée d'une absurde coiffure pharaonique et entourée d'un vaste bric-à-brac sorti tout droit de quelque princier débarras – des couronnes, des guirlandes et tout le tralala. Je n'avais pas la moindre idée de ce que tout cela pouvait symboliser. Tels étaient les codes mystérieux du pouvoir dans le monde des adultes.

Je regardai autour de moi pour être certain de n'avoir aucun témoin. Sur ce trottoir de la Cinquième Avenue qui bordait le parc, le caniveau était orné à intervalles réguliers de petits tas de verre luisant sous la lune. Résultat du passage de quelque vandale qui avait, pour voler les radios, cassé les vitres des voitures.

Je posai l'étui à violon sur le banc de pierre, au pied de la colonne, et en sortis un marteau et un burin. Il n'était pas bien difficile d'isoler les détails les plus charmants des armoiries. Le pilier était constitué de moellons empilés les uns sur les autres, comme une échelle encastrée ; les joints étaient de bonne taille.

Je me concentrai immédiatement sur un petit aigle de la taille d'une main d'homme. C'était en fait la seule partie du bas-relief assez saillante pour que je puisse en faire quelque chose. Ses ailes étaient plaquées à la pierre mais je n'eus aucune difficulté à glisser le burin derrière les épaules arrondies de l'oiseau. Les genoux refermés sur le pilier, je vérifiai l'angle du burin et me mis à frapper le bout arrondi et rouge de son manche de mon marteau.

Le vacarme que nous produisions, l'aigle et moi, avait du rythme et se perdait, me semblait-il, dans les ténèbres presque solides de Central Park. Lorsque je constatai que le corps de l'oiseau ne tenait plus au pilier que par une fine arête de pierre le long de son dos, je laissai tomber le marteau sur le trottoir, refermai doucement la main gauche sur le petit corps et, de la main droite, coinçai le bout du burin derrière l'oiseau. Ne manquait plus qu'un coup sec du poignet, et l'aigle descellé me tomba dans la paume, renonçant à ses ailes.

Je redescendis en hâte sur le trottoir. Là, à plusieurs reprises, j'ouvris et refermai les doigts sur l'oiseau, tout en bréchet et bec délicats, me délectant de sa robuste fragilité.

13

MAMAN N'ÉTAIT TOUJOURS PAS LÀ quand je rentrai à la maison. Où était-elle passée ? Aucune idée. Certes, c'était papa qui avait quitté le domicile conjugal mais j'avais parfois l'impression de la voir encore moins que lui.

Elle avait toujours besoin de temps pour elle, loin de nous.

« Je suis en permission », annonçait-elle avec des soupirs de tragédienne exténuée, avant de disparaître pendant une matinée ou un après-midi. Quig et moi échangions alors des vannes navrées sur le thème : vu que maman n'est vraiment jamais en service, comment savoir où commencent lesdites permissions ?

Pourtant, il y avait un moyen de savoir. Quand j'étais petit, quatre ou cinq ans, pas plus, maman avait pris des cours de gravure sur bois. Toutes les semaines, elle me rapportait les techniques récemment acquises, comme autant de cadeaux d'anniversaire joliment empaquetés. Elle me laissait manier ses outils japonais, parmi lesquels mon préféré, une lame scintillante en croissant de nouvelle lune. Elle m'avait montré selon quel angle attaquer le bois, comment pousser le fin manche de mon pouce. Ensemble, nous avions gravé une lame de ciel, un sourcil interrogateur, la croupe d'un zèbre. J'aimais sentir sur la mienne sa main aux bagues fraîches, la morsure réconfortante des bijoux.

Je l'avais aidée à réaliser quelques gravures pour ma chambre : une représentation de mon tricycle, qu'elle appelait « Le Véhicule de l'Enfant-Prince ». Un portrait de mon perroquet au jabot vert, Pistacchio, réalisé avant que Mencken, le chartreux ronchon de maman, ne mette fin à ses jours. J'adorais le parfum à la douceur vénéneuse de la peinture à l'huile, la résistance poisseuse qu'elle opposait lorsque, armé du rouleau en caoutchouc, je l'étalais sur le bois gravé. J'aimais que ma mère ne ressemble à aucune autre. Celles de mes amis sentaient le savon mauve ; la mienne embaumait la térébenthine. Ça m'allait très bien.

Bien sûr, l'époque des loisirs créatifs en sa compagnie était bel et bien révolue : quel gamin de treize ans a envie de passer trop de temps avec sa mère ? Mais je montais toujours la voir dans son atelier. Elle aimait m'entendre parler de son travail. J'étais son meilleur critique, disait-elle. Je l'autorisais même à m'emmener de temps en temps dans les musées du quartier. Pendant des années, nous avions respecté un accord réciproque d'une grande franchise : je me laissais traîner au Whitney ou au Guggenheim pour voir des tableaux absurdes et elle m'offrait un hot dog chez Papaya King en sortant. Quig, qui détestait les musées, nous retrouvait parfois, après le hot dog, pour une glace à l'Agora, salon de thé à l'ancienne de la Troisième Avenue, avec vitraux et longues cuillers à glace.

Après la séparation de mes parents, cette camaraderie s'était délitée. Maman, de plus en plus soucieuse, devenait éphémère, presque invisible sous certains éclairages. Elle n'annonçait plus ses absences, se contentant de les mettre en œuvre. Oh, elle rentrait toujours, il fallait lui reconnaître cela. Mais c'était visiblement sans conviction.

Pouvions-nous revenir en arrière ? Je n'en étais pas certain. Ces permissions qu'elle s'accordait étaient dans la logique de désirs bien plus anciens. Elle avait toujours voulu voyager, vivre à l'étranger, ce qu'elle ne nous avait jamais caché. Lorsque Quig était née, elle avait renoncé à ces projets : pour autant, elle avait toujours la bougeotte. De ce moment, le monde s'arrêta à New York. Au lieu de visiter des pays, elle visiterait des individus. Elle se rendrait droit chez eux chaque fois qu'elle le pourrait. Dès qu'elle avait trouvé un homme, une femme ou un couple qui l'intéressait, elle l'inscrivait durablement dans son itinéraire et passait les voir sans les prévenir, chez eux ou sur leur lieu de travail. Leur apportait une bouteille de prosecco bien fraîche ou une curieuse assiette à huître en majolique chinée chez un antiquaire. Le destinataire de ses visites nocturnes pouvait être le professeur de danse barbu qui vivait dans la chambre de bonne à la fenêtre ronde au dernier étage de Duke Mansion, sur la Cinquième Avenue, ou le Tchèque joueur de hautbois qui partageait un loft de SoHo avec le marionnettiste qui avait jadis animé les bras de Macaron le Glouton.

Cette sociabilité instinctive avait toujours été source de problèmes avec mon père. Papa détestait les soirées, craignait l'inconnu et ne cessait de reprocher à maman de collectionner les amitiés.

« Mais pourquoi recherches-tu constamment de nouvelles têtes ? tempêtait-il. Les vieilles ne te plaisent plus ? »

Ce n'était pas tant les autres qu'elle découvrait qu'elle-même. Elle parcourait la ville à la recherche de ses propres zones inconnues. Zones qui ne pouvaient être révélées ou créées que par le truchement d'autrui. Telle était en tout cas son interprétation.

« C'est parfois tellement étonnant de voir le comportement qu'on a avec les gens, me disait-elle. Ce qu'on devient avec eux. »

Elle aimait à se parer : châles imprimés, foulards de soie transparente noués sur les cheveux, bracelets tintinnabulants d'os, d'onyx ou de nacre. La profusion, plutôt que le luxe. Elle se ceignait la taille d'une corde à linge, nouée sous le nombril en symbole d'infini, à la Escher, dont elle avait cautérisé les extrémités à l'aide d'une Gauloises empruntée à une connaissance.

Maman avait une manière d'être, ouverte, perplexe, qui attirait les inconnus : chauffeurs de bus, portiers, maîtres d'hôtel. Un jour, alors que nous nous étions arrêtés en pleine rue, elle et moi, pour regarder deux pigeons se disputer un bagel, un homme à la chevelure blanche coiffé d'un chapeau de paille avait ouvert la porte de sa Buick au milieu de la Troisième Avenue pour nous secourir, nous croyant perdus.

Je n'aimais pas que la lumière soit éteinte dans sa chambre, que son lit défait reste vide. Quand Mencken était encore de ce monde, elle laissait toujours sa lampe de chevet et la radio allumées, pour qu'il puisse se réchauffer et écouter QXR, moins solitaire en son absence. Il y régnait à présent un silence charbonneux.

Je me tenais sur le seuil de la pièce. Il y avait sous la banquette de sa fenêtre, que nul coussin n'ornait, un placard où j'adorais me cacher depuis ma plus tendre enfance. Mon corps devenait trop grand pour que je m'y niche à l'aise mais j'aimais encore y passer du temps, avec tout ce qui s'y était accumulé au fil des années. Une pile de *Mad*, une caisse enregistreuse pour enfants, un exemplaire fatigué de *Watership Down*, un buzzer à main. Il faisait froid là-dedans, mais j'étais seul, tranquille. Je me recroquevillai dans le noir, la tête contre l'un des petits coussins en taffetas délavés de maman, songeant que j'étais assez vieux maintenant pour me passer de ma mère.

14

LORSQUE JE PASSAI VOIR MON PÈRE à son atelier, deux ou trois jours plus tard, il n'était pas franchement d'humeur sociable. En arrivant sur le palier du troisième étage, je l'entendis qui enguirlandait l'un de ses assistants. Il me laissa planté sur le seuil un bon moment avant de consentir à lever les yeux de la caisse qu'il était en train de préparer avec Zev.

« Ce n'est pas le meilleur moment, mon grand. Quoi de neuf ? »

Le chaos régnait. Il y avait des caisses en bois dans tous les sens, du papier d'emballage, du plastique à bulles. Zev, armé d'un marteau, enfonçait un coin de bois dans l'une de ces caisses.

« Celle-là aussi, tu l'envoies chez Laing, lui dit mon père. Elle peut partir avec les autres.

— T'es sûr ? Tu ne veux pas que Crowley y jette un œil ? Il m'a tanné tout le mois avec ça.

— Non, non, c'est Laing qui ramasse tout. Ça collera parfaitement, fais-moi confiance. »

Appuyé contre un banc, à deux centimètres du godillot de papa, trônait un médaillon en terre cuite aux couleurs mirifiques, presque aussi grand que moi. En son centre, un roi Neptune fronçait les sourcils, coiffé d'une couronne d'or et armé d'un trident orange foncé. Lui sortaient du visage, véritable tempête, une chevelure et une barbe vertes animées d'une somptueuse colère, houle puissante qui débordait du médaillon.

« Il vient d'où, celui-là ? demandai-je.

— De Coney Island, répondit papa. L'an dernier, la municipalité a fait démolir les Bains Washington – ou, pour être précis, leur annexe, sur la promenade. Ce bon vieux Neptune y régnait, les yeux fixés sur la mer depuis… Dieu sait quand. Un pote à Curtis qui bosse là-bas, au Tunnel of Laffs, l'a tiré des décombres avec quelques copains. On lui a fait une proposition. »

Je me penchai sur Neptune, dont le visage verni était couvert de craquelures.

« Quelqu'un va te le racheter ? demandai-je. Et tu vas faire un bénéfice ?

— Bien sûr que je vais faire un bénéfice, rétorqua papa, mécontent. Écoute, il faut que je m'occupe de ces envois. Qu'est-ce que tu veux ? »

Je sortis de la poche intérieure de mon blouson un petit objet emballé dans de la chamoisine que je fourrai dans la main de papa.

« Hein ? Qu'est-ce que c'est ? »

D'un geste d'abord impatient il déballa mon offrande. Mais lorsque le petit aigle pointa son bec hors du tissu, papa soudain se radoucit et finit de défaire le paquet avec une infinie tendresse, comme s'il aidait un poussin à sortir de son œuf.

« Oh ! Comme il est mignon ! » murmura-t-il en passant l'index sur les plumes finement gravées du jabot.

Puis il leva les yeux.

« Merci, fiston. Merci. »

Le cadeau l'avait visiblement rasséréné. Le tenant à bout de bras il le considéra, un grand sourire aux lèvres.

« Voyons, où as-tu bien pu le dénicher ? Je vais essayer de deviner. C'est presque comme si je le voyais avec les yeux de l'esprit… il doit provenir d'une sorte de frise ou de fronton. »

Il ferma les yeux, paupières plissées, puis les rouvrit subitement.

« Le National Art Club, peut-être, sur Gramercy Park South ? La vieille Maison Tilden ? Non, non, c'est du grès, là-bas, pas du granite… »

Il replongea un instant dans le silence avant de pointer un index péremptoire vers les cieux.

« J'y suis ! La porte des Ingénieurs. Central Park, en face de la Maison Carnegie. »

Il eut un rire bref. Bien sûr, c'était pour cela que la chose lui était si familière. Pendant des années, il était passé presque tous les jours devant, lorsqu'il faisait son jogging autour du Réservoir.

« C'est la bonne porte, papa. Mais elle est en face du Cooper-Hewitt, et pas de la Maison Machin dont tu parles.

— La Maison Carnegie. C'est la même chose. Le musée Cooper-Hewitt, c'est la Maison Carnegie. C'est là qu'Andrew Carnegie habitait avec toute sa famille.

— Ils habitaient dans le musée ? En famille ?

— Non, la demeure a été transformée en musée après le départ de la famille. »

Ça ne me plaisait pas, cette affaire. Quand on était assez riche pour se construire un palais sur la Cinquième Avenue, on devait le garder, ledit palais, et ne pas le livrer à la curiosité des touristes obèses du Midwest qui erraient, bouche bée, dans les chambres, un appareil photo sur la bedaine.

« Il avait un fils, Carnegie ? demandai-je.

— J'ai oublié. Mais peu importe. »

Il serra l'oiseau dans son poing et pointa la petite queue de pierre vers moi pour souligner ses propos – dans les vieux films, les pères de famille en faisaient autant avec le tuyau de leur pipe.

« Joli travail, fiston, en tout cas. Il y a de toute évidence un petit marché pour des fragments de ce genre, surtout avec un aussi bon pedigree que celui-là. »

Et bientôt nous en fîmes un jeu, lui et moi, qui tenait du quiz show et de la chasse au trésor. Je lui rapportais des petits objets ramassés aux quatre coins de la ville et papa devait deviner leur provenance. Il avait une connaissance remarquable de New York, ou du moins des créatures de pierre qui la peuplaient. Il put à plusieurs reprises me dire exactement de quelle façade j'avais extrait mon butin. Et lorsqu'il n'y arrivait pas, il était du moins capable de déterminer le quartier et le type d'immeuble.

Ses ornements préférés étaient ceux qui remettaient son passé au présent.

« Je crois… que c'est la serre d'un griffon qui fait partie d'une frise sur un de ces immeubles en grès brun de Little Italy, annonçait-il. À l'angle de Mott Street. La première fois que je les ai vus, j'emmenais ta mère à la fête foraine de San Gennaro. Le générateur de la grande roue faisait vibrer la rue ; je lui ai raconté que c'étaient des mini-tremblements de terre dus au fait que le quartier était construit sur la faille de San Gennaro. »

Certes, mon père s'était réjoui de mon bout de gargouille, mais je fus grandement déçu de sa réaction lorsque je lui transmis le dossier Laing, que j'avais eu tant de mal à subtiliser chez M. Gardner, le père de Dani.

« Ah, mais oui, merci, fit-il en posant la chemise sur le couvercle d'une glacière POMPES FUNÈBRES ET CRÉMATORIUM DECARLO. Je te l'avais demandé, en effet. Je ne m'en souvenais plus. »

Dans les deux ou trois mois qui suivirent, je soutins le moral de papa en lui apportant régulièrement les fragments de façades que j'avais mutilées, les déposant dans son atelier de TriBeCa avec la sollicitude prédatrice d'un chat qui dispose sur le seuil de son maître un cortège de souris mortes. Tous les lundis, de nouvelles séries de chiffres apparaissaient sur le mur de l'église, me conduisant à des carrefours spécifiques. Il n'y avait pas toujours d'ornement de façade à cet endroit-là, ou bien ils se trouvaient, moulures, bas-reliefs, hors de ma portée ou pas assez saillants pour mon ciseau. J'avais pourtant chaque lundi la clef d'au moins un trésor.

Comme la plupart des pièces étaient trop grandes pour que je puisse les extraire dans leur intégralité, je devais me contenter de fragments. Ce que j'apportais à papa relevait par conséquent du brouet de sorcières. S'il ne contenait pas d'œil de triton, je pus lui dénicher une oreille de jument, trouvée dans une vieille étable à l'angle de la 63e Rue et de la Troisième Avenue (633), le mufle d'un bouledogue (immeuble au carrefour de la 56e Rue et de la Neuvième Avenue, 569), le téton d'une demi-déesse (établissement bancaire, angle de la 51e Rue et de la Sixième Avenue, 516) et la corne d'un casque viking (maison de ville en grès brun, angle de la 47e Rue et de la Huitième Avenue, 478). Papa rassembla toutes ces offrandes en une exposition marquée au sceau de la partialité dans une vitrine qui m'arrivait à la taille.

Lorsqu'il était d'humeur causante, il regardait de l'autre côté du pont du temps et me racontait ce qu'il voyait : l'architecte harassé qui faisait surgir du sol des immeubles à la chaîne, pour donner un toit aux foules malpropres qui débarquaient au port et remontaient en ville par les nouveaux E1 crachant des panaches de fumée. Le contremaître de chantier à la voix tonitruante qui constatait, une fois de plus, que l'architecte n'avait pas pris le temps de faire figurer des ornements sur le plan et pointait l'index vers la pierre muette, au-dessus de la fenêtre. « Hé, toi ! Sculpte-moi une Sainte Vierge, ou un Moïse, ou je ne sais quoi. » Le tailleur de pierre au pouce endolori qui laissait cours à son imagination comme jamais en Europe et inscrivait ses fantaisies dans notre ville. Courant de commande en commande, avec ses ciseaux et son tablier, il transformait nos rues en fantastiques et excentriques musées ouverts à tous.

15

JE NE SAIS PLUS VRAIMENT quand maman recueillit son dernier naufragé, quelque part entre la Saint-Valentin et la Saint-Patrick. Le nouveau venu, cependant, ne ressemblait pas aux précédents. Il avait son quant-à-soi et ne comptait ni sur ma mère ni sur notre maison pour lui procurer des repères. Il avait des amis, des centres d'intérêt, un placard rempli de costumes taillés sur mesure et d'élégantes cravates. Il traçait sa propre route dans la ville, se déplaçant, même lorsque sa mise était plus relâchée, comme un gentleman, vêtu d'une cape, d'un haut-de-forme et portant canne. Cette distinction n'était pas un bouclier mais une ouverture. Il avait le sourire facile. Une de ses incisives était légèrement tournée vers l'intérieur, comme saisie d'une timidité passagère.

Il s'appelait Shelby Forsythe, avait passé sa jeunesse non loin de La Nouvelle-Orléans. Maman, qui avait besoin d'argent, avait vidé son atelier du dernier étage pour le recevoir. C'était le premier de nos locataires que Quig parvenait à supporter. Il lui montrait des tours de passe-passe avec des cartes, faisait bouger ses oreilles. Debout contre la porte, il martelait subrepticement le battant de sa main gauche tout en se tapant sur la cuisse pour faire croire à Quig qu'il avait une jambe de bois. Ma sœur faisait semblant de tomber dans le panneau et lui tapotait amicalement l'épaule sous le tissu de gabardine. Elle lui apprit à nouer des queues de cerise avec sa langue.

Maman avait rencontré Shelby chez Hurley, le café que fréquentaient les gens de *Time Life* sur la Sixième Avenue, à un pâté de maisons de Radio City. Shelby était un acteur raté – c'était sa manière de se présenter – qui écrivait des textes publicitaires pour *Fortune* et autres magazines du groupe. Il aimait s'asseoir dans le fauteuil que maman gardait près de son lit ; ses longues jambes croisées, il riait et buvait des godets de vodka-citron vert, discourant sur Tennessee Williams et Noel Coward jusqu'à des heures indues. Même si maman, en temps normal, préférait le Bushmills, elle se pliait aux goûts de Shelby.

Un jour, celui-ci nous invita à dîner, maman, Quig et moi, dans l'un de ces petits bistrots hors de prix près de Madison Avenue – dans ce genre d'endroit, la carte était si atrocement incompréhensible et si française que rien ne me faisait envie. Quig commanda des escargots, qu'elle avala avec maints efforts, ses yeux lui sortant de la tête à chaque gastronomique bouchée. Un autre soir, Shelby nous convia à une représentation de *The Front Page*[1], interprétée par les acteurs de l'Amateur Thespians Society. Troupe tout en bulles de champagne et haut-de-forme dont les membres, de par le règlement, ne pouvaient être que des hommes. Ces banquiers, avocats et autres venaient là après les heures de bureau s'adonner à cette distraction dans leur club de Murray Hill depuis 1884. Shelby n'avait qu'un petit rôle dans la pièce – un journaliste moustachu et tenace qui n'arrivait jamais vraiment à décrocher un scoop. Ce qui ne l'empêchait pas d'avoir belle allure sur scène, en manches de chemise et

---

1. Littéralement « la première page », pièce de Ben Hecht et Charles MacArthur plusieurs fois adaptée au cinéma, notamment par Billy Wilder sous le titre français de *Spéciale première* et par Howard Hawks – *La Dame du vendredi. (N.d.l.T.)*

gilet à carreaux, vociférant dans le combiné tubulaire d'un téléphone à l'ancienne.

À la suite de cette soirée, Quig ne quitta pratiquement plus les quartiers de Shelby au dernier étage, saisissant le moindre prétexte pour s'introduire chez lui. Il ne s'y opposa pas. Il avait une colossale collection de vieux *Playbills* récupérés au dépôt-vente qu'il entreposait dans une série de valises Mark Cross. Quig adorait les feuilleter, se repaître de la théâtralité surie de leurs vieux articles. Elle posait des questions sur les Barrymore ; Shelby y répondait avec patience et affection. Il préparait du darjeeling pour eux deux, le servait brûlant et faisait écouter à ma sœur d'obscures chansons de music-hall sur sa platine ; la porte était toujours entrouverte.

Il y eut une nuit fort silencieuse, où je rentrai de chez Kyle pour trouver la maison dans le noir, les bruits du dehors étouffés. Je ne sais pourquoi je n'allumai pas la lumière, ni ce qui me fit monter jusqu'au troisième, dépassant mon étage. Que pensais-je donc trouver là-haut ? Sur le palier du quatrième, qui n'était pas plus éclairé que les autres, la porte, entrouverte, laissait passer un vif rayon lumineux. Je m'approchai sur la pointe des pieds et glissai un œil par la fente, clignant des paupières tant la lumière était forte. Ils étaient à genoux par terre, Shelby et ma sœur, l'un en face de l'autre. Elle avait les doigts croisés derrière la nuque, les yeux baissés. Lui, mains tendues, lui faisait quelque chose. Oui : il la touchait. Du bout de ses longs doigts, il étalait une crème blanche sur les saillies roses, à vif, des coudes de Quig, dont j'entendais la respiration.

Il baissa les mains et parut lutter avec quelque chose que je ne voyais pas, quelque chose qui se trouvait devant lui. L'effort lui arracha un léger grognement. Puis il leva la main droite d'un geste délicat et le tendit à Quig. C'était fin, transparent, ça lui pendait des doigts. Du film étirable. Il murmura quelque chose. Elle hocha la tête avec un sourire timide et déplia son bras, la main tendue vers lui. Il le frôla de sa main libre, le fit pivoter, pour avoir sous les yeux le coude malade. Tendrement, sans un mot, il enroula le film de plastique autour de sa peau blessée et l'enveloppa comme il l'aurait fait d'un cadeau.

16

J'APPRIS À ÊTRE PLUS SOUPLE dans mes parcours de chasse. Par exemple, le jour où l'un des numéros de l'église (595) me conduisit au sud-est de Central Park, au carrefour de la 59ᵉ Rue et de la Cinquième Avenue, à minuit passé. Avec tous les portiers en uniforme du secteur, impossible de jouer du ciseau sur les façades du Plaza ou du Sherry-Netherland ; quant à l'immeuble General Motors, il n'offrait aucun ornement digne de mes attentions, à moins d'y inclure le décor de l'Autopub, en entresol, où nous allions autrefois dîner en famille dans des stalles en forme de voitures de course.

Je préférai donc prendre le RR, le métro le plus colérique de la planète, pour gagner l'emplacement de ma cible suivante, au croisement de la 27ᵉ Rue et de la Quatrième Avenue (274). J'avais beau mal connaître le quartier, j'avais vite extrait du tas de spaghettis des lignes de métro de la ville la longue nouille du RR.

Cependant, lorsque les portes s'ouvrirent à l'arrêt de la 28ᵉ Rue, je fus accueilli par la vision d'une dame logorrhéique aux cheveux blancs, coiffée d'une toque de majorette, accroupie sur le quai, dans la position du receveur au base-ball. À moins qu'elle ne fût en train de couler un bronze. Inutile d'approfondir.

Dieu merci, l'arrêt suivant, 23ᵉ Rue, était désert – quai constellé de chewing-gums, murs carrelés couverts, comme d'habitude, d'une tempête de graffitis. L'escalier crasseux me conduisit à l'air libre : de l'autre côté de la rue, un parc, sombre et sans relief, et l'ombre des gratte-ciel. À ma droite, au-delà du parc, s'élevait la proue noire du Flatiron Building, qu'on aurait dit prêt à lever l'ancre et à m'écraser sur son passage, à moins que je ne m'écarte.

Je traversai la rue et m'aventurai dans le parc, vers le nord, pour mieux étudier les immeubles alentour, ce qui n'était pas très malin de ma part, mais le point de vue me semblait justifier la prise de risque. Sur le flanc est du parc, une tour à l'aspect italien s'élançait, fine comme une aiguille, vers les cieux nocturnes. Le long de la rue la plus proche, deux immeubles étaient joints dans leurs régions supérieures par une passerelle bien plus majestueuse que la modeste arche de Staple Street. Au nord, à deux ou trois pâtés de maisons, se dressait ce qui était sans doute la construction la plus extraordinaire du lot, vraie pièce montée aux riches ornements et aux nombreux étages, couronnée d'une pyramide d'or.

Je m'approchai de ce phénomène de verticalité pour en faire, lentement, le tour : l'immeuble occupait tout le pâté de maisons. NEW YORK LIFE, proclamait la plaque de bronze de l'entrée de Madison Avenue. Si l'adresse avait correspondu avec un nombre du mur d'église, le gratte-ciel aurait été un candidat de choix pour mon entreprise de sauvetage architectural : les panneaux incurvés qui surmontaient les arches du rez-de-chaussée étaient couverts de splendides bas-reliefs représentant toutes sortes d'animaux, de végétaux, de créatures de contes de fées.

Oui, mais le pâté de maisons était bordé par les 26ᵉ et 27ᵉ Rues, Madison Avenue et Park South Avenue. Ce n'était pas le bon endroit. D'ailleurs, il n'y avait rien au bon endroit. Je vérifiai le nombre noté dans mon carnet : 274. Je me démenai dans tous les sens à la recherche du carrefour de la Quatrième Avenue avec la 27ᵉ Rue. Il n'existait pas. J'avais une Cinquième Avenue et une

Troisième Avenue à quelques centaines de mètres vers l'est, mais pas l'ombre d'une Quatrième Avenue.

Il y avait de quoi en perdre et le nord, et la tête. Je m'adossai à une boîte aux lettres sur Park Avenue South, m'efforçant, je crois, de retrouver une stabilité, les deux pieds sur le plan de ville.

« Tu devrais dire salut, prononça une voix râpeuse dans mon dos.

— Hein ? »

Je fis volte-face. À deux ou trois numéros de là, sous une entrée d'immeuble, gisait une forme sombre.

« Ça fait bien trois fois que tu me passes devant. Tu devrais dire salut. »

J'étais un peu inquiet.

« Euh, zut, désolé. Je ne vous avais pas vu.

— Ben non, poursuivit la voix, non sans amusement. À cette heure de la nuit, c'est pas franchement étonnant. Mais moi, je te vois. »

La forme se redressa, s'extirpa de son nid sombre : c'était un immense Noir aux épaules voûtées, vêtu d'un pardessus marron et informe. La barbe mal taillée, poivre et sel, il suçait un quartier de citron vert.

« J't'ai vu, t'as fait le tour du pâté de maisons trente-deux fois. Apparemment, tu cherches un truc mais tu sais même pas ce que c'est. »

Il approcha, tout en gardant ses distances. Je n'avais pas vraiment peur. Il y avait dans ses mouvements une désinvolture qui me donnait à penser que je ne risquais rien.

« Oh, je sais ce que je cherche, en fait. La Quatrième Avenue. Bon Dieu, quel malade mental s'amuse à construire une ville où on passe directement de la Troisième à la Cinquième Avenue ? Où est-ce qu'il l'a planquée, ce génie, la Quatrième ?

— Mais tu es pile dessus », me répondit l'homme.

Je le considérai, paupières plissées, et finis par me rendre compte qu'il me montrait quelque chose. Vers le haut, vers le ciel. Je suivis la direction de son index. À vingt bons étages de la rue, trois mots en lettres capitales blanches et délavées s'affichaient sur le mur de brique d'un vieil immeuble de bureau : BÂT. 4ᴱ AVENUE.

« C'est quoi, ces conneries ? fis-je. Pourquoi tous les panneaux indiquent Park Avenue South ?

— Les temps changent », dit l'homme en haussant les épaules, avant de revenir à son quartier de citron vert.

Je lui étais reconnaissant, c'est certain, mais, même après l'avoir remercié et salué, je ne parvins pas à me débarrasser de lui. Il me suivit tout au long du pâté de maisons, jusqu'au vaste porche de l'immeuble de la New York Life, et me regarda scruter les mille bas-reliefs de sa façade de pierre blanche. Un détail retenait particulièrement mon attention. La frise qui bordait le porche était sculptée de feuilles, de baies et autres babioles, motifs dominés, à trois mètres de la rue, par une tête d'homme au grand sourire. Gros nez, dentition en folie, son crâne volumineux pendait, telle une goutte insolente, au bas de la frise.

L'artiste sans nom qui l'avait conçu avait de l'esprit, je le sentais. Cette tête, je la voulais. Je voulais la donner à papa.

À quelques pieds de la tête, sur sa droite, un panneau de bronze à l'ancienne saillait du mur, proclamant : INTER-BOROUGH SUBWAY. Cette masse de métal était le socle idéal pour mon travail de sauvetage. Mais comment l'atteindre sans assistance – celle que pouvait me prodiguer mon nouvel ami ? Fut-ce parce que je lui offris mon soda orange et la moitié de mon sandwich à la mortadelle ou fut-ce parce qu'il n'avait rien de mieux à faire ? Toujours est-il que, dès qu'il comprit ce que j'avais à l'esprit, il me rapporta un chariot de supermarché de son repaire. Il me laissa y grimper, puis prendre appui sur son épaule pour me hisser sur le panneau du métro.

« Juste un coup de main, et je me taille, dit-il. Et toi aussi, tu devrais prendre la tangente. Rentrer chez toi, chez tes parents. C'est ce qu'il faut.

— Oui, oui. Dès que j'aurai fait le nécessaire. »

Avant de partir, il me tendit la pince-monseigneur et le marteau remisés dans mon étui à violon. Puis j'entendis le grincement âcre de son chariot disparaître dans le lointain.

J'atteignais tout juste la tête avec la pince-monseigneur. Je ne pouvais guère espérer ôter que le grand nez busqué de ce visage. Le reste était trop profondément enchâssé dans la façade. Je plaquai mon épaule droite sur le mur, posai le tranchant de la pince-monseigneur sur le bord du nez et me mis au travail.

Ma technique s'était grandement améliorée ces deux ou trois derniers mois. Il me suffit de cinq ou six minutes de martèlement en douceur pour faire sauter le nez sur le trottoir.

« Merde ! »

Un petit fragment s'était détaché au moment où ma prise atteignait le sol. En me penchant, je constatai cependant que le dommage était des plus mineurs. Et, puisque nous parlions d'appendices nasaux, celui-ci était un spécimen de marque. Le tailleur de pierre avait minutieusement détaillé ses veines minuscules, sans parler des ailettes ébahies des narines. C'était le fragment de New York le plus exquis que j'avais récolté jusqu'ici. Je le glissai dans ma poche, rangeai hâtivement mes outils dans l'étui à violon de ma sœur et me dirigeai vers le métro, plongeant dans les ombres de la rue.

J'étais très satisfait de mes prouesses. Je me représentais Dani me considérant avec l'un de ses rictus de défi.

« C'est un nez que tu as dans la poche ? me demandait-elle. Ou est-ce que tu es content de me voir, tout simplement ? »

Le mec noir qui surgit d'un porche la seconde qui suivit me prit parfaitement au dépourvu. Il était nerveux, il haletait avec bruit, narines frémissantes, et il portait sur l'épaule droite une batte des Yankees, modèle souvenir en bois massif qui n'avait rien d'innocent. Les éraflures dont la peinture grise était zébrée indiquaient des états de service assez impressionnants.

« Aboule le fric. Vite, vite. »

J'étais paralysé. Je sortis tout ce que j'avais de mes poches et le lui donnai. Il empoigna les billets de la main gauche et renâcla, tant la somme était piètre.

« Te fous pas de ma gueule ! T'as mieux que ça. Allez, file-moi tout ! »

Je retournai ma poche de gauche pour lui montrer qu'elle était vide. J'avais le nez dans la droite, ma récente acquisition. Je le lui tendis, la paume tremblante.

Il le considéra, les yeux exorbités.

« Te fous pas de ma gueule, je te dis !

— Mais je ne me fous pas de ta gueule ! C'est une sculpture ! Tu peux la vendre ! C'est un souvenir historique ! »

Il me dévisagea.

« T'es vraiment naze, toi. Qu'est-ce que tu veux que je foute avec un putain de *pif* ? »

Il secoua violemment la tête et se retourna puis, ayant réfléchi peut-être, il fit volte-face et m'écrasa le nez de sa batte.

Je m'effondrai en pissant le sang. Mon nez était anéanti, j'en étais certain, des fragments d'os et de chair s'étaient enfoncés dans mon crâne. La douleur était si intense que, gisant sur le trottoir, je ne sentis même pas le gars m'arracher les baskets et faucher le billet de vingt dollars que j'avais caché sous la semelle.

« Oh, mon pauvre couillon, déclara papa lorsque je me présentai à l'atelier. Dis donc, il ne t'a pas raté. »

Il me traîna jusqu'à un vieux fauteuil qui perdait son rembourrage par les bras et m'y fit asseoir, la tête renversée, un sachet de petits pois surgelés sur le nez. Il m'écarta les cheveux du front d'un geste tendre. L'intense palpitation de mes chairs s'était déportée des narines à l'arrière des globes oculaires. Je devais avoir l'air bien pathétique, car papa s'efforça de me remonter le moral en me racontant ce qui lui était arrivé le jour où, étudiant, il avait tenté de voler un néon Ruppert's Beer. Le barman l'avait flanqué par terre, avant de lui attaquer le visage à coups de pied.

« J'étais rond comme une queue de pelle, si bien que je n'avais pas débranché le néon. Je me le suis collé sous le pull, donc, alors que je repartais avec mon coloc, le barman a vu mon pull qui clignotait. RUPPERT !... RUPPERT !... RUPPERT ! J'ai vécu des heures plus glorieuses. »

Puis papa se croisa les mains dans le dos et considéra le petit fragment de New York que je lui avais apporté et qu'il avait posé sur une table vide.

« Quoi qu'il en soit, Griffin, tu as fait bonne pêche ce soir. Ça, fiston, c'est un nez des plus respectables. Un appendice nasal qui mérite notre respect. »

Je levai les yeux, sortant de mon hébétude.

« Ah oui ? Alors il vient d'où ? »

Papa, impressionné, me lança un regard scrutateur.

« Mais c'est que, même tombé sur le champ de bataille, le petit insolent a encore assez de force pour essayer de me coller, hein ? »

Il s'empara du nez et l'examina à la lueur de la lampe qui surmontait le plan de travail.

« J'ai bien peur que ce ne soit très facile, dans ce cas. C'est l'immeuble de la New York Life sur Madison Square. Ce n'est pas un vrai défi. Un des gratte-ciel les plus renommés de la ville. Conçu par Cass Gilbert, l'une des sommités de l'architecture new-yorkaise, et construit juste avant la crise de 29.

— Tu es vraiment impressionnant, papa.

— Oui, je m'y connais. Et tu vois, ça me revient maintenant. Certes, ce malandrin ne t'a pas raté ; mais question violence, ces parages en sont riches. Peut-être pourras-tu te vanter de cette aventure.

— Hein ?

— C'est que l'endroit a déjà une petite histoire en matière de coups et blessures. Le vieux Madison Square Garden – c'est certainement le plus bel immeuble que Stanford White ait conçu pour New York – avait été érigé à cet endroit précisément en 1890 ou 1891 ; White l'appréciait tellement qu'il y avait installé son cabinet d'architecte. Il y avait un célèbre jardin au dernier étage, où l'on organisait des soirées fréquentées par la bonne société. Un soir, White y avait fait représenter une comédie musicale lorsqu'un millionnaire de Pittsburgh, fou de jalousie – sa femme avait dans son adolescence couché avec White –, s'est pointé et a abattu le pauvre architecte. Sans autre forme de procès.

— Ouch.

— Eh oui, quasiment le plus gros fait divers de l'époque. Et comme s'il ne suffisait pas à White d'avoir été zigouillé au dernier étage de son propre immeuble, le gang des visières de la New York Life s'est pointé quelques années plus tard et a démoli ce foutu Madison Square Garden pour faire bâtir le machin de Cass Gilbert. Et attention, hein ce n'était pas n'importe quoi, le vieux Madison Square Garden, c'était pour ainsi dire l'immeuble qui symbolisait le style du plus grand architecte de New York. Ils en ont fait un tas de décombres bons pour la décharge. »

Il eut un gloussement navré.

« New York Life, c'est le cas de le dire. »

Le sac de petits pois, en pleine décongélation, devenait tout mou. Je me redressai pour l'ôter.

« Mon gars, t'as vraiment une sale gueule, dit papa. Mais à quelque chose malheur est bon. Cette offrande d'une provenance si particulière est peut-être le fruit d'un heureux hasard.

— Que veux-tu dire ? »

Se doutait-il que j'avais compris la signification des nombres de l'église ?

« Le fait est que j'ai depuis un certain temps le projet de redonner sa liberté à une statue de la plus haute importance et qui se trouve au sommet d'une tour de Cass Gilbert encore plus remarquable que la New York Life. Le moment est sans doute bien choisi : ils sont en train de restaurer la terre cuite d'origine, un beau travail néogothique. Je parierais volontiers que, pour parachever cette restauration, les maîtres d'œuvre nous ont fait la grâce d'installer des échafaudages tout en haut de la tour. Une échelle de Jacob, en quelque sorte. »

Il fit les cent pas un moment, plongé dans ses pensées, se tapotant les lèvres de l'index.

« Papa, je ne sais pas si…

— Non, non, non. Il est temps d'entreprendre de plus nobles projets. Finis, les bouts de machin. Nous valons mieux que cela. À partir d'aujourd'hui, nous n'allons plus nous emparer que d'œuvres entières, et nous nous concentrerons sur les lieux et les ornements les plus spectaculaires. »

Il s'approcha du grand mur de son atelier aux si nombreuses fenêtres et ouvrit les volets de l'une d'entre elles.

« Tiens ! » s'écria-t-il en tendant la main vers le sud de la ville d'un geste exubérant.

Je m'extirpai du vieux fauteuil et le rejoignis. Il devait être 4 heures du matin. Hormis quelques rares fenêtres éclairées, le sud de Manhattan était mort. Au-delà du hangar du trottoir d'en face, je ne voyais que formes obscures empilées les unes sur les autres, en multiples nuances de noir.

« Je ne vois rien, dis-je.

— Ne t'inquiète pas, ça va venir. Ça va venir. Et tu le verras comme peu de New-Yorkais l'ont jamais pu. »

17

LE LENDEMAIN APRÈS-MIDI, lorsque je rentrai à la maison, nul ne m'accorda la pitié et l'admiration sur lesquelles j'avais compté. Tout au long du trajet, dans le métro, j'avais concocté un récit héroïque et touchant pour expliquer mon nez en patate et les marques violettes et palpitantes qui me cerclaient les yeux. J'avais courageusement pris la défense soit d'une vieille dame polonaise et boiteuse, soit d'un chien errant (je n'avais pas encore tranché), l'un et l'autre agressés par deux ou trois jeunes voyous. Je n'eus pas besoin de faire mon choix. La chambre de maman était le théâtre d'une engueulade de première grandeur.

« Me protéger ? hurlait Quig d'une voix rauque, âpre. Quelle blague ! Tu fais venir chez nous les rebuts les plus ignobles de la soupe populaire et soudain, voilà que tu as un problème avec le seul mec avec lequel je peux échanger deux mots ?

— Ce ne sont pas les échanges de mots qui me posent un problème, répondit maman.

— Ça veut dire quoi, ça ? Tu ne sais rien de nous.

— Tu as quinze ans, Quigley. Ça ne se fait pas.

— Ça, rétorqua Quigley, c'est l'hôpital qui se moque de la charité. »

Elle se rua hors de la chambre et dévala quelques marches avant de faire halte et de décocher sa dernière flèche.

« Toi et moi, nous savons très bien pourquoi tu fais ça ! »

Lorsque le silence retomba sur la maison – et, bon Dieu, quel silence ! –, je montai l'escalier sur la pointe des pieds, passai devant la chambre de Quig et parvins à l'atelier où vivait désormais notre locataire Shelby. La pièce était vide : partis, les valises pleines de vieux *Playbills*, les costumes sur mesure. Parti, Shelby. Une désertion qui me ramena avec une horrible rapidité au pire jour de ma vie. Ne restaient plus sur le plancher que le vieux matelas et la triste plaque chauffante que papa nous avait légués en partant.

Shelby ne revint jamais chez nous, ce qui ne signifiait pas, cependant, que Quigley avait accepté son bannissement. Avant d'habiter notre maison, il avait vécu chez un ami, dans un appartement minable au-dessus du Drake's Drum, un pub anglais de la Deuxième Avenue, non loin du carrefour avec la 85e Rue, dans la vitrine duquel étaient exposés une maquette de trois-mâts et des fanions poussiéreux. Shelby y était selon toute vraisemblance reparti – c'était du moins ce que Quigley espérait. Mon copain Rafferty vivait à deux ou trois pâtés de maisons plus au sud. Tous les jours ou presque, en rentrant du lycée, il voyait ma sœur errer aux environs du pub, soit devant la porte, soit sur le trottoir d'en face. Elle faisait les cent pas, les yeux fixés sur les fenêtres de l'appartement au-dessus du Drake's Drum, dans l'espoir d'entrevoir le seul adulte qui se soit jamais intéressé à elle.

18

DANS LA FAMILLE DE KYLE, les hommes étaient assez curieux. Tous des scientifiques, pour commencer. Son grand-père avait fait la guerre de 1939-1945 comme médecin militaire et on lui devait l'invention – histoire vraie ! – des petits trous dans les pansements adhésifs. Le père de Kyle, gynécologue pince-sans-rire de Park Avenue, était apparemment l'un des plus grands spécialistes du point G : s'il n'avait pas inventé les petits trous dans le corps des femmes, il en était en tout cas l'un des principaux explorateurs. Les copains et moi, on avait tous envie de faire le même boulot quand on serait grands.

Les vendredis après-midi, quand ses parents n'étaient pas là, l'appartement de Kyle était sans conteste notre point de chute préféré. Déjà, il vivait au troisième étage d'un immeuble de Madison Avenue, juste en face du Jackson Hole Hamburger Place, si bien que, nous pouvions nous faire livrer les meilleurs cheeseburgers au bacon de la planète en un temps invariablement record, soit entre six minutes et demie et sept minutes et demie.

Mais aussi, le Dr Sherman, le père de Kyle, avait rassemblé ce qui devait être la plus belle collection américaine de littérature victorienne cochonne. Il y en avait partout dans l'appartement, exemplaires d'époque sous reliures de cuir ou rééditions en poche de chez Grove Press, dont M. Sherman avait soigneusement souligné tous les passages intéressants et corné les bonnes pages. Aucun d'entre nous ne savait ce qu'était le point G ; nous étions cependant tous persuadés qu'il était, bien sûr, aussi parfaitement circulaire, aussi clairement étiqueté et aussi vite activé qu'un bouton d'ascenseur.

Si son père était un génie, nous disait Kyle, c'était parce qu'il avait démontré l'existence du point G, non seulement sur le plan scientifique mais aussi en recensant les mentions qui en étaient faites dans la littérature. Les corps féminins ont toujours été des corps féminins, martelait-il, à quelque époque que ce soit, et quoi qu'en comprennent les hommes. Par conséquent, si le point G était bel et bien une réalité physiologique, la littérature cochonne avait sans doute toujours fait mention des véritables geysers qu'il sécrétait.

Les ouvrages qui envahissaient son appartement n'avaient d'autre but que d'en convaincre la communauté médicale.

Grâce au travail de repérage du bon docteur, il était facile de trouver les passages les plus coquins dans lesdits ouvrages. Alors que dans l'édition complète des nouvelles d'Anaïs Nin que possédait maman, il fallait se taper des pages et des pages d'ennuyeuses saynètes de la vie artistique parisienne avant de tomber sur les détails croustillants.

Autre avantage de l'appartement des Sherman : les parents de Kyle étaient rarement là. S'ils n'étaient pas officiellement séparés, comme les miens, le divorce n'était plus vraiment loin, de toute évidence. Le Dr Sherman sortait au vu et au su de tous avec une photographe trentenaire ultra-sexy et je ne croisais jamais la mère de Kyle quand je passais chez eux. Ce qui me donnait à penser qu'elle aussi devait avoir des fréquentations extra-maritales. Elle travaillait sur sa thèse de littérature anglaise à la bibliothèque de la New York University, se contentait d'expliquer Kyle. La seule fois où je m'étais autorisé une vanne sur les « oraux » pour lesquels elle devait « bien besogner », Kyle m'avait lancé un regard sans équivoque : si nous voulions rester amis, je devais m'abstenir de ce genre de remarques.

Un vendredi soir où les Sherman n'étaient pas là – nous étions toute une petite bande à dormir dans l'appartement –, le docteur fit son apparition en compagnie de sa photographe sexy alors que nous étions vautrés dans nos sacs de couchage devant *Star Trek*, à nous repaître des romans porno de sa collection. Je fus bon dernier à remarquer l'apparition sur le seuil du maître des lieux et ne pus glisser le livre assez vite sous mon duvet.

Il eut du mal à ne pas sourire. Pouvais-je lui montrer la couverture de l'ouvrage ? Je la lui montrai. Y figuraient deux dames en corset et bottines, l'une, fouet en main, chevauchant l'autre, qui se tenait à quatre pattes sur le tapis.

« Ah, *L'Entremetteuse de Fontainebleau*. C'est l'un de mes préférés, commenta-t-il avec son accent britannique si cultivé. Tu apprécies ?

— En tout cas, fis-je en opinant du chef, c'est bien meilleur que *Beowulf*.

— Oh ça, oui, concéda-t-il. Je n'ai jamais pu supporter cet horrible Grendel. »

Greta, la photographe sexy, surgit dans le couloir, juste derrière lui.

« Nigel, pourquoi ne pas montrer tes diapos à ces jeunes gens ? Tu peux difficilement rêver auditoire plus enthousiaste ! »

L'idée plut follement au Dr Sherman.

« Mais c'est que c'est une excellente opportunité ! Les garçons, voulez-vous que je vous projette ma conférence sur le point G ? Je la présente le mois prochain à l'hôpital Mont-Sinaï, mais une répétition pourrait fort bien m'être utile. »

Notre exode jusque dans sa chambre, où la projection allait avoir lieu, annonça-t-il, avait tout du passage au galop d'une troupe de taurillons dopés à la testostérone. Tandis que le père de Kyle se battait avec son carrousel à diapos, nous jetions des regards émoustillés à Greta, perchée sur le bord du lit.

Elle surprit mon manège et s'amusa de la puissance de son charme.

« Je peux faire quelque chose pour toi, Petit Raton Laveur ? »

Je sentis mes joues s'empourprer. Les cercles autour de mes yeux avaient bien pâli depuis que le fan des Yankees m'avait cassé le nez à coups de batte, mais je ressemblais encore au quatrième frère Rapetou. C'était à Dani, en fait, que je devais cette série de plaisanteries stupides sur les ratons laveurs initiée des semaines plus tôt. J'étais dans la ligne de mire de Dany bien avant l'histoire du nez. Deux fois déjà, au lycée, elle m'avait coincé contre un mur pour me faire part des conséquences de l'inondation dans son immeuble. Son père avait dû débourser deux mille dollars de réparations et les coupables couraient toujours. Les deux fois, elle m'avait mitraillé de ses iris bleus mouchetés de brun-vert.

« Avoue, et je saurai me montrer magnanime. Tu n'as vraiment rien à me confier concernant cette histoire ? »

Et j'avais, les deux fois, répondu par un regard où l'affolement le disputait à l'innocence. Cela ne l'avait sans doute pas convaincue. Lorsque, au lendemain de ma mésaventure, j'étais arrivé au lycée avec les deux yeux au beurre noir et le nez comme une pomme de terre, elle m'avait sur-le-champ rebaptisé Rocky, comme dans « Rocky Raccoon » ; à son instigation, tous les élèves, y compris Kyle, Rafferty et même Lamar, entonnaient la chanson éponyme des Beatles chaque fois que j'apparaissais.

« Il va me falloir un moment pour préparer le projecteur, nous annonça le Dr Sherman.

— Ça tombe bien, dit Kyle. On va avoir le temps de passer au bar. »

Tandis que mon copain secouait gentiment le pop-corn au-dessus de la gazinière dans la cuisine, la conversation passa de l'équipe féminine de basket à Valerie, puis à Quigley.

« Mec, me dit Rafferty, je l'ai vue hier qui sortait de l'immeuble du Drake's Drum. En personne ! Et c'est vraiment ce vieux bonhomme qu'elle va voir. Tu savais ? »

Bien sûr que je le savais, répliquai-je, ce qui était un mensonge. Mais la seule manière d'éviter l'avalanche de commentaires égrillards était de jouer les affranchis.

Je mis fin à la conversation en retournant dans la chambre de Kyle pour exhumer ce qui restait de ses bonbons de Halloween. Lorsque le Dr Sherman éteignit les lumières pour partager avec nous ce qui était le spectacle le plus ardemment attendu de notre existence, nous étions entièrement parés côté provisions.

Qu'attendions-nous au juste, une vidéo porno à la Sally Sprinkle ou je ne sais quoi du même genre ? Toujours est-il que la conférence illustrée du Dr Sherman était, si je puis dire, bien plus aride que cela. Elle était en fait d'un homérique ennui, succession interminable et pédante de lithographies anatomiques assaisonnées de jargon scientifique, le tout présenté dans un appartement mal aéré des années 1930 dont les radiateurs ne cessaient d'émettre des vagues de chaleur soporifique. Tandis que le bon docteur passait en revue la littérature universitaire sur le point G, en commençant par l'éprouvante description des glandes diffuses autour de l'urètre féminin par Reinier de Graaf, 1672, je ne cessai d'observer mes petits camarades à la dérobée pour savoir si, dans cette chambre obscure, j'étais le seul spectateur assez immature pour avoir du mal à résister aux bras de Morphée. La réponse était non. La projection se poursuivant, chacun d'entre nous, les paupières lourdes, avait entrepris une lutte courageuse et farouche contre le sommeil, de peur de manquer, au milieu des bâillements, le « bon moment » de la conférence, lequel, à coup sûr, n'allait plus tarder. Kyle lui-même s'assoupissait. Lorsque nous fûmes parvenus en 1895 et que le docteur se fut lancé dans un récit détaillé de la manière dont on considérait à l'époque les implications cliniques des glandes de Skene, Rafferty avait déjà perdu la bataille. Ses boucles blondes dodelinaient au rythme de sa tête ballottante, un filet de bave coulait des commissures de ses lèvres.

Tandis que mes frères d'armes tombaient comme des mouches, je décidai de vaincre ma fatigue, de résister à tout prix à la combinaison assassine de l'obscurité et du marmonnement universitaire du Dr Sherman. Armé d'une telle détermination, je pouvais certainement me permettre de fermer les yeux ne serait-ce que quelques secondes au moment où notre conférencier se lançait dans la description de la recherche qu'il avait menée sur dix-huit urètres féminins, dont tous, à une exception près, contenaient dans leurs sécrétions de la phosphatase acide prostatique, démontrant de ce fait leur similarité avec la prostate masculine et...

Aaaargh ! Un éclair aveuglant interrompit en sursaut ma plongée dans le sommeil le plus profond, le plus comateux de mon existence. Les lumières avaient été rallumées. Clignant des paupières avec affolement, je jetai un regard autour de moi. Tous les copains s'étaient levés d'un bond et se frottaient les yeux.

« Alors, les garçons ! demanda le Dr Sherman avec un grand sourire. Des questions ?

Pendant un instant, personne ne broncha. Puis Rafferty, luttant contre un bâillement, leva la main.

« Ouais, articula-t-il, hébété. Euh, il est où, en fait, le point G ? »

19

DE TEMPS EN TEMPS, Kyle se débrouillait pour faire venir des filles à nos festins burgers du vendredi après-midi. Comme il habitait à deux pâtés de maisons du lycée, on pouvait parfois ramasser celles qui y traînaient après les cours. Dani ne vint qu'une seule fois. D'une part, elle était en seconde, et nous en troisième, ce qui était un peu ennuyeux. D'autre part, elle jurait plutôt au milieu des filles qui voulaient bien nous rejoindre. Elle habitait dans le West Side, ne portait jamais de polo Lacoste et n'aimait pas, disait-elle, le traitement odieux que nous réservions au livreur de burgers. Ma prestation de Récupérateur de Cérémonie n'impressionnait pas du tout Dani. Portant des gants blancs de joueur de base-ball et la queue-de-pie que Quig avait achetée pour son numéro de claquettes, j'avais mission d'ouvrir la porte de l'appartement d'un geste exagérément gracieux et de réceptionner les cheese-burgers, infligeant parfois au livreur une vigoureuse et frémissante accolade.

Un jour, pourtant, les burgers n'arrivèrent pas. C'était pour le moins fâcheux : pour la première fois, nous avions réussi à faire venir chez Kyle Laurie Daniels et Rachel Gottlieb, deux des plus jolies filles de troisième ; elles attendaient la livraison avec impatience.

Mais les six minutes réglementaires passèrent, puis une, deux, bientôt quatre autres, et toujours pas de burgers.

Le téléphone sonna enfin : c'était le livreur. Jackson Hole, nous annonça-t-il avec un plaisir non dissimulé, avait édicté de nouvelles règles concernant l'immeuble de Kyle. Les livreurs n'avaient plus le droit de monter dans les étages. En revanche, ils pouvaient, si nous le souhaitions, nous remettre nos commandes à la porte de service, à l'entresol.

Je pris donc l'ascenseur vêtu de la redingote de Quig et de mes Chuck Taylor assorties, dessus noir, semelles de caoutchouc blanc. La porte de l'ascenseur s'ouvrit à l'entresol sur un spectacle positivement stupéfiant : Dani se tenait devant moi avec sur le visage le sourire le plus éclatant que je lui avais jamais vu. Elle chassa d'un souffle une mèche de cheveux cuivrés qui lui tombait devant les yeux et sortit de son sac à dos, avec la précision d'un ninja, l'épée qu'elle avait fabriqué pour Donjons et Dragons.

« Livraison spéciale farceurs ! s'écria-t-elle, avant de faire pleuvoir les coups sur mes épaules et sur mon crâne. Tu croyais vraiment pouvoir inonder mon immeuble et t'en tirer sans un blâme, hein ?

— C'est exactement ça », répondis-je, hoquetant de rire entre les coups.

Je me pris la tête à deux mains pour me protéger. L'épée ne faisait pas franchement mal ; impossible pourtant d'y échapper.

« Eh, ça n'est pas vraiment chevaleresque de taper sur un ennemi désarmé !

— Désarmé ? Qui dit que tu l'es ? »

Dani tira un fleuret d'une bride de son sac à dos et me le tendit.

« Un escrimeur aussi assidu que toi n'aura aucun mal à se défendre contre une fille, grâce à toutes ces bottes que tu as apprises avec M. Kavar ce semestre, pas vrai ? »

De bottes, je n'en connaissais aucune, puisque j'avais séché tous les cours d'escrime, sauf le premier, ce que Dani savait très bien. Même si je levai mon fleuret en une pitoyable tentative de défense, il ne lui fallut que trois ou quatre attaques agiles pour me soulager de mon arme. Laquelle alla s'écraser bruyamment sur le lino de la cabine d'ascenseur tandis que Dani marchait droit sur moi en multipliant les coups à la tête.

« Mon nez ! bêlai-je. Fais attention à mon nez ! »

Elle était assez adroite pour ne jamais s'en approcher et me réduisit au silence en me tapant sur les oreilles et sur le crâne.

Elle s'amusait comme une petite folle.

« Tu sais, Griffin, je dois reconnaître que cette histoire d'inondation, c'était franchement marrant. Tu aurais dû voir la tête de mon père. J'ai même cru qu'une veine allait lui péter sur la tempe.

— Ça n'aurait pas pu arriver à quelqu'un de plus sympa. »

Insolence qui fut châtiée d'un bon coup sur la tête, même si Dani pouffait autant que moi. Cette embuscade finalement virait à l'excellente surprise. Je m'étais recroquevillé dans un coin, la suppliant de m'épargner, pour rester dans l'esprit du jeu. Quand Dani s'enfourna dans la cabine – pour me donner le coup de grâce, j'imagine –, les portes commencèrent à se refermer derrière elle. Sans perdre un moment, elle inséra son sac à dos entre les battants coulissants, se détournant de moi une fraction de seconde. Ce qui me permit d'empoigner son épée et de la lui arracher des mains. Dani tomba sur moi de tout son long puis, retrouvant rapidement son équilibre, me plaqua contre la paroi de la cabine et se mit à me couvrir de violents baisers. Que je lui rendis, hilare et maladroit. Puis nous roulâmes à terre, feignant de nous battre alors que nous nous embrassions, multipliant les petits bécots joyeux sur les lèvres. Nos corps s'emmêlèrent.

Dani portait un tee-shirt gris orné d'une couverture de disque de Led Zeppelin – celle qui représente le vieil ermite rigolard ployant sous le poids d'un énorme fagot.

Ses seins étaient là, juste sous le tissu, pressés contre mon torse, petits et tièdes. J'avais peine à le croire. Ah, si je pouvais trouver le courage d'en toucher au moins un, quel haut fait d'armes à raconter à Kyle et à Rafferty. Rien à voir avec la honte d'avoir été roué de coups par une fille dans un ascenseur...

Le tee-shirt de Dani se souleva légèrement, dévoilant un magnifique spécimen de ventre plat et blanc. Je joignis les doigts de la main droite en truelle et glissai la main sous le coton gris, direction la Terre promise. Mais avant même que je puisse dépasser sa première côte, si saillante, elle se retourna, agile, et coinça mon bras sous elle. Puis elle répondit à ma prise par une autre de son cru : elle se saisit de ma hanche, la serra fort, puis sa main parcourut mon jean, visant clairement mon entrejambe. Oh, oh ! C'était bien trop près de mes bijoux de famille. J'étais mort de peur. Pas du tout prêt pour ce petit jeu-là. Et n'étais-je pas censé conserver la direction des opérations ? Je me levai d'un bond et repoussai Dani contre le mur, plus brutalement que je n'en avais l'intention.

« Qu'est-ce qui te prend, mon vieux ? » fit-elle en se remettant à genoux.

J'avais eu ma dose. Ça ne me faisait plus rire. La commande du Jackson Hole était restée devant l'ascenseur : un sac en kraft bourré de burgers enveloppés dans du papier d'aluminium. Elle les avait sans doute achetés au livreur et lui avait demandé de nous appeler. Je ramassai le sac avant de sortir par la porte de service. Dani me suivit dans l'escalier qui remontait vers le trottoir, continuant d'exiger des explications.

« Ce qui me prend ? Rien, grommelai-je. J'ai faim, c'est tout. Compris ? »

Quel soulagement de retrouver Kyle planté dans la cuisine, ricanant de toutes ses dents, tel le Chat du Cheshire, devant Laurie et Rachel, toutes deux assises à la table sur des chaises à bandeaux, sourires crispés sur le visage. Laurie serrait les genoux et Rachel avait les bras soigneusement croisés sur la poitrine. Rafferty, bouche bée de bonheur, était perché sur la cuisinière.

« Hé, Griffin, annonça Kyle. L'homme qui tombe à pic ! Et, tiens, salut, Dani. Écoutez, les amis. Pour une raison mystérieuse, Laurie et Rachel ici présentes ne veulent pas me croire quand je leur dis que mon père a tout une collection de cadavres de vagin dans le congélateur de notre frigo. »

Il hocha la tête en direction des incrédules.

« Griffin va confirmer mes propos.

— Bien sûr qu'il y a des cadavres de vagins dans le congélateur », renchéris-je, trop heureux d'abandonner Dani sur le seuil de la cuisine pour retrouver Kyle et son sourire joyeux et brutal.

Deux groupes s'étaient formés dans la pièce, les trois filles d'un côté, les trois garçons de l'autre en train de les regarder, très contents d'eux.

« C'est exactement ce que j'étais en train de leur dire, fit Kyle.

— Mais oui, repris-je en opinant du chef. Sinon, comment ton père aurait-il pu mener les recherches fondamentales qui lui ont permis de compléter son étude *séminale* sur le point G ? »

Les filles me toisèrent, sceptiques.

« Oui, tout à fait, poursuivis-je, sentant mon audace croître. Le docteur, il a toute une palanquée de cadavres de vagins là-dedans. Et quand il ne sait pas quoi faire de ses dix doigts, il les sort du congélo et leur plante des électrodes dessus, juste pour voir lequel des vagins l'aime le plus.

— Il faut bien passer le temps, renchérit Rafferty.

— Exactement, ajouta Kyle. Et donc, je disais à Rachel et à Laurie que les spécimens étaient là, derrière la porte du congélo.

— N'importe quoi », fit Dani d'un ton sec.

Ce qui nous étonna tous.

« Si tu ne nous crois pas, rétorqua Kyle, tu n'as qu'à ouvrir le congélo et jeter un œil.

— Pourquoi pas toi ? se défendit Dani.

— Nous, on les a déjà vus, dit Kyle.

— On leur fait souvent prendre l'air, approuva Rafferty. C'est tout juste si on ne les connaît pas par leur petit nom. »

Kyle assena le coup de grâce en répétant :

« Si tu ne nous crois pas, Dani, ouvre donc le congélateur. »

Laurie et Rachel n'avaient pas cessé de sourire : pourtant, elles étaient visiblement horrifiées.

Dani leva les yeux au ciel puis, avec un petit sourire ambigu que je ne pus pas vraiment déchiffrer, elle posa la main sur la poignée du congélateur, sur laquelle elle garda les yeux fixés un long moment, respirant profondément. Sans pourtant se résoudre à ouvrir la porte.

Elle finit par lâcher la poignée et se retourna vers nous avec un rire réticent. Son regard m'effleura, puis Kyle, puis Rafferty. Elle secoua la tête.

« Hé, les gars, personne ne vous a jamais dit que vous étiez des porcs ? »

Kyle, Rafferty et moi nous échangeâmes un long regard, méditant la question. Puis le visage de Kyle s'éclaira quelque peu.

« Oui, mais des porcs de charme, hein ? » fit-il.

20

LA VIEILLE VILLE ATTAQUAIT LA VILLE NEUVE. *Elle se défendait avec les seuls atouts dont elle disposait. Assaillie depuis des dizaines d'années, cédant la place, pâté de maisons après pâté de maisons, à des tours modernes et massives dont les façades ne portaient plus aucun ornement digne de ce nom, la vieille ville découvrit que son grand âge lui fournissait une arme puissante qu'elle n'avait pu utiliser plus jeune.*

Nul ne remarqua les premiers tirs de résistance. Un crochet en fonte de style italianisant rongé par la rouille et par l'envie de meurtre se détacha de la splendide façade de l'antique demeure de l'épicerie de gros B. Altman, au carrefour de la Sixième Avenue et de la 19ᵉ Rue ; après une chute de treize mètres, il atterrit sans blesser quiconque sur des sacs-poubelle affalés sur le trottoir. Quelques jours plus tard, une rosette de terre cuite fendillée se jeta du seizième étage d'un élégant appartement années 1930 de Riverside Drive et cabossa la boîte aux lettres en contrebas.

C'était l'histoire de la chute de New York, telle que la raconta mon père durant d'innombrables repas de côtes de porc, dans les semaines qui suivirent mon agression. M'avait-il jamais lu des contes de fées quand j'étais petit ? Je ne m'en souvenais pas. Si bien que je n'étais pas mécontent qu'il rattrape ainsi le temps perdu. À chaque nouvelle narration, il ajoutait d'autres détails : adresses, ornements, style architectural concerné, jusqu'à ce que le récit ne soit guère plus qu'une énumération d'ornements.

On ne pouvait plus ignorer ces tirs agressifs venus des cieux. Dans des quartiers de grande luxuriance architecturale, à intervalles imprévisibles, des fragments d'ornements à l'exubérante facture, datant du XIXe siècle ou du début du suivant, fondaient des façades vers les trottoirs. Dans Morningside Heights, le tiers d'une corniche Beaux-Arts en zinc chuta de l'ancienne maison de retraite pour dames indigentes et éventra proprement le toit de toile d'une Triumph décapotable appartenant à un étudiant de première année à Barnard. À Murray Hill, une autre corniche capricieuse – de cuivre, cette fois-ci, et d'inspiration florentine, formant une saillie de deux mètres vingt, à huit étages au-dessus de la chaussée – dégringola de l'ancienne salle d'exposition de la Gorham Silver Company sur la Cinquième Avenue, tuant net un bibliothécaire qui passait par là.

Dans toute la ville, les propriétaires se réveillèrent en sursaut. Après avoir débattu avec leur conscience, la plupart d'entre eux ne tardèrent pas à parvenir à la conclusion suivante : certes, ils avaient une responsabilité envers l'architecture victorienne et Beaux-Arts dont ils étaient les dépositaires. Mais que pesait-elle au regard de la répulsion que leur inspiraient les plaintes pour négligence et les réparations coûteuses ? Les téléphones sonnèrent. On appela à la rescousse les chefs de chantier et leurs cousins hommes à tout faire. Des entrepôts de TriBeCa aux maisons mitoyennes du South Bronx, des grands magasins du Ladies' Mile aux beaux immeubles d'habitation de l'Upper West Side, des centaines et des centaines de façades éclatantes de sculptures diverses et variées furent dépouillées de leurs corniches, de leurs encorbellements, de leurs frontons – de tout ce qui, saillant de la pierre, pouvait concevoir en sa conscience minérale le projet de se libérer et d'assommer, ce faisant, un piéton.

Le récit, naturellement, était véridique. Mon père fit le nécessaire pour m'en convaincre. Et même si quelques propriétaires éclairés préféraient la restauration à l'amputation, rares étaient ceux qui s'y livraient avec la délicatesse que mon père estimait nécessaire à ces vieux immeubles.

Telle était la rengaine qu'il ne cessait de ressasser à chacune de mes visites à l'entrepôt. Du reste, il n'avait rien d'autre à faire que de cultiver sa colère : nous avions mis fin à nos missions de libération. Pourquoi, je ne le savais pas exactement. Dans son atelier, j'éprouvais le sentiment qu'un événement éternellement imminent se préparait, il y régnait une atmosphère de besoin trop longtemps inassouvi. Mais le changement attendu viendrait-il de papa ou de la ville ? Difficile à dire.

Même DeCarlo se posait des questions.

« Oui mais non, Deke, entendis-je papa déclarer au téléphone. Pas de cueillette en ce moment. Mais je sais que j'ai encore une glacière à toi. »

Contrairement à DeCarlo, je ne demandai aucune explication à papa. Le nez cassé, le masque de raton laveur : tout cela était pratiquement de l'histoire ancienne – *enfin !* – et je n'étais pas pressé de servir une nouvelle fois de victime expiatoire aux instincts meurtriers de la ville.

Mieux encore : nous passions enfin du temps ensemble, lui et moi, nous consacrant à des activités normales entre père et fils. Nous fabriquâmes une maquette de l'*Andrea Doria*. Nous allâmes à Little Italy engloutir un *zeppole* de si féroce manière que nous en eûmes les sourcils blancs de sucre. Nous allâmes au cinéma. Papa était fou des acteurs de l'époque du muet, surtout Buster Keaton et Harold Lloyd, passion qu'il voulait partager avec moi. Nous prenions le métro pour aller nous payer une bonne tranche de rire au Carnegie Hall Cinema, une salle somptueusement minable planquée, tel un passager clandestin en haillons, dans les sous-sols humides du légendaire auditorium. On y pénétrait par une entrée de service douteuse sur la Septième Avenue, non loin du carrefour avec la 56ᵉ Rue.

Puis, un vendredi soir, en arrivant à l'atelier, je trouvai papa et Zev dressés sur leurs ergots, hurlant l'un sur l'autre.

« Si nous ratons l'occasion des tourelles, Zev, je te ferai la peau, je le jure !

— Ça va, ça va, j'ai compris. Mais pas de précipitation. Il faut... »

Zev me vit sur le seuil et s'arrêta net.

« Toi, petit, tu pourras peut-être réussir à calmer notre capitaine Achab, déclara-t-il en levant les bras au ciel. Parce que nous, on peut dire tout ce qu'on veut, il n'écoute plus. »

Zev ramassa une liasse de paperasse et se dirigea vers la porte, se retournant juste assez pour ajouter ces quelques mots, le visage cramoisi.

« Écoute, Nick, je sais que tu as mis le veilleur dans ta poche, et tout le reste. Mais ce n'est pas n'importe quel bâtiment. N'oublie pas ce détail. Il faut vraiment être plus prudents que d'habitude. »

Je m'écartai pour le laisser passer. Lorsqu'il fut à bonne distance, je demandai à papa la raison de tous ces cris.

Papa se mordilla la lèvre inférieure, songeur.

« Viens, je vais te montrer. »

Nous montâmes les deux escaliers qui nous séparaient du dernier étage de l'entrepôt. Sur le dernier palier, plongé dans les ténèbres, je vis une échelle fixée au mur. Papa y grimpa, ouvrit la trappe carrée qui donnait sur le toit et se hissa dans la nuit. Je le suivis, m'élevant par le trou d'une obscurité à une autre : toile goudronnée du toit, ciel nuageux et sans lune, papa réduit à une ombre dotée de souffle, que je devinais plutôt que je ne la voyais.

« Regarde, dit-il. Retourne-toi. »

Ce que je fis, clignant des yeux, hébété, devant cette vision. Au sein de la masse obscure qu'était le sud de la ville, illuminée par un collier d'éclatants projecteurs qui en ceignaient la base, une cathédrale immense et svelte perçait les cieux, ses murs crémeux couverts de sculptures nappés d'une brume tremblante. Elle se dressait à quelques pâtés de maisons de l'entrepôt mais je distinguais quand même, se détachant sur la vive clarté de l'immense immeuble, de minuscules ouvriers sur des échafaudages suspendus, maniant ce qui devait être des tuyaux à haute pression. La brume qu'ils sécrétaient semblait vivante. Elle tournoyait dans les courants d'air, capturant la lumière et se déplaçant en vagues humides par-dessus la façade superbement sculptée de la tour.

« Qu'est-ce que c'est que cette chose, papa ? Une église-gratte-ciel ?

— Non, gloussa papa. Quoique… En fait, c'est une tour de bureaux. Mais si elle a cette apparence sacerdotale, c'est que Gilbert – ton vieil ami de l'immeuble de la New York Life – l'a conçue dans un style néogothique flamboyant. On lui avait demandé d'imaginer la construction la plus haute du monde, ce qui était quasiment le cas en 1913, date de son achèvement.

— Elle mesure combien ?

— Oh, elle a soixante étages. Quand elle a été finie, tout le reste de la ville semblait minuscule. Le travail de conception n'a pas été une mince affaire pour Gilbert. En traçant les plans, il a dû se colleter à un problème compliqué : comment « revêtir la tour de beauté », pour reprendre ses propres termes ? Comment donner à la ville le grand gratte-ciel qu'elle méritait ? À cette époque, les architectes ne prenaient pas ces questions à la légère. »

Gilbert, m'expliqua papa, avait adopté le style gothique parce qu'il tenait à la verticalité dynamique si bien incarnée par les cathédrales.

« D'ailleurs, lors de la cérémonie d'ouverture du Woolworth, un évêque est même allé jusqu'à parler de Cathédrale du commerce.

— Un évêque chez Woolworth ? »

Je trouvais la chose ridicule. La vision m'était immédiatement venue d'un saint homme au visage rubicond, mitre inclinée vers le comptoir du buffet du Woolworth de la 86ᵉ Rue, buvant son café à petites gorgées prudentes pour ne pas en renverser dans la soucoupe.

« Mais non, dit papa, hilare. C'est le gratte-ciel qui s'appelle comme ça. Le Woolworth Building. Il avait été commandé par Frank Woolworth.

— Celui des magasins ?

— Exactement ! Le roi du tout à 15 cents. C'était un événement colossal pour l'époque. Faramineux. Ce building a fait la une de tous les journaux et le Président Woodrow Wilson a inauguré le gratte-ciel en actionnant, de la Maison-Blanche, un interrupteur qui a illuminé les quatre-vingt mille ampoules disposées sur les façades. Pas mal, non ? »

Était-ce le Woolworth qu'avait mentionné papa la nuit où j'avais eu le nez cassé ?

« Oui, tout à fait. À mon sens, ce sont les terres cuites les plus extraordinaires de la ville. »

Mes yeux se dirigèrent de nouveau vers le gratte-ciel aux frises délicates, ruisselant de lumière au milieu des ténèbres de Lower Manhattan. Bien sûr ! C'était, venais-je seulement de me rendre compte, la tour que j'avais admirée, juché sur le toit du camion Good Humor. Simplement, du quai, elle était plus lointaine et éclairée de moins théâtrale manière.

« Qu'est-ce qu'ils font comme travaux, en ce moment ? C'est simplement du nettoyage ? Pourquoi tous ces échafaudages ?

— Ils restaurent l'immeuble. Ou du moins, c'est ce qu'ils prétendent. Mais Zev a obtenu une information exclusive d'un des jeunes architectes du cabinet Buchenholz, qui s'occupe de ladite restauration. Ce jeune type dit qu'ils ont multiplié les économies de bouts de chandelle. Ils ont fait un inventaire de toutes les façades et leur verdict est le suivant : il y a vingt-six mille carreaux si endommagés qu'on ne peut les restaurer.

— Dans ces cas-là, c'est bien de tout refaire, non ?

— Oui, quand la méthode est la bonne. *Ce qui n'est pas le cas.* »

Il avait prononcé ces derniers mots avec une hostilité qui me surprit, jusqu'à ce que je remarque la présence de Zev, qui nous avait rejoints par la trappe. C'était à lui qu'en voulait papa.

« Parce qu'au lieu de refaire les carreaux de Gilbert en terre cuite, gronda papa, ces hommes des cavernes ont remplacé ces milliers de merveilleuses pièces originales par, je te le donne en mille, Griffin, du béton manufacturé. *Du béton !*

— Mais pourquoi ?

— Oh, ça, je n'en ai pas la moindre idée, me répondit-il d'une voix qui se voulait sarcastique. Tu n'as qu'à demander à Zev, ici présent. Ce bon vieux Zev, lui, ça ne le gêne pas qu'on soit en train de transformer ce chef-d'œuvre absolu de l'architecture verticale en copie à trois sous, avec ce nappage en béton. Il trouve ça génial, Zev. »

Le coupable eut un soupir las.

« À quoi t'attendais-tu ? Personne ou presque ne fabrique plus de terres cuites. Le monde change, Nick. La terre cuite, c'est mort.

— N'importe quoi. Gladding-McBean, en Californie, qu'est-ce qu'ils fabriquent, dans ce cas-là ?

— Foutaises. Tu sais aussi bien que moi qu'ils utilisent des moules modernes et que, du coup, on ne peut pas faire de contre-dépouille, comme avec les vieux moulages au sable. Et même s'ils arrivaient à ce genre de résultat, ce serait mille fois trop cher.

— C'est exactement ce que je suis en train de dire. Woolworth est trop radin pour bien faire les choses.

— Tu peux t'estimer content qu'ils le restaurent quand même, répliqua Zev. Ce serait encore moins coûteux de tout enlever, et basta. Au lieu de quoi, Healey m'a dit qu'ils avaient investi vingt millions de dollars dans cette restauration. Ça ne veut pas dire que nous allons forcément apprécier leur travail quand nous verrons le résultat de près, je sais, mais si tu peux attendre jusqu'à lundi pour monter voir...

— Oh, bon Dieu, Zev ! Ne me dis pas que tu t'es traîné sur ce toit juste pour me répéter pour la centième fois que ces foutues tourelles peuvent bien attendre !

— Mais si, justement, dit Zev. J'ai pu avoir Herm au téléphone il y a cinq minutes. Si on peut patienter encore deux ou trois jours, il séchera son chantier de démolition de banque à Philadelphie, dimanche. À ce moment-là, Curtis sera rentré de Rochester. Donne-moi deux jours pour monter une équipe. Deux jours. Tes tourelles, elles ne se feront pas la malle entre-temps. »

Leurs discussions commençaient à me fatiguer.

« Qu'est-ce que vous entendez par "tourelles", en fait ? » les interrompis-je.

Le terme me faisait penser à des choristes des années 1950 en train de se trémousser en robes à sequins. *Mesdames et messieurs, sous vos chaleureux applaudissements, veuillez accueillir nos invités très spéciaux... Frank Woolworth and The Tourelles !*

Papa tendit la main vers la tour scintillante du Woolworth Building, flèche surgissant d'une base plus massive. La tour était couronnée d'un toit vert et pointu, dont le sommet était constitué par un délicat lanternon éteint. Les joyaux de cet ornement, m'expliqua papa, étaient les quatre petites tours, ou tourelles, qui en marquaient les angles. Elles mesuraient chacune à peu près cinq étages et étaient recouvertes d'ornements en terre cuite d'une complexité et d'un éclat incroyables. Plus on montait, plus les motifs, les textures et les couleurs étaient exubérants. Ce que, du toit de l'atelier, on ne pouvait distinguer, deux des trois tourelles visibles étant ceintes d'échafaudages et la troisième dissimulée de surcroît en grande partie par un linceul de gaze noire.

« Fiston, il faut que tu voies ça. Vraiment. Le moindre centimètre carré est recouvert d'ornements en terre cuite vernie, avec les bleus et les ors les plus splendides qui soient. Tout a été conçu par un sculpteur italien qui a installé en haut des tourelles les gargouilles les plus fantastiques que tu puisses imaginer. Des créatures singulières, animées de mille vies antérieures, d'une telle intensité qu'elles en deviennent vivantes. Autrefois, à mon ancien atelier près de Washington Market, je montais sur le toit et je les regardais à la jumelle ; les nuages passaient devant les gargouilles – et je les observais qui m'observaient en retour. À vous donner la chair de poule. »

Je rejoignis papa et considérai, paupières plissées, les tours empaquetées.

« Ça me rend dingue de ne pas pouvoir voir ce qu'ils fabriquent là-dessous, grommela papa, qui trépignait littéralement sur place. Il faut que je monte. »

Il y avait encore un moyen très simple de ne pas se laisser embarquer dans ce genre d'affaire. Dimanche, lorsque Zev constituerait son équipe, je serais bien au chaud dans mon lit. J'avais cours le lendemain.

« Bien sûr, papa, fis-je d'une voix apaisante. Mais pourquoi tant de hâte, si tu attends depuis des mois ? »

Suivit un long silence embarrassé, pendant lequel, j'en aurais juré, je sentis la chaleur croissante du visage de papa remplir l'espace qui nous séparait.

« Alors, Zev ? finit-il par hurler. Dis-lui, bon Dieu ! Explique-lui ce que Healey vient de te raconter. »

Zev soupira. Puis il me passa un casier à bouteilles en plastique en guise de siège et s'installa pour sa part sur le parapet. Papa resta debout.

Plus on s'élevait dans les étages, plus les ornementations du Woolworth Building étaient complexes. Et, parce qu'elles arboraient les ornements les plus détaillés, les tourelles posaient des problèmes de restauration encore plus complexes que le reste du bâtiment. De surcroît, nombre de terres cuites étaient dans un état effroyable. L'une des quatre tourelles était à l'origine une cheminée de chaudière à charbon dépourvue de coiffe d'où s'étaient déversées pendant des décennies des nuées de saleté qui avaient rongé les terres cuites. Au début du chantier de restauration, les architectes du cabinet Buchenholz s'étaient contentés d'emballer les tourelles dans de grands filets de sécurité en gaze noire, les laissant provisoirement de côté. Pendant deux ans, tandis que les ouvriers travaillaient du vingt-neuvième au cinquante-huitième étage, remplaçant des milliers de carreaux de terre cuite, aux motifs relativement simples, par des éléments de béton manufacturé, le cabinet s'était torturé les méninges au sujet de ces fameuses tourelles.

Et je pouvais voir de mes propres yeux qu'on avait entrepris, enfin, de nettoyer la base de l'immeuble, soit les vingt-huit premiers étages. Sans pour autant oublier les tourelles.

« Les patrons du cabinet Buchenholz ont fini par choisir une stratégie de restauration acceptable sur le plan financier, poursuivit Zev. Raison pour laquelle ils ont tout à coup commencé à monter des échafaudages sur les tourelles. Mais même mon contact chez eux ne sait pas exactement ce qu'ils fichent là-haut. Tout ça reste secret défense.

— Ce qui ne me dit rien qui vaille, grommela papa.

— Nick, on ne sait même pas si ça va poser un problème ! Je veux dire, s'ils font du bon boulot, il faut laisser les ornements là-haut, que les générations futures puissent en profiter. Mais s'ils préparent le haut pour une démolition, même limitée, crois-moi, la récolte sera si abondante que tu me remercieras d'avoir monté une équipe au complet, vu le nombre de trucs à ramasser. »

Papa finit, non sans réticence, par s'aligner sur la proposition de Zev : il était plus prudent d'attendre deux ou trois jours. Il renvoya Zev chez lui et me prépara une omelette au cheddar sur sa plaque chauffante. Les ateliers et autres entrepôts du quartier ne pouvaient servir d'habitation, si bien que papa devait se contenter d'équipements strictement professionnels, en cas de visite des services d'hygiène et de sécurité. La plaque, leur avait-il expliqué, lui servait à chauffer la colle au baquet, laquelle avait son utilité dans la restauration des cadres anciens. Quant au coucher, il dormait sur un matelas de crin de cheval installé sur l'un de ses six ou sept antiques lits à baldaquin. Il n'avait qu'un matelas ; lorsque je passais la nuit à l'atelier, je devais le partager avec lui, m'enfouissant la tête dans des amas d'oreillers pour me préserver de son ronflement, pareil au mugissement d'un éléphant de mer.

Cette nuit-là, cependant, il ne se coucha pas. Et je ne fus pas totalement surpris qu'il me réveille à 2 heures du matin.

« Habille-toi, fiston. Et suis-moi, me dit-il, un volumineux sac militaire sur l'épaule. On va prendre un peu l'air. »

21

LE TEMPS QUE NOUS PARVENIONS au bout de broadway, au carrefour avec Warren Street, la voûte céleste et le gratte-ciel avaient inversé les rôles. Les projecteurs du Woolworth s'étaient éteints ; le bâtiment n'était plus qu'une tour d'ombre planant au-dessus du triangle bordé d'arbres de City Hall Park. Une scintillante lame de lune le surplombait, soulignant le toit pointu et les tourelles du gratte-ciel.

Le trottoir, sec partout ailleurs, se fit course d'obstacles semée de flaques à l'approche du Woolworth. Sur Broadway, côté parc, trônaient une baraque de chantier et une guérite de frêle contreplaqué qui affectait la forme d'un cercueil dressé. Je glissai un œil par son hublot de plexiglas éraflé pour m'assurer qu'aucun cerbère de location n'y était tapi. Ce n'était pas le cas ; papa, lui, n'y avait pratiquement pas accordé un regard. Il me fit traverser la rue, puis le haut porche sculpté du Woolworth, jusqu'à la porte, dont il semblait savoir à l'avance qu'elle ne serait pas verrouillée.

Jusqu'à mon dernier souffle, je garderai en mémoire cette entrée nocturne et la sensation que j'éprouvai, si différente de celle qui me taraudait lorsque, deux heures plus tard, je ressortis de l'immeuble. J'y suis souvent revenu, dans ce quartier. Depuis 1994 ou 1995, on trouve un tout petit resto génial d'inspiration panasiatique, le *Mangez avec moi**, à quelques pâtés de maisons du Woolworth, sur West Broadway. C'est là en général que nous nous retrouvons, Quig et moi, lorsqu'elle passe à New York. J'attrape la ligne 2 du métro à Brooklyn ; elle me laisse au pied du gratte-ciel. Mais, en quelque quarante ans, je ne suis retourné qu'une fois à l'intérieur du Woolworth.

Et, cependant, mon souvenir de cette nuit est si vif que ces quatre décennies me font l'effet d'une semaine. L'intérieur du Woolworth était aussi solennel que ses façades : une vraie cathédrale. Le vestibule affectait la forme d'une immense croix. Son plafond de vitraux était bordé d'appliques d'une faible luminosité ; ses murs de marbre sculpté, gansés de filigrane de bronze, achevaient de lui donner une apparence grandiose.

Papa se dirigea vers les ascenseurs. Il pressa le bouton d'appel et se mit à siffler, l'air distrait, comme s'il se rendait au bureau, en plein jour, digne employé du Woolworth.

« Oh, oh ! s'exclama-t-il. Viens voir. Il faut que je te montre un truc. »

Il tira de son sac un objet qui ressemblait à une lampe de mineur improvisée, un serre-tête à rayures Björn Borg sur lequel était fixée une puissante lampe de poche. Il braqua le rayon de ladite lampe, qu'il avait gardée au creux de sa main, vers un petit socle de pierre sur lequel reposait une des poutres du plafond. Y était sculptée la caricature d'un vieil homme voûté et moustachu manipulant une poignée de piécettes.

« C'est Frank Woolworth, gloussa papa. Qui compte ses sous. »

Il dirigea le rayon lumineux vers un autre personnage tout aussi cocasse, à l'autre bout de la poutre.

« Et là-bas, c'est Cass Gilbert en personne. »

Gilbert avait une maquette du Woolworth à la main. Sa moustache était plus tombante que celle de son patron et ses lunettes aux verres ronds lui donnaient l'air d'une

216

chouette. Les deux messieurs avaient été dotés de biceps dignes de Superman.

L'ascenseur annonça son arrivée par un léger tintement ; nous nous enfournâmes dans une splendide cabine aux boiseries de chêne dont le nom était Otis, à en croire une inscription à fioritures.

Papa me décocha un grand sourire.

« Nous avons opté pour l'express. Essaie de te mettre dans la peau d'un passager de 1913 – on monte d'un coup, d'un seul, à raison de deux cents mètres par minute, directement au cinquante-troisième étage. Ça, fiston, ce n'était pas pour les trouillards. »

L'ascension dura à peine plus d'une minute, pendant laquelle mes oreilles se bouchèrent ; puis, avec un second tintement, les portes de la cabine s'ouvrirent sur un vestibule désert. Dès que nous fûmes sortis, elles se refermèrent presque hâtivement. L'ascenseur redescendit, emportant avec lui sa lumière, et me laissa seul dans les ténèbres au côté de papa sur le toit de la ville, me rendant brutalement dépositaire d'une étonnante solitude. Pourquoi avais-je suivi mon père ? Je ne le savais pas. La splendeur des ornements du vestibule, tous ces petits détails néo-gothiques, toute cette minutieuse beauté, me paraissait désespérément absurde.

Le sommet du gratte-ciel était plus étroit que sa base ; les couloirs étaient bien moins longs. Papa suivit les traces laissées par des semelles poussiéreuses sur un sentier de papier de protection ; nous traversâmes le vestibule, passâmes une porte de verre dépoli qui portait l'inscription FULMER & ASSOCIATES, puis nous dirigeâmes vers deux fenêtres jumelles s'ouvrant dans ce qui devait être la façade ouest du bâtiment. La croisée de droite n'était même pas verrouillée ; papa la fit coulisser sans aucune difficulté. Tête baissée, nous enjambâmes le rebord pour nous retrouver sur une passerelle de deux ou trois pieds de large tapissée de papier goudronné et bordée par un muret bas. Le grand air me piquait les joues.

Comme par réflexe, je reculai, les épaules contre la fenêtre. J'étais incapable de décrire ce que j'avais sous les yeux. Au-dessus de la ville, vers le sud, le ciel offrait un aspect des plus déconcertants : deux énormes rayures sombres entouraient un espace plus clair. Ce ne fut qu'après avoir levé les yeux, et en apercevant alors les lumières rouges qui clignotaient, tels les feux d'un avion, en haut des colonnes noires, que je pus identifier les éléments du paysage – rien de moins que les tours jumelles du World Trade Center, entre lesquelles apparaissait une bande de ciel nocturne. Les tours jumelles étaient les plus hautes constructions du monde, comme l'avait été en son temps le Woolworth. Comment pouvaient-elles tenir debout toutes seules ? N'allait-on pas leur adjoindre une passerelle comme celle de Staple Street qui les rendrait siamoises ?

Papa secouait tristement la tête dans le noir.

« Qu'est-ce qui ne va pas ? lui demandai-je.

— Oh, rien de spécial, répondit-il, laissant échapper un soupir de renoncement. Simplement, je viens juste de me représenter l'énormité des destructions dont ces gargouilles ont été le témoin, de là-haut. »

Je scrutai le West Side, qu'il désignait de la main. Quelles destructions ? Je ne voyais que constructions, au contraire. Les tours jumelles, comme tous les gamins de New York le savaient, avaient été inaugurées en grande pompe l'année précédente. Et je les avais sous les yeux, vigoureuses, dominant tout, à deux ou trois pâtés de maisons à peine du Woolworth. Au pied de la tour sud, un immeuble bien plus petit était en pleine construction. Je n'en distinguais guère plus que les ombres quadrillées de son squelette d'acier et la grue dégingandée qui le surplombait.

Mais de quelle destruction voulait donc parler mon père ? lui demandai-je.

« Eh bien, fiston, il n'y poussait pas de blé, ici, avant les tours. Chaque fois qu'on construit quelque chose dans cette ville – et cela vaut surtout pour les grandes réalisations –, tu peux être sûr qu'il y a eu de la casse au préalable. Toute cette zone, là, tout ce quartier entre Washington Market et Hubert Street, il a fallu la raser pour construire les tours du World Trade Center, une école professionnelle et deux ou trois autres mochetés. Ce qui représente plus de vingt-quatre hectares.

— Mmm », fis-je, essayant de donner à papa l'impression que je réfléchissais.

Je n'avais pas la moindre idée de ce qu'était un hectare.

« Je t'ai déjà raconté qu'autrefois je m'installais sur le toit de mon atelier de Murray Street avec une paire de jumelles pour regarder ces gargouilles. Tu te souviens ? »

Je hochai la tête.

« Eh bien, même à cette époque, je crois que je savais déjà qu'elles me survivraient. Je les regardais qui me scrutaient en retour, qui tendaient le cou pour ne rien rater du spectacle – et un jour, adieu, j'ai été expulsé, comme tous les gens qui vivaient dans cette zone-là. Et les gargouilles ont assisté à l'expulsion. Elles m'ont vu chassé de ce lieu absolument remarquable.

— Ton vieil atelier ? Qu'est-ce qu'il avait de si particulier ? »

Papa eut un rire sans joie.

« Tout.

— Mais quoi, par exemple ?

— Eh bien, d'abord, ce devait être le seul endroit de New York où je me suis jamais vraiment senti chez moi. D'ailleurs, si tu veux tout savoir, c'est là, mon cher, que tu as été conçu. »

Il me dévisagea avec un intérêt soudain.

« Mais pourquoi ne pas te le montrer, un de ces jours ?

— Tu veux dire, l'endroit où se dressait l'immeuble ?

— Non, ce n'est pas du tout ce que je veux dire. Ne me dicte pas mes réponses, fiston.

— Je croyais, poursuivis-je, non sans hésitation, qu'ils avaient tout rasé dans ce quartier. Ce n'est pas ce que tu m'avais dit ? Ils ont laissé ton atelier intact ?

— Non, ils ont tout rasé, en effet. Jusqu'au plus petit centimètre de mur.

— Alors comment pourrais-tu me le montrer ? »

Papa me jeta un regard pensif, comme s'il se demandait jusqu'à quel point il me laisserait pénétrer dans son intimité.

« Ce n'est pas grave », finit-il par répondre d'une voix douce.

Aurais-je dû insister, répondre ? Aurais-je pu, par une remarque, le rasséréner suffisamment pour que les choses prennent un autre tour ? Je me le suis demandé depuis. Mon père parlait souvent à la manière de quelqu'un qui n'attend aucune réponse et ne s'intéresse qu'à lui-même – mais était-ce bien le cas ? Je n'en suis plus si sûr. Les enfants, même les plus ouverts aux autres, se concentrent toujours essentiellement sur leur monde. Peut-être aurais-je pu lui dire quelque chose d'utile, là-haut, si j'avais moins pensé à mon malaise et davantage à la solitude furieuse qui devait être la sienne, pour le faire monter en pleine nuit sur le toit battu par les vents de l'antique métropole.

Papa chassa de son esprit le souvenir de cette expulsion et se mit à avancer sur la passerelle. Les affaires avant tout. Je lui emboîtai le pas, hésitant. Le petit muret qui nous protégeait d'une chute de quelques centaines de mètres était bordé de fioritures de terre cuite, protubérances aiguës auxquelles je m'agrippais chaque fois que je craignais de trébucher ; j'avais l'impression de marcher sur le dernier étage d'un énorme gâteau de mariage. Juste devant nous, au coin nord-ouest de la tour, se dressait une tourelle totalement recouverte d'un échafaudage tubulaire.

À la voir de si près, elle ressemblait à une pointe d'asperge géante : une tige mince et droite coiffée d'un chapeau pointu. Notre passerelle devenait de plus en plus étroite : ce n'était désormais guère plus qu'une rigole de la largeur d'une basket. Au pied de la tourelle, cependant, elle s'élargissait pour finir en cette sorte de palier que les architectes appellent « retrait ».

Les échafaudages qui recouvraient la face interne de la tourelle reposaient sur ce retrait ; de l'autre côté, ils devaient prendre appui sur un autre palier, quelques étages en contrebas. Papa était déjà en train de grimper dans la structure tubulaire lorsque je parvins au pied de la tourelle. Je restai sur le retrait et le regardai se hisser sur le premier niveau de l'échafaudage, au-dessus de ma tête.

« Non, s'écria-t-il. Non, ils n'ont pas *osé*... ! »

Il y avait dans sa voix, mêlée à l'indignation, une véritable angoisse.

Ce qu'il trouva au niveau suivant ne le rassura pas davantage.

« Bon Dieu ! l'entendis-je gémir. Mais qu'est-ce qui leur a pris ? »

Puis il revint à mon côté, « Allez, on continue ! », se ruant sur l'étroit passage par lequel nous étions arrivés. Le précipice à sa droite ne semblait lui inspirer aucune crainte.

« Non, ce n'est pas possible ! » hurlait-il lorsque je parvins au pied de la deuxième tourelle.

Le sombre nœud de son corps se mouvait déjà dans le caillebotis des échafaudages, au-dessus de ma tête.

« Ce n'est pas possible ! Comment peut-on se montrer aussi destructeur quand on bosse dans la restauration, bon Dieu ! »

Je tendis le cou.

« Que se passe-t-il ? Qu'ont-ils fait ? »

De sa gorge ne sortit qu'une faible plainte étranglée. Il dut s'y reprendre à deux fois.

« Ils ont arraché tous ces... tous ces putains d'ornements ! Sur les deux tourelles ! Ils ont même enlevé les gargouilles ! »

Avant même que je puisse trouver le courage de le rejoindre pour voir à quoi ressemblait une extraction de gargouille, papa s'était laissé retomber à mon côté.

« Mais tout n'est peut-être pas complètement perdu, murmura-t-il en s'élançant sur le passage qui menait à la troisième tourelle, celle qui, des deux donnant sur Broadway, était la plus au sud.

» Ils n'ont peut-être pas fini leur boulot de merde. »

Sa course était bien trop rapide, bien trop aveugle. Il trébucha dans la rigole, commença à perdre l'équilibre et ne se rattrapa qu'au dernier moment à l'une des nombreuses saillies décoratives. Avant de poursuivre son chemin, d'un pas que sa mésaventure n'avait pas ralenti.

Cette fois-ci, cependant, il s'était sans doute préparé au pire. Aucune plainte ne me parvint de la tourelle, aucun juron. J'empruntai l'étroite échelle des échafaudages pour le rejoindre au premier niveau, sur les planches.

Il s'était accroupi, scrutant la façade brutalement mutilée de la tourelle.

« Mais pourquoi ? grommelait-il. Regarde, ils ne se sont même pas donné la peine d'enlever la terre cuite – en tout cas, ils ne sont pas allés jusqu'à la brique, comme ils auraient sans doute logiquement dû le faire. Ils se sont contentés de limer tout ce qui dépassait de plus de deux ou trois centimètres. »

Il plaqua la paume sur l'une des plaies qui crevaient la peau jaune très pâle de la tourelle.

« Qu'est-ce qu'ils ont donc dans la tête ? *Qu'est-ce que vous avez dans la tête, bande de crevures cyniques ?* »

Il redescendit aussi vite qu'il était monté et trotta jusqu'à la quatrième et dernière tourelle, celle qui, dépourvue de toit, avait jadis servi de cheminée. Je le suivis d'un pas lent et prudent, m'arrêtant en chemin pour regarder le ruban noir de l'Hudson et le pont de Brooklyn, dont les travées tendues de câbles le faisant ressembler à une série de harpes, scintillaient de lueurs blanches.

Un autre gémissement, presque plus animal qu'humain, me parvint des hauteurs.

« Que se passe-t-il ? » demandai-je, progressant maladroitement dans la rigole pour rejoindre mon père.

La façade intérieure de la tourelle était dépourvue de tout échafaudage, ce qui rendait particulièrement distincte sa forme en pointe d'asperge. Je constatai en m'approchant que sa surface avait un aspect des plus singuliers. Contrairement à la tourelle précédente, à la surface irrégulière et scarifiée, celle-ci semblait toute lisse, toute neuve – si complètement rénovée qu'elle en paraissait fausse. Papa braqua le faisceau lumineux de sa lampe sur la paroi. Du métal ! C'était une couverture de métal, une feuille de métal, en fait, aux lignes simplifiées à l'extrême, ornée de motifs peints dans des dorés et des bruns criards : une version Disneyland ou Las Vegas du Woolworth.

« Quelle ignominie ! » hurla papa.

Je tendis la main. La paroi était froide sous ma main, lisse et sans relief, hormis les petites aspérités formées à intervalles réguliers par les boulons.

« Je ne comprends pas, bredouillai-je.

— C'est parce qu'il n'y a *rien à comprendre* ! rugit papa. Ces vandales ne se sont même pas emmerdés à reproduire les ornements en terre cuite à cette hauteur, ne serait-ce qu'en *béton*. Non, même de vulgaires copies de béton, c'était encore faire preuve d'un respect exagéré pour notre patrimoine architectural. Alors qu'ont-ils fait, ces vils philistins ? Ils ont décidé tout simplement d'arracher des dizaines de mètres carrés de somptueux ornements de terre cuite pour les remplacer par un revêtement *en aluminium de merde* ! »

Pour être moche, c'était moche. Je m'en rendais parfaitement compte.

« Ça n'est pas vraiment une couverture en alu – ce n'est pas possible !

— Mais si ! C'est exactement ça ! C'est un trompe-l'œil, tu ne comprends pas ? Ils ont installé leur foutu trompe-l'œil sur la façade interne de la tourelle pour montrer aux gens de chez Woolworth ; c'est une surface sur laquelle les ouvriers pouvaient travailler sans échafaudage, à partir du retrait. Et ils ont fait venir les huiles de Woolworth afin de leur faire approuver cette option-là. Si les quatre tourelles étaient traitées de la même façon, ça leur ferait économiser une fortune en entretien dans les trente années qui viennent, et autres conneries du même tonneau. Et, dès qu'ils ont obtenu le feu vert, ils ont monté des échafaudages sur les quatre tours et commencé à raboter tout ce qui dépasse. Tu vois ? Les feuilles d'alu sont fixées sur la terre cuite. Par conséquent, il faut faire sauter tout ce qui dépasse. »

Au sommet de la tourelle revêtue de métal, à l'endroit où s'emmanchait la section finale en pointe d'asperge, deux *machins* assortis en aluminium beige saillaient à l'horizontale, à un ou deux mètres l'un de l'autre. On aurait dit deux cure-dents géants.

« Qu'est-ce que c'est censé être, ces trucs ? »

Papa émit un nouveau gémissement.

« C'est là qu'habitaient les gargouilles ! Les architectes du cabinet Buchenholz ne voulaient sans doute pas dépouiller les tourelles de toutes leurs saillies visuelles. Il fallait trouver quelque chose qui puisse, à une certaine distance, évoquer les longs cous des gargouilles. Comme ça, quand on regarderait les tourelles de la rue, on n'aurait pas l'impression qu'il leur manquait quelque chose. »

Il cracha de nouveau, manquant de peu sa propre chaussure.

« Mais on s'en rendra compte. Je te le garantis. On s'en rendra compte. L'architecture, c'est une affaire d'intuition. Les gens lèveront la tête et sentiront, sans bien comprendre pourquoi, que quelque chose cloche sacrément là-haut.

Enfin, pendant un temps en tout cas. Mais dans quelques années, cette impression d'anomalie disparaîtra. La ville n'a pas de mémoire. Au bout d'un moment, cette plaie dans le paysage urbain se sera en quelque sorte refermée, et personne ne se souviendra réellement de l'étendue des destructions. »

Papa coiffa sa lampe de mineur et se haussa sur la pointe des pieds, inspectant une des façades de la tourelle puis l'autre. En l'absence d'échafaudage intérieur, il ne pouvait pas trop s'avancer.

« Merde, je ne vois rien, grommela-t-il. Tu peux faire quelque chose pour moi ? Monte au premier niveau de la première tourelle que nous avons inspectée. Penche-toi le plus loin que tu peux et dis-moi si tu vois… »

Je ne devais pas avoir l'air bien impatient de m'embarquer dans une escalade de ce genre. Je me frottai l'arête du nez, encore marquée d'une petite bosse, souvenir de sa confrontation avec la batte commémorative.

« Oh, Seigneur, soupira papa. Ce n'est pas grave, j'irai moi-même. »

C'était incroyable de le voir se balancer sans effort sur ces échafaudages branlants. De mon camp de base au pied de la tourelle nord-est, je le regardai escalader la façade de sa sœur au nord-ouest, les tubes bleus frémissant et ployant tandis qu'il se penchait pour mieux voir. Sans doute m'étais-je mis à vivre sa progression de l'intérieur comme si elle avait été mienne car lorsqu'il poussa un cri de joie, soudain, je fus si surpris que je dus me retenir au revêtement métallique pour retrouver mon équilibre.

« Ils en ont laissé une ! » me souffla-t-il, hors d'haleine, en revenant vers moi.

Il m'avait pris par les épaules et me secouait pour me faire partager son exultation.

« Une gargouille a quand même échappé au massacre. Une seule ! Elle est tout au bout, penchée au-dessus de Broadway ! »

La dernière partie de la tourelle – les trois mètres de paroi que surmontaient les deux mètres cinquante de la toiture pointue – s'élevait à partir du cinquante-troisième étage, celui où nous nous trouvions. Avec une échelle, on ne pouvait accéder qu'à la partie la plus basse. La section la plus élevée – le grillage conique du sommet de la cheminée – avait échappé aux efforts des ouvriers, de même que les « pinacles » ornementés en terre cuite qui saillaient, à intervalles réguliers, du sommet de la paroi. Mais tout le reste avait été arraché sans pitié par l'équipe des restaurateurs : oui, tout ce qui dépassait, jusqu'aux gargouilles.

Le problème, naturellement, était que, en l'absence d'échafaudage, les restaurateurs n'avaient pas été en mesure de travailler sur toute la circonférence de la tourelle. Des huit gargouilles, ils n'avaient pu en détacher que sept. La huitième, la dernière, était hors de portée, perchée de l'autre côté de la tourelle. De là, elle considérait d'un œil mauvais l'immeuble de Park Row dont les coupoles jumelles et les corniches de cuivre se dressaient au bout de City Hall Park.

Elle n'allait pas résister bien longtemps, cette malheureuse. Au cours de la semaine précédente, les responsables du chantier avaient redoublé d'efficacité, cerclant les trois autres tourelles de leurs échafaudages – lesquels prenaient appui sur les retraits du quarante-neuvième étage – afin de les dépouiller de tout ce qui dépassait, y compris les gargouilles. La tourelle nord-ouest était la dernière à supporter des échafaudages.

« Aujourd'hui, à la fin de la journée de travail, ils ont dû atteindre le cinquante et unième ou le cinquante-deuxième, dit papa en se penchant sur le muret. Tiens, juste là.

— D'accord. Donc, il suffit que tu puisses remonter ici avec Zev et les autres dimanche soir…

— Non. Dimanche, ce sera trop tard. Il leur suffira d'une demi-journée pour déployer l'échafaudage jusqu'au sommet et tout bousiller. »

Papa s'était mis à sautiller sur place, pour se débarrasser de son surplus de nervosité. Cependant, il ne me quittait pas des yeux.

« La gargouille, c'est là, *maintenant*, qu'il faut la récupérer. *Cette nuit.* »

J'avais une énorme boule dans la gorge – une chaussette roulée en boule et fourrée là. J'aurais voulu déployer toute ma logique, lancer sur papa mes bataillons de mots, comme j'y parvenais parfois avec mes copains de l'école. Mais la plupart du temps sa proximité, la force de sa présence, me coupait la parole. Je n'avais jamais pu me libérer complètement du poids que faisait peser sur moi le risque d'une désapprobation imminente.

Et, pour finir, je n'arrivai à articuler qu'une timide interrogation.

« Mais, papa, tu es vraiment sûr qu'ils vont démolir la gargouille ? Les ouvriers, je veux dire. »

Il émit un claquement de langue affligé.

« Si j'en suis vraiment sûr ? »

Ma question paraissait l'amuser.

« Oui, fiston, j'en suis sûr et certain. Les gars des chantiers de démolition ne sont pas des poètes. Leur truc, justement, c'est la démolition. »

Il s'était mis à genoux pour fouiller dans son grand sac, duquel il tira une scie électrique éraflée d'une forme et d'une taille inédites pour moi. L'engin était pourvu d'une gâchette recourbée et d'une longue lame aux crocs féroces.

« Tu sais, poursuivit-il, le premier moulage en terre cuite que j'aie jamais vu, c'était un visage de femme. Je ne sais quels crétins de chantiers de démolition l'avaient mutilé en le jetant d'un vieil immeuble, dans Yorkville. C'est ce moulage que tu tripotais le jour où je t'ai surpris à faire le clown dans mon atelier, à la maison. Mon deuxième sauvetage, c'était une tête de taureau récupérée sur l'un des plus sublimes bâtiments administratifs en terre cuite jamais construits dans cette ville – le Produce Exchange, vers Bowling Green. Ils étaient en train de réparer les joints en mortier, sans doute ; la façade était recouverte d'échafaudages, ce qui était bien commode. Je me suis pointé un samedi à la tombée de la nuit avec quelques outils et j'ai scié la tête du taureau, juste comme ça. Je l'ai rapportée à la maison en métro, dans le landau de ta sœur. »

Il expulsa un mince filet d'air entre ses deux incisives, mi-soupir, mi-sifflement.

« Le quatrième étage du Produce Exchange était orné de ces têtes d'animaux en terre cuite, absolument sidérantes. Deux ou trois ans après ma visite, ils ont abattu tout l'immeuble, y compris ces têtes. Qu'est-ce que je m'en suis voulu de n'en avoir sauvé qu'une. »

Dès qu'il eut fini son petit discours, papa sortit du sac une rallonge jaune. Puis il longea la façade, côté Broadway, jusqu'à une fenêtre à l'ogive sculptée, dont il poussa le battant. Il dut trouver une prise, car il revint vers moi quelques secondes plus tard, la rallonge dans son sillage.

« C'est une Sawzall », dit-il, l'engin branché puis allumé.

Il força la voix pour surmonter le grondement grasseyant du moteur.

« Jolie lame à denture inversée. »

Elle était férocement bruyante et sa lame tressautait, *tchika-tchika-tchika*, de haut en bas. Papa me fit signe de reculer puis s'attaqua avec ardeur aux feuilles d'aluminium. La Sawzall, en mordant dans le métal, émettait de monstrueux hurlements.

« Des prises pour les pieds, se contenta-t-il de me dire une fois son travail accompli, main tendue vers les trous irréguliers qui ponctuaient la surface métallique de la tourelle. De la belle ouvrage, juste pour mon garçon. »

Je dus lui répondre par un « Moi ? » incrédule, car papa rétorqua aussitôt :

« Et qui d'autre ? Je pèse quatre-vingt-dix kilos, fiston. Tu crois que tu pourras m'assurer ? »

Juste au-dessus de nous, il y avait ces pinacles de terre cuite saillant du sommet de la tourelle comme les pointes d'une couronne. Papa sortit un rouleau de corde de son sac, enfila des gants de travail et monta assez haut sur la paroi pour faire passer l'extrémité de la corde par-dessus l'une de ces excroissances. Puis, une fois revenu à mon côté, il attacha la corde à l'arrière de ma ceinture et tira un bon coup pour tester la solidité du nœud, ce qui eut pour effet de remonter mon slip, sensation peu agréable.

« Pas mal du tout, il me semble, me dit-il en me tendant la paire de gants. À toi, fiston. »

Et de refaire ce petit geste de la main, allez, file. Il était si excité que je n'osai pas protester. Lorsque quelqu'un se mettait en travers de son chemin – à ses yeux en tout cas –, il pouvait se montrer odieux.

Et donc, je grimpai. Quand papa s'enroula la corde autour de la taille et plia les genoux, l'air de dire qu'il était paré à tout, je commençai mon ascension vers le sommet, plaçant pieds et mains dans les trous pratiqués par la Sawzall. Papa s'occupait de la corde, toujours tendue entre la saillie et ma ceinture.

Lorsque je fus parvenu au bord de la paroi, en plein vent, il me vint une pensée surprenante. J'avais encore plus peur de tomber à l'intérieur de la tourelle que dans le vide qui donnait sur la rue. Si les trois autres sœurs étaient purement ornementales et soigneusement coiffées, celle-ci était sans chapeau. Je me tenais de fait perché sur le bord d'une énorme cheminée morte, avec au-dessus de la tête un cône ouvert en grillage.

J'avais toujours eu peur de tomber dans un trou. Alors, un trou de deux cents mètres de profondeur comme celui-là… Une seule maladresse, et mon corps dégingandé serait précipité vers la chaudière du sous-sol, les bras battant l'air.

« Fiston, il y a un truc qui me gêne avec cette corde. Elle frotte trop contre le pinacle, me cria papa, du retrait. Il te faut plus de mou. Ne bouge pas, je vais voir ce que les types ont laissé comme matos au vingt-septième étage, là où ils bossent.

— Attends ! » hurlai-je dans le vent.

Il avait déjà disparu derrière la paroi de la tourelle et ne pouvait plus m'entendre – ou en tout cas il pouvait me le faire croire. Il m'avait abandonné, une fois de plus. Je sentis mes testicules se contracter entre mes cuisses, tant j'avais la trouille, comme s'ils avaient voulu remonter dans mon ventre. De quoi me donner la nausée. On ne se sent jamais aussi seul que lorsqu'on vient d'être quitté.

Je fis de mon mieux pour ne pas regarder vers le bas tant que papa n'était pas revenu. Accroupi sur le rebord, j'étreignais des deux bras le pinacle gris de suie et craquelé. J'essayais d'imaginer la progression de papa, de minute en minute. Quelque part dans les étages inférieurs, il entrait par effraction dans un débarras. Il fouillait un placard de ses mains puissantes. Il avait hâte de remonter me voir. Si je concentrais mes pensées sur lui, j'arriverais certaine-ment à le faire penser à moi : c'était presque aussi bien que d'être avec lui.

Papa revint avec un gros machin ovale qui cliquetait à chacun de ses pas. Il me pria de détacher la corde de ma ceinture et de la faire descendre jusqu'à lui, par-dessus le pinacle. Il y attacha sa prise, que je dus ensuite remonter : c'était une grosse poulie en bois sur le flanc de laquelle était scotché un cutter au manche vert.

« Je l'ai trouvée sur les échafaudages suspendus qui leur servent à nettoyer les vitres, m'expliqua papa. J'ai dégoté d'autres bricoles utiles ; je t'enverrai ça tout à l'heure. »

Pour le moment, je devais détacher la poulie, renvoyer la corde à papa et progresser sur le rebord de la tourelle de manière à me retrouver à l'aplomb de la gargouille.

« Quand tu te seras bien installé au-dessus, accroche la poulie à la grille et attends-moi. »

Je m'exécutai. Sans plus aucune corde à la ceinture, sans plus aucune protection, je progressais avec lenteur sur le rebord passablement effrité de la tourelle. La poulie calée sous l'aisselle droite, je faisais régulièrement halte pour reprendre mon souffle et tenter d'apaiser les battements de mon cœur. Le vent s'intensifiait, balayant l'embouchure ronde de la tourelle avec un bourdonnement mélancolique et sonore – version plus profonde, plus désolée, du doux gémissement que l'on produit quand on souffle dans le col d'une bouteille de coca. J'imaginai de nouveau la chute dans la cheminée et je me sentis vaguement nauséeux. Histoire de penser à autre chose et de me réchauffer, je plaquai le menton sur ma poitrine et exhalai un peu d'air chaud sous ma doudoune.

La façade externe de la tourelle était presque entièrement recouverte d'un filet noir, à quelques singulières exceptions près. Tous les mètres, le filet était troué. Dans l'un de ces orifices, je distinguai une sorte de moignon de terre cuite. Ultime vestige, sans doute, de la gargouille qui avait naguère vécu là. Ce n'était pas bien difficile de comprendre ce qui avait rendu mon père malade de rage. À voir de si près les traces de l'absence, l'estomac se nouait.

Après avoir longé deux ou trois de ces moignons, j'atteignis bientôt le point le plus éloigné du rebord, au-dessus du gouffre obscur qui surplombait Broadway. Cette fois-ci, ce n'était plus une absence que j'avais sous les yeux, mais une forme bien présente, aux contours ciselés, au long cou, saillant de la paroi avec une susceptible alacrité. Le corps de la créature s'arc-boutait contre le filet noir qui la moulait ; si je n'avais su ce qu'elle était, j'aurais pu la croire vivante. Elle dégageait une indéniable énergie, cette gargouille. Et plus je la regardais, penché sur le gouffre, mieux je distinguais son exotique silhouette : griffes recourbées agrippant la façade, cuisses musculeuses et méfiantes, près de bondir ; collerette de plumes – des ailes, peut-être ? – sur un dos arqué ; cou alerte, tendu. Elle était toute vigilance, puissance froide et retenue.

Mais aussi bien amusante créature, à ce qu'il me semblait, exigeant un examen rapproché. Il me fallait avant cela avoir les mains libres. La vieille poulie était pourvue d'une sorte de crochet ; je me redressai de toute ma taille et la fixai à une des traverses d'acier du grillage, avant de détacher le cutter.

Puis je m'accroupis de nouveau et, après avoir fait jaillir la lame d'un mouvement sec du pouce, je m'attaquai au filet noir qui voilait la gargouille. Quel plaisir de voir la gaze tomber ! Lorsque j'eus mis la gargouille à nu, je compris que ma joie était fondée : la créature de terre cuite portait ce qui semblait être une laisse improvisée. Une chaîne, fine et rouillée, lui entourait le cou puis filait en diagonale jusqu'à un boulon fiché dans le mur.

« Bravo ! »

La voix de papa résonna, quelque part en contrebas.

« Tu as compris à quoi servait le cutter. Nous sommes déjà en avance sur le programme. »

Je baissai les yeux vers lui au moment même où il allumait une lampe de chantier qu'il avait installée pour moi en haut de l'échafaudage, à cinq bons mètres en dessous de la gargouille, ce qui ne m'empêcha pas d'être momentanément aveuglé. Il avait dû emprunter l'escalier de l'immeuble jusqu'au retrait du quarante-neuvième étage, là où la tourelle – et sa nouvelle cage en tubes d'acier – prenait appui ; puis il avait escaladé l'échafaudage inachevé pour se retrouver juste au-dessous de moi et de la gargouille.

« Ouais, fis-je en retour. Je l'ai délivrée de ses voiles, je crois. Tu as vu cette laisse ? À quoi ça sert ? "Veuillez surveiller vos gargouilles", c'est ça ? »

Papa leva les yeux vers la créature, dont je désignais la petite chaîne.

« Ah, c'est une façon de faire originale, commenta-t-il, hilare. Mais pas franchement surprenante. Le fait est que personne n'avait jamais employé de revêtement en terre cuite pour un immeuble si colossal. De sorte que dès la fin du chantier, en 1913, les ornements ont commencé à se faire la malle. Pendant des dizaines d'années, ils ont utilisé des moyens de ce genre pour limiter la casse. Pas vraiment convaincant. »

Après m'avoir suggéré de « me bouger un peu », papa me lança une corde pourvue d'un crochet en métal, que je ne parvins à attraper qu'à la troisième tentative. Obéissant à ses instructions, j'insérai la corde dans la poulie accrochée au grillage puis en fis descendre une des extrémités vers lui. Une minute plus tard, je remontai la corde : papa y avait accroché une sorte de harnais enfoncé dans la poignée d'une scie circulaire, laquelle traînait dans son sillage une épaisse rallonge orange.

« L'engin, tu le mets de côté. Et tu enfiles le harnais, m'ordonna papa. Je l'ai emprunté aux types qui manient les jets à haute pression. »

Ce n'était guère plus, ce harnais, qu'une épaisse ceinture en cuir cousue sur une solide bande en toile rembourrée, de vingt centimètres de large. Je la fixai rapidement autour de ma taille, ce qui m'appuyait désagréablement sur les hanches. Le harnais était pourvu à l'arrière d'un anneau en forme de D, auquel j'attachai ma corde, celle dont papa tenait l'autre bout, avec entre nous la poulie. Étais-je un alpiniste encordé ou une marionnette ? Difficile de trancher.

Je savais comment manier la scie circulaire. Quand nous étions à Echo Harbor, papa et moi nous en étions servis pour fabriquer une petite maison à oiseaux, à la demande de maman. La petite construction devait héberger les passereaux du jardin. Mais, comme nos ouvertures étaient trop grandes, l'habitacle avait été rapidement investi par une famille d'écureuils incroyablement méchants, qui en avaient chassé nos locataires à plumes.

« Les gargouilles, me dit papa de l'échafaudage, surtout lorsqu'elles sont aussi longues que celle-ci, sont en général renforcées par une tige de bronze qui leur traverse le corps. L'une des extrémités se trouve dans la bouche, à laquelle elle est fixée par un écrou à rondelle, l'autre bout traverse l'enduit de façade et est directement soudé à l'ossature métallique de la tourelle. »

Il fallait cependant commencer par le début et attaquer la terre cuite avant de trancher la tige. Première étape : je devais donc couper dans les chairs de la gargouille au plus près de la tourelle. Sans me soucier, précisa papa, de la tige de bronze : la lame de la scie circulaire n'était pas assez longue pour l'atteindre.

« Fiston, coupe aussi profond que tu le peux ; quand tu auras fini, je te montrerai comment la détacher de la paroi. »

L'un de nos bouquins préférés, à Kyle et moi, était *Catch 22*. Installé sur ma corniche, je n'arrivais pas à me sortir de la tête la description répugnante que l'auteur fait d'un type qui tombe d'un immeuble et s'écrase sur le trottoir. Et son corps mutilé gît, inerte, comme « un sac en alpaga rempli de glace à la fraise, les orteils roses en vrac ». On avait toujours trouvé ça follement drôle, tous les deux, mais rien que de repenser à ce type sur l'asphalte, attendri comme un steak, je me sentais l'estomac à la fois vide et trop plein.

Cela dit, j'avais mis au point un plan qui devait m'éviter ce destin de fruit trop mûr. J'enfourchai le rebord de la tourelle légèrement à droite de la gargouille, serrai les cuisses sur ce pan de mur et me penchai, scie à la main, vers la créature. Je me stabilisai avant d'appuyer sur la gâchette de la scie, abaissant la lame bourdonnante sur l'encolure de la gargouille. Le métal eut beau émettre un gémissement au contact de la bête, la lame pénétra dans la terre cuite sans difficulté et je pus, non sans précaution, lui faire parcourir toute l'encolure, aussi loin que ma position le permettait. Je surplombais un précipice de plus de cinquante étages mais, étrangement, j'étais presque soulagé de ne plus avoir à considérer la gueule béante de la tourelle.

Après avoir éteint la scie assez longtemps pour me reposer les fesses sur le rebord, j'opérai un quart de tour et, penché suivant un angle plus périlleux, je poursuivis mon travail de sape, atteignant cette fois-ci le dessous de la gargouille – sa gorge, si vous préférez. Je plissais les yeux pour me garder de la poussière de terre cuite, que le mouvement de la lame dirigeait droit vers moi ; pas de difficulté majeure, hormis cet inconvénient. Et la pression, légère, certes, mais toujours sensible autour de mes hanches, me renseignait sur la vigilance de papa, lequel s'adaptait à mes gestes avec une grande subtilité, maniant la corde et la poulie au gré de mes mouvements. Nous faisions une belle équipe.

« Et maintenant ? » demandai-je, après avoir fait taire la lame de la Skilsaw.

J'avais pratiquement décapité la gargouille, une blessure sombre bordée de chaque côté d'une fine ligne de poudre d'argile. La bête cependant restait bien attachée à la paroi.

Papa me demanda d'ôter le harnais et de le lui renvoyer, avec la scie circulaire. Son excitation était palpable ; elle confinait à la crise maniaque. Il parlait à toute vitesse et s'agitait sans doute plus qu'il n'était nécessaire, là-bas, sur son échafaudage branlant. Il me renvoya bientôt le harnais, lequel cette fois-ci ceignait la Sawzall.

Lorsque j'eus renfilé mon inconfortable ceinture de force, je me donnai quelques instants de répit pour regarder le paysage. Le ciel était un peu plus clair, la ville gardait peut-être un peu moins bien ses secrets. Les amas obscurs, informes, au sud, commençaient à ressembler vaguement à des immeubles.

« Bon, fiston, cet engin-là est plus instable que la scie circulaire, me cria papa de son plancher suspendu. Pour un meilleur équilibre, tu vas faire la chose suivante : maintenir la lame en position marche grâce au petit bouton qui se trouve au-dessus de la gâchette. Après quoi, tu vas simplement enfoncer la lame dans la coupure que tu as déjà pratiquée. Quand tu en seras là, rajoute un peu de pression sur la poignée avec la main gauche et descends la lame lentement vers la tige en bronze. Quand tu auras fini de scier, c'est la fameuse laisse qui empêchera la gargouille de plonger dans le vide. »

Le temps que je trouve l'angle d'attaque et la position qui convenaient, j'avais la tête penchée si bas que je sentais le sang battre à mes tempes.

« Ne t'en fais pas. Penche-toi autant que nécessaire, disait papa. Je te retiens. »

Il ne me mentait pas : je sentais le tiraillement rassurant de la corde au-dessus de mes hanches et je l'apercevais en dessous de moi. Il me donna un peu de mou lorsque je me penchai pour poser la main sur le haut de la Sawzall.

J'enfonçai la lame dans la fine entaille de l'encolure de la gargouille, comme papa me l'avait expliqué, appuyai sur la gâchette et pressai le petit bouton. Je sentis immédiatement que quelque chose n'allait pas. J'avais oublié un détail d'importance : il faut toujours allumer une scie électrique avant d'atteindre l'objet qu'on veut découper. Dès que j'entendis la lame ricanante se mettre en marche avec des sauts de grenouille dans tous les sens, je compris qu'elle essayait de me battre, et la gargouille avec moi. La lame était coincée dans la fente, une situation que la créature de terre cuite n'appréciait pas du tout. Pour essayer de la dégager, je me penchai encore plus loin de la paroi et renforçai ma pression sur le manche d'un geste sec de l'avant-bras gauche. La scie commença par résister, poursuivant le combat, moteur hurlant. Son énergie pugnace, trépidante, se transmettait non pas à la lame mais à moi, me remontant dans le corps par les mains et les bras, ce qui m'obligea à rajuster brutalement ma position afin d'éviter la chute. Peut-être ce mouvement causa-t-il quelque dommage à la lame ou au moteur. Toujours est-il qu'après avoir fonctionné un court moment de la manière la plus normale, la lame avançant et reculant par saccades dans la fente, la Sawzall, je le sentis, rebondit sur la tige, s'arrêta, crachota et recula vers moi avec une surprenante violence. La poignée de la scie heurta mon épaule et me fit perdre l'équilibre.

Je tombai sur le côté, le long de la paroi, et lâchai la scie pour étreindre le long col de la gargouille de mes deux bras, un plongeon désespéré qui sembla, chose remarquable, stopper ma chute. Puis je sentis ce tiraillement à ma taille – sensation sèche, merveilleuse – et je compris que ce n'était pas la créature mais papa qui me retenait, papa qui tirait de toutes ses forces sur la corde.

Dans ma confusion où se mêlaient le désespoir et la reconnaissance, les bras serrés sur le cou de la gargouille, je vis la scie tomber dans l'échafaudage, sa lame dentelée tranchant les airs. Épargnant papa, elle s'écrasa sur les planches, à quelques dizaines de centimètres de lui. Sa lame encore agitée de féroces convulsions, elle poursuivit sa route sautillante et folle vers les chevilles paternelles – ce qui força papa à bondir de côté pour l'éviter.

Comment aurait-il pu ne pas lâcher la corde ? Soudain, plus de tiraillement autour de la taille : je pesais de tout mon poids, subitement considérable, sur la gargouille. Dans mon épouvante, je la serrai encore plus fort dans mes bras, plaquant mon maigre torse à son col efflanqué – lequel, à ma grande stupéfaction, était toujours attaché à la paroi. Puis, lentement, presque sereinement, la créature des airs pencha la tête vers la rue. Il y avait dans ce mouvement quelque chose de profondément contemplatif, de parfaitement volontaire. Et son cou se brisa net au niveau de la plaie que j'avais creusée. La fine chaîne se délogea du mur et je plongeai vers l'abîme, étreignant contre moi cet inutile morceau de terre cuite aux oreilles de dragon.

Le temps sembla s'arrêter. En passant, tête la première, devant l'échafaudage, je ne vis pas mon père mais le raccord transversal auquel il avait accroché la corde une demi-seconde avant que la force de ma chute ne la fasse se tendre et voler, comme saisie de panique, vers la poulie. Puis la corde se raidit, tira brutalement sur mon harnais, interrompant ma chute l'espace de quelques secondes, avant que le raccord de traverse ne se détache de l'échafaudage, me rendant à la gravité, au plongeon vers le trottoir.

Rien ne me retenait plus : je filais vers les lueurs jaunes et troubles des lampadaires de Broadway, l'air froid me cinglait si méchamment le visage et la gorge que je ne pouvais plus ni respirer ni même cligner des yeux. Cette fois-ci, lorsque la corde se tendit une nouvelle fois sur le harnais, avec une extrême violence, ma stupeur fut totale. Le contact de la ceinture de toile avec mon bas-ventre fut si violent que j'en perdis le souffle. À présent, la gargouille et moi nous balancions au bout de la corde, la dynamique nous conduisant droit vers la paroi immense et verticale du Woolworth. Je m'agrippai de toutes mes forces à la créature de terre cuite, fermai les yeux avec autant d'énergie et ne les rouvris, avec réticence, que lorsque nous heurtâmes le rebord richement ornementé d'un élégant auvent également de terre cuite. La gargouille subit l'essentiel du choc et envoya voler dans tous les sens des éclats de crosses et de pinacles, comme autant de quilles gothiques. Puis nous repartîmes en sens inverse, tournoyant au bout de notre filin à rebours des aiguilles d'une montre, contemplant, bien malgré nous, le bas de Manhattan – le colossal capharnaüm du quartier des affaires, les travées ponctuées de harpes du pont de Brooklyn, la déesse d'or terni qui surmontait la tour à colonnes, de l'autre côté de City Hall

Park – avant de repartir vers la visière de l'auvent, plus doucement, et cette fois-ci, mon épaule droite partagea avec la gargouille la violence de l'impact.

Nous nous affalâmes tous les deux sur le sommet de l'auvent. J'y restai un long moment les yeux fermés, pénétré de gratitude, respirant, simplement, respirant, jouissant de la sensation d'être enfin immobile.

Lorsque j'osai rouvrir les paupières, ce fut pour me retrouver, ô surprise, nez à nez avec la gargouille, j'avais complètement oublié que je la tenais encore dans mes bras. Elle me considérait de ses yeux pénétrants, profondément enchâssés dans son crâne. Elle avait la physionomie d'un labrador, ou d'un griffon, ou d'un dragon, ou peut-être d'un lion. Elle était tout cela à la fois sans être précisément l'un ou l'autre. Mais j'avais de l'affection pour elle, qui m'enveloppait d'un sourire subreptice de conspirateur. Cela me plaisait.

Elle avait quelque chose autour du cou, aussi. Surmontant la fatigue souveraine qui pesait sur mes paupières, je relevai la tête pour scruter cette curieuse et réconfortante compagne. Elle portait encore sa petite chaîne en fer. Cela me fit rire.

« Bon toutou », lui dis-je en reposant la tête sur son flanc, avant de fermer les yeux sur le monde.

22

ZEV, QUI DEVAIT PRESSENTIR QUELQUE CHOSE, vint travailler le lendemain, un samedi pourtant. Il s'était dit qu'on aurait peut-être besoin de lui, m'expliqua-t-il : soit pour verser la caution et faire sortir papa de taule, soit pour emballer quelques rarissimes pièces en terre cuite pour un envoi immédiat.

« On ne travaille pas pour un type comme ton père depuis douze ans sans comprendre qu'il finit toujours par faire ce qu'il a décidé de faire, surtout quand il est en pleine crise maniaque. »

Zev et moi étions en train de nous partager une salade de pâtes de la veille, assis devant une petite table dans le bureau – l'immense pièce du troisième étage, avec les grands tableaux et la fente dans le sol qui m'avait fait penser à Stanley la Crêpe. Mon père était au téléphone, installé dans le fauteuil en chêne pivotant, affalé contre le dossier, ses grosses chaussures de chantier sur le bureau. Il arborait un immense sourire.

« Eh bien, Don, le fait est que ça va te coûter bonbon, disait-il. C'est la dernière. La toute dernière. Et c'est moi qui l'ai récupérée. »

Il écouta la réponse tout en tartinant de crème cicatrisante la paume de sa main gauche d'un geste délicat : le passage de la corde suivant ma chute avait creusé une longue éraflure d'un méchant rose dans sa chair. Une fois sa main gauche traitée, il passa en grimaçant à la droite, ornée d'une plaie jumelle.

« Oui, oui, bien sûr, poursuivit-il. Tu peux passer la voir quand tu veux, dès que tu seras à New York. Ce que je suis en train de t'expliquer, c'est que je ne peux pas te donner un chiffre tout de suite. Il faut que je la côtoie un moment, cette chose. Ce n'est pas facile d'estimer l'inestimable. »

Il n'y avait qu'une épicerie à TriBeCa – Morgan's, sur Hudson Street. Les quelques artistes et autres originaux qui vivaient là étaient des clandestins. Morgan's, malheureusement, tout le monde le savait, n'avait pas de machine à glace. Papa avait envoyé Zev à la Towers Cafeteria, sur West Broadway, mendier un peu de glace auprès du couple qui tenait le café, Artie et Joan. Les glaçons, enveloppés dans un torchon crasseux, avaient grandement atténué les élancements de mon épaule contusionnée.

Zev essayait par tous les moyens – hormis celui de le déclarer haut et fort – de me faire comprendre à quel point il était choqué par les événements de la nuit passée : quoi, mon père m'avait fait monter dans le noir sur un gratte-ciel et j'étais tombé ! Pendant le récit de mes aventures, il ne cessa de lancer des regards ironiques et révoltés à papa. Zev voulait que je renonce une bonne fois pour toutes à la chasse aux gargouilles.

« Tu n'as pas des copains avec lesquels tu pourrais sortir, au lieu de fréquenter des vieux machins emmerdants comme nous ? me demanda-t-il. Ou une fille que tu pourrais emmener voir un film ? »

Mais la confiance accordée aveuglément aux parents est l'un des dangers de l'enfance. Du reste, auquel de ces deux hommes pouvais-je me fier ? À mon père, ce passionné animé par un sens revigorant du devoir ? Ou bien à ce hippie efflanqué au catogan poivre et sel et aux petits yeux inquiets ?

Zev, dans sa frustration, finit par mettre les pieds dans le plat.

« Écoute, Griff. Ce que je suis en train de te dire, c'est que ton père est en train de se mêler à des trucs vraiment louches dont tu ne sais rien ; franchement, tu ferais vraiment mieux de rester à l'écart. »

J'avais envie de lui envoyer mon poing dans la figure. Pourquoi voulait-il me séparer de mon père, maintenant que je l'avais enfin retrouvé ? Il n'aurait jamais risqué la vie de son fils sans une raison impérieuse.

Les glaçons en fondant mouillaient ma chemise. Je posai le torchon trempé sur la petite table et me dirigeai vers ma gargouille, couchée de travers sur le bureau en chêne. Je voulais contempler de nouveau son sourire en coin, sentir la curieuse chaleur qui se dégageait de son corps.

Mais voilà : elle n'avait plus une once d'énergie. Fini, zéro. Couchée sur le bureau, une tige de bronze tordue lui sortant du corps, cette gargouille de terre cuite n'était plus qu'un objet. Une chose. Sans son perchoir surélevé, sans le Woolworth – sans la *ville* –, elle était dépouillée de sa magie.

Je tendis la main, effleurai sa peau d'un beige terne. Papa, cependant, levant les yeux vers moi, me chassa d'un claquement de doigts. J'étais vexé. Je me rassis à la petite table.

« Ça, c'était à prévoir, marmonna Zev, la bouche pleine de pâtes. Il a déjà oublié que c'est toi qui es monté sur la tourelle, toi qui as découpé cette fichue bestiole. »

Il regarda mon père avec insistance. Ce dernier avait saisi la tête de la gargouille entre ses deux mains et la fixait, les yeux pleins d'un étonnement avide. Après être resté un moment dans cette position, le combiné du téléphone précairement logé entre son menton et son épaule, il reposa la tête d'un geste soudain et se redressa sur sa chaise.

« Ah, tu trouves que je ne suis pas commode ? Ça me désole, fit papa à son interlocuteur lointain. Quand je t'ai promis une longueur d'avance sur les autres, je ne t'ai pas menti. Mais le fait est, Don, que pour l'heure elle m'appartient. Et quand je te dis que je vais la garder un moment chez moi, c'est que je le pense vraiment. Pigé ? »

Zev ne l'avait pas quitté des yeux. Songeur, il mâchonnait ses nouilles. Sans cesser de regarder papa, lequel enveloppait la gargouille d'un regard furieux, la main posée sur la plaie irrégulière de son cou, Zev se tourna vers moi.

« C'est marrant, cette manie de la collection, Griffin. Au début, c'est de l'amour. Et puis ça devient accaparant et destructeur. »

23

MAMAN VOULAIT ME PARLER. Dans sa chambre. Et à l'instant, si mon emploi du temps certainement chargé le permettait.

Cette conversation, je la redoutais depuis un moment. Quand mes parents vivaient encore ensemble, ma mère l'avait clairement fait comprendre à mon père : s'il volait encore un seul fragment de New York, elle le quitterait sur-le-champ. Quelle serait ma destinée dans cette maison si maman apprenait mes frasques en série ?

Elle devait se douter de quelque chose. Je l'avais vue penchée sur la manche de mon blouson, examinant la poussière de pierre. Un jour, elle avait trouvé un burin dans la poche de ma doudoune. Simplement, je le sentais, elle refusait de penser que je pouvais être un détrousseur de façades. Elle avait semblé grandement soulagée d'apprendre (par mes soins) que mon nez cassé et mon épaule endolorie avaient pour cause première une fille.

Cette fois-ci, cependant, elle avait de toute évidence découvert quelque chose d'inquiétant.

« Griffin, me dit-elle, tandis que je m'asseyais au bout de son lit, en face d'elle. Je vais te poser une question à laquelle je veux que tu me donnes une réponse sincère. Tu comprends ? »

Je hochai la tête.

« Griffin, j'ai trouvé… »

Les joues rougies, elle s'interrompit un moment avant de reprendre.

« Griffin, je ne t'en veux pas, comprends-le. Comment pourrais-je t'en vouloir ? Ce doit être complètement normal pour un garçon de ton âge. Et Dieu sait que je ne suis pas bégueule. Mais, bon… Je crois… enfin, j'ai besoin de savoir la vérité sur ce point : au nom du ciel, pourquoi gardes-tu une *tranche de jambon cuit* sous ton lit ? »

À mon tour de rester sans voix.

« Elle devait traîner là depuis une éternité, poursuivit maman, l'inquiétude et le dégoût lui plissant le front. L'odeur était infecte. Et quand je pense à ce que tu as pu faire… »

Ce n'était visiblement pas une bonne idée de la laisser s'épancher sur ce sujet.

« Eh bien, repris-je, je sais que ce n'est pas très facile d'expliquer ces trucs-là, maman. Mais est-ce que tu as déjà entendu parler du, euh… du Bec de la mort ?

— Du Bec de quoi ? fit-elle, avec une expression de vague épouvante.

— Le Bec de la mort. En fait, il n'y a pas grand monde qui en soit capable, mais il y a cette légende qui circule sur… et à mon avis, ils ne doivent pas utiliser de jambon en Malaisie – mais je me suis dit qu'en m'entraînant vraiment sérieusement, je pourrais apprendre à faire un bec avec mes doigts et… »

Je laissai les mots sombrer dans le silence. Il était impossible d'expliquer la présence de cette tranche de jambon sous mon lit avec des mots que comprenaient les adultes.

Ma mère en avait entendu bien assez. Son regard s'adoucit.

« Il n'y a pas de problème, me dit-elle en me donnant une petite tape rassurante sur l'épaule. Inutile de m'expliquer. J'ai lu *Portnoy et son complexe*, tu sais. »

Je ne compris pas où elle voulait en venir. Cependant, il était temps maintenant de changer de conversation.

Avait-elle l'intention d'aller voir Quigley au spectacle du lycée, le soir même à 19 heures ?

« Oh, zut, c'est ce soir ? Oui, il faudrait vraiment que j'y aille, mais je n'ai aucune envie d'y croiser ton père.

— Aucun risque. Il m'a répondu la même chose que toi quand je lui ai posé la question. Il ne voulait pas y aller parce qu'il ne voulait pas s'exposer à une rencontre. Il faut vraiment que tu y ailles, maman.

— Et toi ? Tu y vas ?

— Mon Dieu, non, dis-je en me dirigeant vers la porte. Mais moi, je ne suis pas sa mère.

— Bon, je vais y réfléchir. Au fait, si tu descends à la cuisine, tu pourrais me préparer un petit kawa ? Il devrait y avoir du Medaglia d'Oro soluble juste à côté de la cuisinière. »

Contre toute logique, Quigley avait réservé trois places au premier rang, portant chacune une pancarte FAMILLE WATTS. Je choisis celle du milieu et m'étalai du mieux que je pus sur les deux autres, comme un obèse qui prend ses aises. En revanche, ce ne fut pas une mince affaire que d'attendre l'apparition de Quigley. Je dus subir l'attaque d'un duo de flûte à bec d'une nullité abyssale et l'interprétation tremblante et plaintive de « Greensleves » à la scie musicale.

L'entrée de Quigley fut des plus réussies. L'église avait été plongée dans l'obscurité la plus totale, hormis les rectangles lumineux qui indiquaient SORTIE en lettres rouges toutes les quatre ou cinq voûtes. Puis, alors que les spectateurs, embarrassés, commençaient à se trémousser sur leurs sièges, un énorme projecteur illumina la scène et une voix d'homme, profonde, suave, résonna dans les haut-parleurs.

« Mesdames et messieurs, nous avons l'honneur ce soir de vous présenter un numéro exceptionnel, unique... les *Sœurs Watts* ! »

Sur ce entra en scène d'un pas conquérant une sœur unique – Quigley. Elle portait un haut-de-forme doré et scintillant, une queue-de-pie noire et un maillot Danskin dont l'imprimé, en trompe-l'œil, figurait une chemise à col dur et un nœud papillon. Costume complété d'une canne noire à embout argenté, qu'elle maniait avec une assurance canaille. Lorsqu'elle pénétra dans le cercle de lumière de la scène, elle arborait un si large sourire qu'on lui voyait même le début des gencives. Un cercle de rouge un peu trop rond, un peu trop criard s'étalait sur chacune de ses joues tavelées de taches de rousseur.

Une bannière de satin fut déployée par une main invisible : à l'évidence faite maison, elle proclamait, en lettres rouges sur or, larges, voyantes, très cabaret, LES SŒURS WATTS. Sur les bancs autour de moi, tous les spectateurs tendirent le cou, échangèrent des murmures ; il leur fallut pourtant bien se faire à l'idée que les sœurs se résumaient à cette seule fille en haut-de-forme. Un rire admiratif – je l'interprétai du moins comme tel – parcourut toute l'église.

Lorsque Quigley ouvrit la bouche, ce fut pour proférer quelques mots d'une voix si profonde et si voilée qu'il dut sembler à l'assistance que cette petite rouquine au fier maintien devait avoir avalé un bougon quinquagénaire marchand de tapis à Canarsie.

« Je suis ici pour vous *amuseeeer*, feula-t-elle en musique. Je suis ici pour vous *fairrre sourrrire* ! »

Je reconnus la chanson, extraite de *Gypsy*, une comédie musicale dont Quigley passait l'album en boucle sur son tourne-disque en plastique beige.

Elle connaissait son heure de gloire, seule en scène, un tel sourire sur le visage que j'en avais mal à la mâchoire rien qu'à le regarder. L'auditoire était en adoration – encore plus séduit par son énergie que par sa voix ; elle lui rendait son amour. Puis son regard, jaugeant la masse de ses admirateurs, se posa sur le premier rang ;

elle me vit, elle vit aussi les deux sièges vides de part et d'autre du mien. Ses yeux balayèrent rapidement la salle – fouillant sans doute les allées à la recherche des retardataires. Lorsqu'elle se rendit compte que sa quête était vaine, ses joues s'empourprèrent et elle me fusilla du regard, comme si nos parents étaient bel et bien venus et qu'ils venaient juste de repartir, chassés par quelque impardonnable facétie de ma part.

J'étais au trente-sixième dessous. Je fichai le camp dès qu'elle eut détourné les yeux. Elle devait remonter sur scène une seconde fois pour un solo de claquettes, un des clous du numéro final, qui regroupait tous les jeunes artistes. Il n'était peut-être pas trop tard pour arranger les choses. Tout en rentrant à la maison au pas de course – 90e Rue, puis Madison, à gauche sur la 89e Rue pendant deux pâtés de maisons, devant Dalton and Service Hardware –, j'essayai de comprendre quel démon avait poussé Quig à choisir les Sœurs Watts comme nom de scène, elle qui n'avait qu'un frère.

En traversant Lexington Avenue, je vis nos locataires au bout du pâté de maisons sortant tous ensemble de chez nous, le nez en l'air, comme des animaux fuyant un feu de forêt. Ils se séparèrent promptement ; Mathis remonta vers moi, les deux autres prirent la direction de la Troisième Avenue, M. Price d'un pas inquiet, rapide, *Monsieur** Claude se débrouillant pour garder sa posture d'ennui langoureux, quand bien même il ne lambinait pas.

Le temps que Mathis me reconnaisse, il était trop tard pour qu'il puisse changer de direction. Nous évitâmes de peu la collision.

« Que se passe-t-il ? lui demandai-je. Où allez-vous, tous autant que vous êtes ?

— Qui sait, qui sait, marmonna-t-il en dodelinant de la tête, l'air gêné. Oh, il fallait leur ménager un peu d'intimité, c'est tout. Tu as couru ? Pourquoi ? »

Je lui parlai du spectacle de Quig, des sièges vides. Accepterait-il d'en occuper un ? L'église était à cinq pâtés de maisons, pas plus.

« Difficile à dire, difficile à dire, murmura-t-il en levant les mains et en faisant bouger ses doigts, comme s'il comptait quelque chose à toute allure. Comment puis-je être certain de l'existence de cette représentation ? Vous êtes malins, vous autres, les enfants Watts. L'an dernier, en octobre, à cause de ta sœur, je me suis retrouvé sur le ferry de Staten Island pour aller voir une pièce de Beckett totalement imaginaire. Quant à toi qui prétends ne rien connaître ou presque au backgammon, je te dois deux cent trente-sept dollars et soixante-quinze cents, pas moins. »

Rappel qui ne tomba pas dans l'oreille d'un sourd. J'annulais sa dette de jeu, lui proposai-je, s'il acceptait d'aller voir le solo de claquettes de Quigley. Derrière ses lunettes à la Gandhi, ses yeux se mirent à briller.

« Parfait ! s'exclama-t-il. J'y vais. J'ai mon honneur, tu sais. Je n'ai jamais renoncé à récupérer cet argent à la loyale. »

Papa et maman étaient trop occupés à se hurler dessus pour m'entendre ouvrir la porte. Ils étaient au rez-de-chaussée, dans le vestibule, un endroit mal éclairé où le courrier était toujours trié et disposé sur une petite table d'osier. Mes Sea Monkeys[1] étaient-ils arrivés ? Je les avais commandés six semaines plus tôt, en me servant du bon trouvé au dos d'un numéro d'*Archie*.

« Tu ne paies plus la maison, c'est ça, hein ? déclarait maman d'une voix accusatrice. Et c'est tout à fait intentionnel de ta part !

---

1. Soit des artemias, minuscules crevettes d'eau de mer dont les œufs peuvent survivre sans eau. La marque Sea Monkeys a été développée au tout début des années 1970. En France, ce fut le magazine *Pif* qui les proposa en gadget à ses jeunes lecteurs sous le nom de *pifises*. (*N.d.l.T.*)

— Je te demande pardon ? Sors-toi la tête du cul, Ivy. Le proprio, ici, c'est moi. Si la banque me la reprend, c'est moi qui suis perdant, pas toi. »

Je restai sur le seuil, sur le bord effrangé du tapis persan, là où ils ne pouvaient pas me voir.

« Nick, j'habite ici. Les enfants habitent ici. C'est notre maison.

— C'est idiot, ce que tu dis. Puisque rien n'est à toi, tu n'as rien à perdre. »

Je ne savais pas trop à quoi m'attendre. La publicité pour les Sea Monkeys montrait un roi jovial à la peau rose et aux orteils palmés. Sa longue queue dissimulait ses parties intimes. Il tenait par l'épaule sa femme, la reine, et leurs deux rejetons, écailleux et souriants. Il y avait des tas de bulles rigolotes et un château en arrière-plan. La reine portait un joli nœud dans ses antennes ; son maquillage n'était pas des plus discrets, lèvres de poisson rouges et pulpeuses, longs cils langoureux.

« Le monde entier raffole des Sea Monkeys ! Ils sont si surprenants qu'on ne se lasse jamais de les regarder, promettait la publicité. Ils nagent, jouent, gambadent, se font la course, exécutent toutes sortes de tours et de cascades hilarantes. » Je ne savais pas très bien comment cette royale et aquatique famille de clowns des mers pouvait m'être expédiée dans une enveloppe, mais j'avais compris qu'à réception du pli il me suffirait de les plonger dans un verre d'eau pour leur donner vie. Pour obtenir ce privilège, j'avais scotché six pièces de vingt-cinq cents, deux de dix et une de cinq à un morceau de carton et expédié le tout, avec mon bon de commande, à l'adresse suivante : « Aquarium des Sea Monkeys, 200, Cinquième Avenue ».

« De toute façon, comment aurais-je pu payer une échéance que je n'ai jamais vue ? hurlait papa.

— Ce n'était pas une échéance, Nick. Ce courrier parle de troisième mise en demeure. *Troisième !* »

Je franchis le seuil. Ils se retournèrent tous deux vers moi, bouche ouverte, interrompus dans leur échange.

« Vous savez si mes Sea Monkeys sont arrivés au courrier ? »

Ils me considérèrent un instant, le front plissé, pris au dépourvu, sans doute, par la puérilité de mon intervention. Au lieu de me répondre, cependant, ils reprirent aussitôt leur occupation d'adulte – s'engueuler, ça, c'était important, comme si je n'avais rien à voir avec eux. J'eus un moment de rêverie : ah, les scotcher sur un énorme bout de carton, ou peut-être une planche de contreplaqué peint en bleu, comme celles qu'on trouve sur les chantiers de démolition, et les expédier tous les deux au 200, Cinquième Avenue. Combien de timbres faudrait-il ? Et y aurait-il un gamin à l'aquarium pour signer le registre des recommandés comme j'avais signé pour la mise en demeure de papa ?

« Par ailleurs, disait celui-ci, de quel droit ouvres-tu mon courrier ? Qui se permet de signer pour des lettres recommandées qui me sont adressées ?

— Nick, je n'ai signé que pour celle-ci. Mais ce n'est pas le problème. Le problème, il est ailleurs ! »

Le problème, c'était la manière dont il réduisait maman à la pauvreté. La manière dont son avocat s'était débrouillé pour qu'il paie tout en prestations complémentaires, et non en pension alimentaire pour nous, les enfants, ce qui forçait maman à payer des impôts sur ce qu'il lui versait. Le problème, c'était l'absence de responsabilité dont il faisait preuve vis-à-vis de la maison.

« *Absence de responsabilité ?* »

Papa haussa des sourcils indignés. *Qui en avait eu assez dans la caboche pour renégocier l'emprunt de la maison à taux fixe avant que les taux d'intérêt ne s'envolent ? Qui leur avait trouvé une assurance maladie qui ne les mettait pas sur la paille ? Qui avait multiplié les initiatives financières les plus scrupuleusement étudiées pour la famille, initiatives*

qu'elle était soit trop bête, soit trop flemmarde pour se donner
la peine de comprendre ?

« Et tout ce que tu trouves de mieux à faire pour me remercier, c'est d'ouvrir mon foutu courrier ? »

Il bondit vers la table et rafla de la main gauche le courrier de nos locataires. Puis, de la main droite, il se mit à le lacérer, déchirant les enveloppes par les coins ou sur la longueur, avant de les laisser tomber sur le plancher comme autant de serpentins.

« Ouvrir le courrier des gens, tu crois que ça se fait ? Hein ? fulminait-il. Violer leur intimité ? Je me demande ce que tu dirais si je vous traitais de la même façon, toi et tes bonshommes...

— Arrête ! Arrête immédiatement ! Elles ne sont pas à toi, ces lettres ! »

Ma mère lui avait attrapé la main, cherchant à récupérer les enveloppes, et lui donnait des coups de griffe de ses ongles brun-rouge ; lui, le bras tendu, gardait le courrier mutilé hors de sa portée.

« Comment oses-tu, Nicky ? Comment oses-tu ! »

Ce fut alors que je m'avançai pour m'interposer. Je les agrippai chacun par le poignet. J'étais plus grand qu'elle, plus petit que lui – mais j'étais surtout entre eux deux, la position la plus essentielle, la plus horrible qui soit. Et j'en usai pour les séparer de mon corps réticent. Je ne pouvais les regarder ni l'un ni l'autre, ne voulais pas voir la laideur qu'exprimaient leurs visages. Mais je sentais leur contact, ça, oui. Le poignet de maman était tout fin, délicatement veiné, ses os frêles s'étendant en longueur sous mes doigts. Celui de papa était plus épais ; ses poils drus me chatouillaient grotesquement la paume. Ils avaient un point commun, cependant, ces deux poignets. Leur chair frémissait de la même hostilité bourdonnante, électricité rageuse qui ne demandait qu'à être libérée. Et moi, entre papa et maman, les tenant tous les deux par la main, je complétais le circuit. Je devins alors – ou peut-être était-ce le cas depuis des années – le lien essentiel par lequel ce fluide destructeur pouvait passer. Le choc fut immédiat. Je sentis me traverser et se mêler en moi deux irritants et symétriques courants de haine ou d'amour corrompu – peu importe le nom qui convenait à cette force qui jaillissait de chacun d'eux pour converger en moi. Je la sentis vibrer au bout de mes doigts – comme le jour où j'avais appuyé sur le téton de la fille robot, à la porte de l'atelier de papa – en pire, en bien pire. Elle courut sous la peau tendre de la face interne de mes avant-bras, sous mes aisselles, vers mon cœur, vers ma gorge. Elle me coupa le souffle et m'enflamma les joues de l'intérieur, elle me... eh bien, elle me rendit fou de rage.

« PUTAIN DE MERDE, qu'est-ce qui vous prend, à tous les deux ? m'entendis-je hurler. D'ailleurs, qu'est-ce que vous foutez à la *maison* ? »

Mes parents me regardèrent, bouche bée. Comme s'ils venaient de se rendre compte de ma présence. Je n'avais jamais prononcé de gros mots devant papa – je n'en avais jamais eu le courage. Je n'avais jamais élevé la voix en sa présence.

Plus tard, une fois que mes parents furent repartis chacun de leur côté, séparés de nouveau, je trouvai refuge, solitaire, dans l'obscurité hivernale du jardin. Là, les fesses sur l'arbre né des ordures, immense et recroquevillé, je me pliai en deux et m'efforçai de respirer, incapable de retrouver mon souffle.

Il y avait de nouveau de la lumière dans la chambre de maman, à l'étage. Le rectangle tendu de rideaux de sa fenêtre ressemblait à un théâtre d'ombres chinoises, que frôlait la branche épaisse de l'arbre. Elle était en train de se déshabiller, sa silhouette aux seins lourds, distordue par les plis, se mouvant derrière les ruines romaines.

24

LES DEUX SIÈGES VIDES AU PREMIER RANG, l'absence de mes parents, la solitude publique de cette soirée de spectacle, tout cela transforma ma sœur. Dès le lendemain, elle cessa de s'habiller de manière outrancière. Elle n'essaya même plus. Adieu, la casquette de porteur de journaux en cuir multicolore, le blouson en lamé or, le patte d'éléphant jaune pourvu d'une énorme ceinture à la boucle disproportionnée. Adieu la mouche sur la pommette gauche, à la Liza Minelli. Adieu, d'ailleurs, le maquillage. Désormais, Quig, la plupart du temps, portait des chemises à carreaux, une veste militaire kaki de chez Weiss & Mahoney, un jean Wrangler sans chichis ni broderies. Et ses lèvres cernées de taches de rousseur étaient exposées aux regards, débarrassées de leur gloss rouge orangé. Quigley ne passa plus jamais une audition.

Les premiers jours, elle se réfugia hors du monde, s'enfermant dans son antre de gamine dès qu'elle rentrait des cours, l'après-midi. Au bout de deux ou trois semaines, cependant, elle disparut tout bonnement après le lycée, pour ne revenir qu'en fin de soirée, des heures plus tard – à 8, 9, parfois même 10 heures du soir –, le visage las, dégageant cependant une étrange et sagace sérénité.

« Ça ne te regarde pas, répondait-elle à maman lorsque celle-ci lui demandait des comptes sur ses absences et ses fréquentations. Comme si tu t'intéressais à ce que je fabrique, en plus. »

Puis, alors que nous commencions à nous habituer à son nouveau rythme, elle passa à l'étape supérieure et ne se montra plus soudain qu'après minuit. Les samedis et les dimanches, elle restait au lit jusqu'à midi.

Je voudrais pouvoir dire que je m'inquiétais de son sort. Peut-être était-ce un peu le cas, quand même. Mais ce fut avant tout ma dévorante curiosité qui me fit suivre Quigley un vendredi après les cours. Comme je m'y attendais, Quig se dirigea vers l'extrémité est de la 86ᵉ Rue. Mais au lieu de continuer après le croisement avec Lexington Avenue et de se rendre chez Shelby, au-dessus du Drake's Drum, elle déjoua mes prévisions en s'enfournant dans l'IRT, sous Gimbels. Je me faufilai discrètement dans la foule du métro, à l'autre bout de la rame, et repris ma filature lorsqu'elle sortit à la station de la 33ᵉ Rue.

Et pourtant, c'était bien Shelby qu'elle allait retrouver. Sur le trottoir sud de la 36ᵉ Rue, non loin de la Troisième Avenue, Quig s'arrêta devant la porte rouge du club de l'Amateur Thespian Society, frappa et entra dès qu'on lui eut ouvert. À peine le battant se fut-il refermé derrière elle, la séquestrant dans cet antre avec cet individu, que je fus envahi par une vague de dégoût pour le moins inattendue. J'avais déjà envisagé, sans me le figurer, la possibilité que Quigley ait une relation avec Shelby, quelle qu'elle soit, mais ce ne fut qu'après avoir vu ma sœur de quinze ans à la tignasse frisée se frayer subrepticement un chemin jusqu'à cet adulte aux cheveux grisonnants et aux paluches épaisses que le caractère répugnant de la chose m'apparut au grand jour.

Je ne voulais pas dénoncer Quig à maman, de peur que cette dernière ne prévienne la police, ou papa. Mais la situation était trop clairement douteuse pour que je n'intervienne pas. Je décidai de les surprendre la main dans le sac et de leur demander des comptes.

Les spectacles des Thespians n'étaient pas ouverts au public : impossible d'acheter un billet au guichet, il fallait une invitation en bonne et due forme. En fin de semaine, la tenue de soirée était requise pour les spectateurs majeurs des deux sexes ; les garçons quant à eux devaient arborer veston et cravate. Comme je ne pouvais plus emprunter ces accessoires à Shelby – ce que j'avais fait lors de la précédente soirée en famille chez les Thespians –, je rentrai à la maison et trouvai dans le placard de M. Price un veston gris et une épaisse cravate de nylon que je lui empruntai. Le veston était trop grand et m'enveloppait d'un fumet épicé de vieille transpiration, tout en me donnant un aspect relativement respectable. Lorsque la pièce s'acheva, un peu après 23 heures, couples et familles sur leur trente et un se répandirent sur le trottoir autour de la double porte voûtée. Je me mêlai à la foule. Ce soir-là, les Thespians avaient donné *La Cerisaie* – ce que m'apprit le programme que tenait une dame.

Au bout d'un moment, les loges furent ouvertes au public ; ceux qui, dans l'assistance, avaient des amis ou des parents dans la distribution rentrèrent dans les locaux du club et s'engagèrent dans l'escalier moquetté pour leur rendre visite, comme maman, Quig et moi-même l'avions fait, le soir où Shelby jouait dans *The Front Page*. Le club était d'une élégance décrépite. Au premier étage, dans le salon, des dames en robes de soirée se prélassaient sur des banquettes de velours usées, tandis que les messieurs ouvraient des bouteilles de champagne et remplissaient des petites coupes en plastique. Au-dessus des boiseries, les murs étaient couverts de photographies d'acteurs et de programmes sous verre, produit de quelques dizaines d'années d'activités théâtrales. Deux ou trois des abat-jour qui recouvraient les appliques ornementales étaient posés de travers, scarifiés par leur contact avec l'ampoule.

Je suivis quelques fêtards du salon au dédale de couloirs et de loges qui lui succédait. Des portes entrouvertes, fusaient parfois de petites explosions de rire. La loge de Shelby se trouvait tout au fond, près d'un mur de costumes suspendus à une tringle horizontale. Je n'avais préparé ni discours ni réelle stratégie. J'espérais plus ou moins que le fait de les prendre sur le fait les aiderait, Quigley et lui, à adopter mon point de vue sur leurs manigances. Peut-être alors se rendraient-ils compte du caractère douteux de la situation.

J'ouvris violemment la porte. Les deux occupants de la pièce se tournèrent vers moi, abasourdis. L'un était Shelby, affalé dans un fauteuil, devant une coiffeuse. Il portait une robe de chambre en soie et des pantoufles en cuir, comme celles qu'arborent les pères de famille dans les feuilletons du genre *Papa a raison*. Son visage, encore maquillé, avait l'aspect d'un fruit trop mûr – un fruit en caoutchouc. Un jeune homme adossé à la coiffeuse lui faisait face, moustache drue, longs cheveux ondulés qui lui arrivaient aux épaules. Les trois premiers boutons de sa chemise verte à large col étaient défaits.

« Où est-elle ? » demandai-je d'un ton sec, surpris par ma propre véhémence.

Shelby lança un regard à son compagnon, avant de me fixer. Il retrouva rapidement sa langue.

« Jerome, je te présente le jeune Griffin, le fils de ma précédente propriétaire. Griffin, je te présente Jerome. »

Je n'accordai même pas un regard au jeune homme.

« Je ne plaisante pas, repris-je. Qu'avez-vous fait de Quigley ? »

Shelby se leva. Il était bien plus grand que moi.

« Ce n'est pas la bonne question, dit-il. Demande-toi plutôt ce qu'elle a fait d'elle-même. »

Et, me posant la main sur l'épaule, il me raccompagna, avec fermeté mais sans brutalité aucune, jusque dans le couloir. Nous descendîmes deux ou trois marches.

« Tiens, pourquoi ne pas retourner au rez-de-chaussée ? »

Il désigna une porte qui donnait sur un escalier dépourvu de moquette, tel qu'on aurait pu en trouver dans une usine.

« Je n'ai pas le souvenir de t'avoir invité : il est sans doute préférable que tu t'éclipses de la manière la plus discrète qui soit. »

Je me sentais vraiment bête. Je réussis tout juste à émettre un « D'accord » d'un filet de voix enroué.

Au bas de l'escalier, le palier donnait sur de spacieuses coulisses drapées de tissu noir. Il y régnait un silence de mort. Tout le monde était au premier. Un programme traînait sur le plancher, souillé par une empreinte de semelle. Je consultai la distribution de la pièce. Il arrivait parfois que les Thespians fassent venir des femmes de l'extérieur du club, pour tenir des rôles féminins. Le nom de Quig n'y figurait pourtant pas. De toute façon, n'était-elle pas bien trop jeune ?

Peut-être l'avais-je ratée, dans la foule. Je m'approchai du grand rideau noir qui frôlait un des murs de scène et jetai un œil dans la salle. Elle était déserte, faiblement éclairée – ne la hantait plus que le calme solitaire que laissent les foules dans leur sillage immédiat. La porte à double battant qui donnait sur la rue était fermée. Le plancher était couvert de programmes abandonnés.

Je remontais l'allée latérale pour rentrer à la maison lorsque mon œil fut attiré par une présence sur la scène. C'était Quigley, dos tourné à la salle, debout, toute seule. Elle tenait un bloc-notes à la main dans un salon qui avait dû être splendide. Il n'y avait plus de rideaux à la fenêtre, plus un tableau sur les murs. Quelques meubles étaient empilés dans un coin, comme pour une vente prochaine.

Quig portait un jean noir et une chemise à carreaux. Ses cheveux roux et frisés étaient coiffés en queue de cheval. Un tapuscrit roulé en tube dépassait de sa poche arrière. De mon coin d'ombre, je la vis tirer une chaise du tas de meubles et la poser au milieu de la scène, l'alignant au millimètre près sur les repères qu'indiquaient des bouts de scotch phosphorescent sur les planches. Tandis qu'elle extrayait du tas une petite table et une autre chaise, je consultai de nouveau mon programme, déchiffrant avec peine les listes imprimées. Je ne trouvai toujours pas ce que je cherchais. Il me fallut consulter le dos du programme pour que ces cinq mots me sautent au visage : QUIGLEY WATTS (RÉGISSEUR DE PLATEAU).

Lorsque je levai les yeux vers la scène, ma sœur avait disposé les deux chaises autour de la petite table, comme pour une conversation. Puis elle alla chercher un lampadaire qu'elle posa sur le repère idoine, avant de se reculer pour admirer le résultat. Elle n'était pourtant pas complètement satisfaite. Pas encore. Elle poussa légèrement une des chaises, modifia de quelques degrés la position de la table. Elle préparait la scène pour la représentation du lendemain – tout devait être à sa place, comme il fallait.

25

ON PEUT QUAND ON L'INVOQUE être tenté de forcer le passé à bien se conduire, lui ordonner de se tenir tranquille – pour une fois. Mais certains souvenirs, en général ceux qui concernent mon penchant sporadique pour la destruction, rebiquent sans cesse, comme des épis dans une chevelure.

C'était la matinée la plus froide de l'année (du moins était-ce l'impression qu'elle donnait). Pendant que tous les élèves faisaient les cent pas devant l'école, les mains coincées sous les aisselles, commentant, hilares, le génie des professeurs qui avaient justement choisi ce jour pour notre sortie scolaire, Kyle et moi profitâmes de l'auditoire exceptionnellement nombreux pour entamer notre course de mollards la plus remarquée de l'année.

À droite de l'entrée de l'école, pratiquée dans l'un des murs latéraux de l'église de la 90ᵉ Rue, un muret de moellons de calcaire séparait le trottoir d'un enclos où étaient entassés des sacs-poubelle. Kyle et moi grimpâmes sur le tas à l'ignoble puanteur et posâmes le menton sur le haut du muret, face à la rue. Au signal, donné par Rafferty, nous nous mîmes à saliver sur l'extérieur du mur, le plus abondamment possible. Comme les courses précédentes nous l'avaient appris, il ne suffisait pas de produire plus de salive que le concurrent : dès le début, il importait en fait de sécréter une belle boule de glaire bien homogène puis de générer un flux continu de salive que la boule n'avait plus qu'à emprunter pour glisser jusqu'en bas du mur, signant la victoire. Avec la bonne technique, c'était aussi facile que d'envoyer un tonneau dans les chutes du Niagara. Le premier glaviot parvenu en bas du mur faisait bien sûr gagner son auteur.

La lutte fut serrée dès le coup d'envoi. Kyle et moi rivalisions de chouettes mollards. Une foule de garçons, des troisième, pour la plupart, s'étaient rassemblés autour du mur et psalmodiaient, avec une ferveur en général réservée aux échanges de coups de poing, ces quelques mots :

« La course de mol-*lards* ! La course de mol-*lards* ! La course de mol-*lards* ! »

Je salivais à un rythme appréciable mais, alors même que mes glandes, je le sentais, trouvaient la cadence idoine, ma boule de glaires s'immobilisa sur la paroi, à mi-chemin tout juste de son parcours. Je remarquai bientôt que celle de Kyle connaissait le même sort, tout en gardant une avance de quelques centimètres sur la mienne. Et j'avais beau produire, ma boule conservait son retard. Le filet de salive étant aussi gelé qu'un glacier, mes renforts subirent bientôt le même sort.

J'exigeai bien sûr l'abandon de la partie, en raison des conditions climatiques. Kyle, de son côté, prétendait que la partie était valide : les filets avaient franchi les cinq premiers moellons. Au base-ball, c'est la même chose : un match ne peut pas être invalidé s'il a dépassé les cinq manches. La foule se mit à le soutenir et Rafferty sauta au sommet du mur.

« Et le gagnant est… *Kyyyyyyle* ! » beugla-t-il en levant le bras du susnommé sous un tonnerre d'applaudissements.

J'aperçus Dani qui traînait un peu à l'écart de la foule ; elle avait l'air de s'amuser, quoique avec quelque réticence. Elle portait une énorme toque en fourrure, comme Brejnev dans les journaux. Ça lui allait beaucoup mieux qu'à Brejnev.

Lorsque le dernier de nos bus scolaires jaunes se gara avec un gémissement, la foule fut parcourue d'un frisson d'excitation. Deux profs armés de bloc-notes s'efforcèrent de diriger les élèves vers le véhicule idoine. Deux ou trois semaines plus tôt, tous les élèves de la troisième à la première avaient rempli un questionnaire indiquant quelles étaient leurs préférences parmi les cinq destinations possibles. Kyle avait choisi la terrasse de l'Empire State Building : il espérait assassiner un passant en jetant une pièce d'un penny du parapet. Rafferty avait décidé d'aller voir les requins à l'aquarium. Deux sorties qui semblaient tout à fait sympathiques, mais j'avais préféré suivre M. Donohue, le prof de dessin. Comme c'était le préféré de Dani, sans doute avait-elle choisi la visite dont il était responsable.

Je ne m'étais pas trompé. Je fêtai le succès de mon raisonnement en évitant de lancer le moindre regard à Dani une fois monté dans le bus. Tête penchée sur le côté avec désinvolture, tel un serveur rusé refusant tout contact oculaire, je passai devant elle et me dirigeai à grands pas vers le fond du véhicule, où je découvris, trop tard, que la seule place vacante se trouvait à côté d'un type de première à la solide réputation de crétin, un certain Zaccaro. À la hauteur de sa réputation, il m'agressa dans la minute. D'une voix qui tenait du braiment, il m'annonça qu'il adorait mon style. (« Vraiment, j'te le jure. ») Avant d'ajouter à haute voix, pour le plus grand plaisir de ses crétins de copains : « Par conséquent, et dorénavant, nous te nommerons Otto, jeune homme. » Puis il fit une plaisanterie vaseuse sur l'otto-érotisme – « le terme, disait-il, s'applique fort bien à notre petit branleur » –, et les crétins de sa bande brodèrent sur le sujet tout au long de la FDR, avant de s'en désintéresser quand nous dépassâmes le bâtiment des Nations unies.

Lorsque notre ferry s'éloigna de l'embarcadère de Battery Park, la plupart des gamins s'amassèrent sur la partie extérieure du pont ovale pour un premier regard à la statue de la Liberté, but de notre expédition. Pourquoi se presser ? me demandai-je. Tandis que le ferry, moteur grondant, entrait dans le port de New York, noyé dans un brouillard gris, je restai du côté le moins recherché du pont, en compagnie d'une poignée de touristes réfrigérés. À l'exception d'un Allemand dégingandé et de sa rondelette épouse, je fus le seul à voir défiler le bâtiment principal d'Ellis Island, avec sa tour coiffée d'un bulbe. Un ferry fantôme gisait devant, penché, à demi immergé, sa cheminée rouillée pointant, solitaire, entre les vagues houleuses.

Lorsque notre embarcation contourna Liberty Island avant de se diriger immédiatement vers le quai, je me retournai et aperçus un chapeau poilu à mon côté ; le visage de Dani était juste en dessous.

Elle désigna d'un geste du menton Madame Liberté qui nous surplombait, perchée sur son piédestal ; plus nous approchions, plus elle semblait colossale.

« C'est bizarre, en un sens, non ? fit remarquer Dani. Cette immense nana verte qui surveille Manhattan.

— Adonf, répondis-je, ne pouvant m'empêcher de rire. T'as déjà vu *Godzilla* ?

— Oui oui oui ! Je n'arrête pas de me dire que Megalon va surgir de derrière le Verrazano pour se battre avec elle ! »

Nous nous installâmes dans un silence confortable, assistant côte à côte à l'abordage ; le ferry, avec force gémissements, recula dans la fumée qu'il dégageait et s'immobilisa le long du quai. Tandis que nous remontions l'allée à l'asphalte fendillé, prêts à monter sous les jupons de la géante verte, Dani était encore accrochée à mon bras.

Le ranger qui nous accueillit dans le socle de la Liberté portait le même genre de chapeau à bord rond que son collègue de Yellowstone dans *Yogi Bear*. Debout sur la première des trois cent quinze marches qui conduisaient au cerveau de la statue, il commença par nous délivrer des consignes des plus sérieuses. Il était interdit de courir, de se pousser, de jeter quoi que ce soit ou d'accrocher des bannières à la couronne. Et de grimper dans la torche.

« Tu veux grimper dans la torche ? » me glissa Dani à l'oreille.

Je hochai la tête. Elle m'agrippa par le haut du bras, ses doigts serrant le rembourrage de ma doudoune, et m'attira contre le mur, pour laisser les autres gamins passer devant nous. Avec sa toque à la Brejnev plantée légèrement de travers sur sa tignasse rousse et indisciplinée, ses joues encore roses de froid, elle avait un petit air canaille et décalé que j'aimais vraiment bien.

L'escalier du piédestal était assez spacieux. Mais, dès que nous atteignîmes les boyaux noyés d'ombre du corps de la Liberté, je commençai à perdre mes repères. Tant que l'on grimpait l'escalier central, colimaçon à l'étroitesse claustrophobique, il était impossible de se perdre. Mais le plafond était si bas et les infrastructures de la statue si colossalement oppressantes qu'il était difficile de s'y retrouver, tant à l'intérieur qu'à l'extérieur. D'après ce que je voyais, il y avait deux escaliers jumeaux en colimaçon, l'un étant la plupart du temps invisible pour qui se trouvait sur l'autre, et réciproquement. Ils occupaient le cœur de la statue, entourés d'un complexe squelette d'acier qui ressemblait vaguement à un derrick.

« Ça va ? » me demanda Dani.

Elle avait pivoté le torse pour baisser les yeux vers moi.

« Pas de problème. J'ai juste un peu de vertige, à force de tourner sans cesse.

— Tiens, continue jusque-là. Il y a un machin qui ressemble à une banquette. »

Sur le mur de l'escalier pendait une sorte d'énorme seau contenant un petit banc métallique. Je m'y installai à côté de Dani, ou, pour être précis, à côté de sa toque de fourrure, qui nous séparait, et que je fis semblant de gratter sous le menton.

« Elle est vaccinée, au moins ? demandai-je.

— Chut. Tu entends ? »

Des marches en contrebas provenait un bruit de conversation, animé et joyeux. Nous n'étions donc pas les derniers à monter. Dani me fit signe de rester tranquille et s'aventura dans l'escalier, la main droite levée, comme pour nous défendre d'une attaque de brigands. Puis, dégoûtée, elle baissa le bras.

« Quelle bande de clowns ! s'exclama-t-elle. Ils ont construit l'escalier à l'envers.

— Comment peux-tu construire un escalier en colimaçon à l'envers ?

— Tu le vois bien ici, par exemple, la spirale n'est pas dans le bon sens. Elle suit le sens inverse des aiguilles d'une montre, ce qui donne l'avantage à l'assaillant. Tous les architectes militaires du Moyen Âge le savaient, quand ils construisaient un château, sauf s'ils avaient la tête dans le cul. Il faut faire tourner un colimaçon dans l'autre sens, celui des aiguilles d'une montre. Comme ça, ce sont les défenseurs qui peuvent brandir l'épée. »

Les bruits de conversation se rapprochant, Dani leva la main droite – la nouvelle lame de son épée – et la plaqua contre son épaule gauche, prête au combat.

« Tu vois ? chuchota-t-elle, si c'étaient des Vandales ou des Huns qui empruntaient cet escalier, et non des petits crétins qui rigolent à la moindre blague, ils seraient en train de débouler vers moi leurs épées tendues devant eux du bon côté, alors que je serais forcée de défendre la tour de ma mauvaise main. Avec ce genre de handicap, comment pourrais-je espérer tuer aucun de mes poursuivants... *DE CETTE MANIÈRE* !! »

Ce que disant, elle abattit le plat de sa main à la vitesse de l'éclair, infligeant un coup à la pauvre Julia Watkins, une fille de ma classe d'une extrême timidité qui venait juste de surgir de l'escalier.

Julia laissa échapper un cri à vous glacer le sang, qu'elle ravala aussitôt son assaillante identifiée.

« Dani ? Qu'est-ce que tu fabriques ? Ça n'est même pas drôle !

— Désolée, répliqua Dani en haussant les épaules. Je croyais que tu étais une Wisigothe. »

Nous laissâmes les « petits crétins » prendre de l'avance.

« Tu sais vraiment y faire avec les gens, Dani, lui dis-je. Je comprends pourquoi les autres filles t'apprécient tant.

— Moi ? Eh, tu n'es pas exactement le chéri de ces dames, Monsieur Mort-Vivant. »

Je me levai, les bras serrés contre le torse pour me réchauffer. Il faisait trop froid pour rester aussi longtemps assis.

« Je sais, fit Dani en reprenant l'ascension. *Brrrrr !* »

Les entrailles de Madame Liberté ne cessaient de changer d'aspect à mesure de notre progression, coins d'ombre et plis entraperçus et jamais vraiment identifiés. Un petit canyon obscur s'ouvrit sur la droite, prêt à l'exploration. Dani cependant continua de monter. Enfin, lorsque nous eûmes atteint ce qui était, nous le comprîmes bientôt, le front de la Liberté, l'escalier en colimaçon aboutit à une plate-forme plus spacieuse : nous pûmes nous redresser sur l'étroite passerelle qui circulait tout au long de sa boîte crânienne. Dani ne s'y attarda guère, ne s'accordant qu'une seconde ou deux de répit avant d'emprunter un petit escalier qui débouchait sur une plate-forme en fer constellée de chewing-gums aplatis.

Un autre ranger y était posté – une femme à l'allure de garçon manqué, les cheveux courts et bruns. Elle était en train de parler des moulages en plâtre de la statue, tandis que quatre ou cinq élèves, parmi lesquels Julia Watkins, battaient des paupières, assaillis par la bise arctique qui s'insinuait par les fenêtres en ogive de la couronne de la Liberté.

« Aussi glacial qu'un *téton* de sorcière, glissai-je à l'oreille de Dani, espérant me réconforter en la mettant un peu plus mal à l'aise.

— Bien plus glacial, répliqua-t-elle, imperturbable. Plus glacial encore que les *couilles* d'un singe en bronze. »

L'intérieur du crâne de Madame Liberté – au plafond arrondi – était recouvert de graffitis, des centaines de noms et de surnoms masculins griffonnés le long des étroits ruisseaux de ses cheveux. Je constatai ainsi que Tito72 avait honoré de sa présence de pèlerin le monument à la liberté que son pays avait élevé pour les siècles à venir, de même qu'un autre patriote du nom de Puss Man.

Dani et moi montâmes vers les fenêtres pour admirer le paysage. De l'autre côté du bras de mer gris ardoise était tapie une hostile Brooklyn, coiffée d'une masse de nuages moroses. Grosse d'un mauvais temps qui nous était destiné.

C'était le bon moment pour redescendre, annonça la femme ranger à la cantonade. Alors qu'elle essayait d'identifier un élément du panorama, à la demande de Julia, Dani et moi devançâmes les autres élèves. Au bas du front de la Liberté, nous n'empruntâmes pas l'escalier réservé à la descente, lui préférant celui par lequel nous étions montés. Là, nous franchîmes quelques marches, pour nous dissimuler au regard des autres visiteurs.

Recroquevillés dans nos doudounes, au milieu du colimaçon, nous dressâmes l'oreille, attendant que s'effacent les bruits des tennis dans l'escalier de fer. Pourtant, tandis que nous repartions à l'assaut de la torche, un grondement de tonnerre retentit sourdement dans toute la structure de la statue et me pénétra par les mains et les pieds, les unes sur la rambarde, les autres sur les marches.

Ma vieille phobie des éclairs se réveilla. À quelle altitude au-dessus du port étions-nous ? Suffisamment haut pour courir quelque danger. Et pour aggraver les choses, Madame Liberté, cette inconsciente, brandissait sa torche vers les cieux, appelant la foudre, assurément. Son attitude était si peu réfléchie pour une femme de son espèce – quinze étages de haut, tout en métal – que je n'aurais pas été surpris d'apprendre qu'elle se tenait sur la pointe des pieds, ne ménageant aucun effort pour caresser du bout de sa torche un nuage chargé d'électricité et s'en repaître, comme le mât d'une autotamponneuse lui permet d'avaler l'énergie qui circule dans la grille métallique qui la surplombe.

Était-elle reliée à la terre, Madame Liberté ? Drôle d'expression, ça. Papa m'avait appris le sens du mot pour les électriciens : c'était le moyen de guider, de dompter une énergie rétive, pour la diriger vers la terre, en toute sécurité, plutôt que la laisser courir dans la maison, où elle pouvait transformer les objets familiers en pièges mortels. En anglais, *grounded* signifie également « fondé » – comme la punition que maman avait infligée à Quig pour avoir volé un joint à demi fumé dans la poche du manteau d'un de ses amis. *Grounded* avait encore une autre signification : certains de mes copains de l'école s'en servaient pour décrire une fille qui avait les pieds sur terre. Pour eux, c'était un compliment. Une fille saine d'esprit. Moi, je ne l'entendais pas de cette oreille. Quand ils utilisaient ce qualificatif, je le traduisais par « rasoir », tout simplement.

« Allez, du nerf ! »

Dani me faisait signe du haut des marches, sa toque trop haute sous le bras, sa chevelure toute vibrante d'électricité statique. Il n'était pas né, celui qui pourrait lui trouver « les pieds sur terre ». Elle était trop imprévisible. Trop elle-même.

Après quelques mètres, l'une des poches de ténèbres que recelait le squelette d'acier semblait s'incurver en un tunnel vertical.

« Ce doit être son épaule et son bras levé, annonça Dani, en s'embarquant dans la structure métallique. Allons-y. »

Bientôt, nous eûmes atteint une plate-forme d'acier à la peinture écaillée, d'où s'élevait une échelle. Hélas, l'accès au bras de la statue était fermé par une trappe grillagée et cadenassée.

« Merde, maugréa Dani en redescendant. C'est foutu pour la torche. On se balade un peu ? »

Nous retournâmes sur l'escalier. Après une ou deux révolutions du colimaçon, Dani s'arrêta devant le canyon obscur qui avait attiré mon attention un peu plus tôt.

« Hé ! C'est son visage, Griff. Regarde, on distingue son nez en négatif dans le noir ! Et ces creux ronds, là, ce sont sans doute ses globes oculaires.

— Ah oui ! En effet. Super. »

Nous nous trouvions donc à l'intérieur de son cou. À deux, nous aidant l'un l'autre, nous parvînmes à franchir le mur de cuivre rose de la gorge de la Liberté et nous lovâmes dans le menton de la géante, sous l'abri de nos deux doudounes accolées. La mienne, achetée chez Herman, ne valait pas grand-chose ; son jaune moutarde jurait avec le rouge de celle de Dani, article de qualité supérieure, une Paragon, sans doute. Agenouillés l'un en face de l'autre, nous devions ressembler à un gros igloo bicolore surmonté de deux têtes curieuses. Je sentais la chaleur du corps de mon amie remplir l'espace qui nous séparait et se mêler à la mienne pour former une coupole de réconfort au cœur de ce glacial silo de cuivre.

« J'ai l'impression de camper dans la neige, déclarai-je, histoire de dire quelque chose. Les genoux au froid, en plus. Les genoux au frigo, je devrais dire. »

Dani me toisa avec un sourire moqueur.

« *Fillette* », dit-elle en pressant ses lèvres sur les miennes en un rude baiser, me plaquant contre la froide joue de la Liberté, ses petits seins collés à mon torse.

Sa bouche avait un goût de sucré. De vrai sucré, pas de Bubble Yum. De banane, plutôt.

Mais à quoi étaient-elles occupées, ses lèvres ? À une activité excitante, troublante – effrayante, en fait. Sa bouche ne cessait de former une sorte de petit cercle humide et ferme – un petit tunnel béant, comme s'il lui fallait siffler ou me souffler un secret dans la gorge. Pourquoi ? Pourquoi insister avec tant de persistance ? Chaque fois que j'essayais de me retirer pour redémarrer nos ébats avec un baiser de l'espèce courante, elle collait de nouveau à mes lèvres ce puits ouvert, humide, suintant d'expectative. Et, lorsque j'ouvris les yeux, les siens me toisaient – tout proches – avec une effroyable expression de colère.

« *Quoi ?* m'enquis-je.

— Pourquoi tu demandes ça ?

— Qu'est-ce que tu fous ?

— Qu'est-ce que je fous ? Et qu'est-ce que tu fous, toi ? Ou plutôt, qu'est-ce que tu ne fous pas ! »

Elle s'écarta tout d'un coup.

« Tu ne sais pas comment on roule une pelle pour un baiser à la française ? Vraiment ? »

Avant que je puisse répondre, un ricanement aigu, scabreux, nous fit sursauter. Nous nous retournâmes : Zaccaro avait surgi dans l'escalier, avec deux de ses stupides copains.

« Oh, putain de bordel ! brailla Zaccaro, les paumes plaquées sur son bonnet des Jets, feignant l'incrédulité. Le pauvre petit Otto a réussi à se trouver une nana plus vieille que lui mais il ne sait même pas comment rouler une pelle ! »

Les deux autres crétins rigolèrent à l'unisson.

Dani les considéra avant de me toiser, mortifiée, détachant en hâte sa doudoune de la mienne. Pendant une ou deux secondes, tandis qu'elle refermait les pans de sa doudoune et la reboutonnait soigneusement jusqu'au col, j'eus l'impression qu'elle allait m'accorder quelques mots de consolation. Mais ce fut Zaccaro qu'elle regarda.

« Voilà ce que c'est que de vouloir sortir avec un petit de troisième. Tu ne sais vraiment pas rouler des patins, Griff ? Sérieux ? »

Je sentis mon visage s'enflammer. Comment pouvait-elle me faire un coup pareil ? Nous étions dans le même camp, non ?

C'était pain bénit pour Zaccaro et ses deux potes, qui ricanaient encore en montant l'escalier. Une fois qu'ils furent à bonne distance – nous les entendions glousser et faire les fous sous le crâne de la statue –, je me retournai vers Dani. J'étais blême. Comment avait-elle pu me vendre à un type aussi minable que Zaccaro ? J'avais envie de la faire souffrir. Elle méritait une punition.

« En fait, Dani, je sais rouler des pelles. Mais je suis un peu rouillé, tu sais ? Pourquoi ne pas me montrer comment tu fais ? Me rappeler les mouvements ? Je le ferai, aucun problème. »

Elle semblait perdue.

« Eh ! C'est toi, le mec. Pas moi. Je ne peux quand même pas être tout le temps aux commandes.

— Non, non, je sais. Je veux juste que tu me montres comment tu les roules, ces pelles. À la française, comme tu dis. Et on le refera ensemble. »

Je tendis la main vers les deux immenses vagues qui creusaient le mur de bronze, juste sous son nez – ses lèvres de géante.

« Elle est française, la Liberté, non ? Tu n'as qu'à lui rouler une pelle, dans ce cas. Ensuite, c'est moi qui t'en roulerai une. »

L'étrangeté de ma proposition la séduisit.

« Vraiment ? Ça te plairait ? Une petite manœuvre entre filles, version internationale ?

— *Oh ! là, là** », soupirai-je.

Si bien qu'elle s'y colla. Elle remonta jusqu'aux immenses lèvres en creux de la Liberté, ouvrit la bouche ; sa petite langue humide se posa prudemment sur le glacial mur de cuivre.

L'expression de ses yeux était sans équivoque : elle comprit immédiatement qu'elle avait commis une effroyable faute. Sa langue était rivée au métal : impossible de la retirer. Comme je l'avais escompté. Elle émit des bruits de gorge apeurés. Se mit à pleurer. Puis elle prit la décision qui s'imposait : elle coinça le bout de sa langue entre ses deux index et tira fort.

Lorsqu'elle se fut ruée dans l'escalier, le sang coulant dans sa bouche, je fus envahi par une horrible nausée. Il me fallut quelques heures, lesquelles ne m'ôtèrent pas l'envie de vomir, pour comprendre que ce n'était pas la langue mutilée de Dani qui me rendait malade. C'était moi-même. Je ne pouvais plus me supporter.

TROISIÈME PARTIE

On prend Manhattan

26

LA FIN DE L'ANNÉE SCOLAIRE FUT ASSEZ RUDE. J'étais souvent seul, je traînais mes baskets dans les longs couloirs ou je contemplais, l'air occupé, le contenu de mon sac tandis que les amis passaient devant moi, comme si j'avais caché entre mes cahiers quelque élément crucial de mon existence malencontreusement disparu.

L'affaire de la langue blessée avait-elle fait le tour de l'école ? Je ne le sais pas. Peut-être que Dani, tout aussi honteuse que moi, n'en avait rien dit. Personne ne m'en avait parlé. Personne ne s'était moqué de moi, personne ne m'avait sommé de m'expliquer. Je n'avais même pas eu droit à des regards dégoûtés ou méfiants. Pourtant, quelque chose avait changé. Un décalage était apparu entre mes copains de classe – y compris Kyle – et moi. Était-ce de leur fait, était-ce du mien ? Je n'aurais su le dire.

Quant à Dani, chose surprenante, elle semblait s'être remise sans mal de notre aventure dans la statue. Elle réapparut à l'école après seulement deux jours d'absence, apparemment indemne, hormis un léger zézaiement qui ne persista pas plus d'une dizaine de jours. Elle ne fit jamais allusion à la sortie scolaire, elle non plus, préférant s'exprimer plus directement sur la question. Un jour, alors que je filais en latin – le sixième cours de la journée –, elle me fit tomber dans l'escalier d'un croche-patte de sa fine cheville ; je me cassai un bout d'incisive sur le sol carrelé, au pied de la fontaine à eau.

À compter de ce jour, elle se contenta, la plupart du temps, de faire comme si je n'étais pas là. Chaque fois que je la rencontrais dans les couloirs, j'essayais de faire montre d'une mélancolique sensibilité, les yeux perdus dans le vague, espérant qu'elle percevrait – par transmission de pensée, peut-être ? – la vile honte que m'inspiraient mes actes.

Stratégie qui serait peut-être plus efficace, finis-je par me dire, si j'arrivais à me doter d'une mâchoire aussi musclée, aussi puissante que Steve McQueen et les mannequins hommes dont regorgeaient les numéros de *GQ* que Quigley cachait sous son lit. J'achetai donc trois jours de suite en sortant de l'école un paquet de cinquante boules de Bazooka Joe au Sweet Suite et m'installai au fond du magasin pour les mâcher en une séance. Ce qui me fit un mal de chien aux muscles des mâchoires sans pour autant donner la moindre virilité aux contours de mon visage, impression confirmée par les nombreux coups d'œil à l'immense miroir de la boutique.

Effort de toute façon inutile. Dani cessa de fréquenter l'école à la fin du mois de mai. Ce qui n'avait, j'en étais sûr, aucun rapport avec l'histoire de la langue, déjà vieille de deux mois et demi. Personne pourtant ne fut en mesure de me donner des informations fiables. Aucune des filles de seconde auxquelles je posai la question ne paraissait savoir où Dani était passée ; ce qui, pour être franc, n'avait pas l'air de les perturber.

« On m'a dit qu'elle était malade, ou un truc de ce genre. Mais c'est du ouï-dire, commenta Quig. Qu'est-ce que ça peut te faire, d'ailleurs ? Tu contrôles ses absences, maintenant ? »

Une fois l'année scolaire finie et les vacances d'été commencées, j'étais à mille lieues de penser que nos locataires pourraient me manquer. Pourtant, la température se faisant de plus en plus clémente et lesdits locataires de moins en moins présents, je pris conscience du puits de ténèbres et de vacuité qui constituait le centre de la maison. Creux et frais, l'escalier avachi l'encerclant de ses marches étage après étage, ce cœur sans lumière était lourd d'une langueur mélancolique. Maman n'était plus souvent dans nos murs et même lorsqu'elle était présente physiquement, il était difficile de la voir. La porte de sa chambre restait fermée.

Ce qui pouvait avoir diverses significations, lesquelles revenaient toutes à : *Mon garçon, débrouille-toi.* Les deux scénarios les plus courants étaient la sieste et le petit ami. Elle n'utilisait naturellement jamais l'expression « petit ami », peut-être parce que les candidats au poste changeaient trop souvent.

« C'est un ami », se contentait-elle donc d'expliquer, de même qu'elle n'aurait jamais reconnu devant Quig, quand cette dernière lui en faisait le reproche, s'être trouvée en état d'ébriété tel ou tel jour, même si elle avait en effet, avec l'un de ses fameux amis, courtisé d'un peu trop près, en fin de soirée, la bouteille de Bushmills.

« Mais non, mon chou, nous n'avons pas trop bu, disait-elle alors en s'étirant sur le canapé noir, comme un chat, avec toute la sensuelle dignité dont elle était capable. Le trop est de trop, je t'assure. »

De même, maman ne reconnut jamais vraiment le goût qu'elle avait pour les siestes. Lorsqu'il lui arrivait d'aller taquiner Morphée, la porte ouverte, un mardi après-midi, et que l'un de nous la tirait de son somme, elle étouffait un bâillement derrière ses doigts chargés de bagues et nous expliquait, langoureuse, que ce n'était pas une sieste, non, pas du tout : elle s'était étendue un moment, voilà tout. Tout cela, suggérait-elle, faisait partie de sa *démarche de création.*

Par conséquent, lorsque la porte de sa chambre était fermée, comme ce fut le cas si souvent lors de ce mois de juin, il était impossible de savoir si maman pouvait accorder une audience à l'un ou l'autre de ses enfants. S'était-elle simplement *étendue quelques instants* et accueillerait-elle avec plaisir un fils muni de l'habituel café ? Ou avait-elle *bu, mais pas trop*, était-elle avec un *ami*, avait-elle *bu mais pas trop avec un ami*, ou bien même s'était-elle *étendue* avec un *ami* avec lequel elle avait *bu mais pas trop* ?

L'exercice mental qu'exigeaient ces spéculations domestiques m'épuisait littéralement. Quig s'abstenait tout simplement d'affronter la chose en passant le plus clair de son temps dans les locaux des Thespians, où elle apprenait désormais les techniques d'éclairage et de décoration de plateau. Je sortais, et j'essayais d'entraîner papa dans des activités estivales. Même s'il n'avait jamais reparlé de mon accès de colère le jour où je m'étais interposé entre lui et ma mère, papa n'était plus jamais revenu chez nous. J'avais l'impression qu'il essayait de me faciliter les choses.

Lui et moi, on aimait bien traîner autour de l'étang aux barques, sur la 72ᵉ Rue, à côté de la statue d'Alice au pays des merveilles, dont je m'amusais encore à escalader les champignons de bronze. Il y avait quelque chose de rassurant à constater que mes mains avides et mes pieds impatients avaient contribué, quand j'avais trois ans, puis cinq, puis huit, et ainsi de suite, au frottement énergique et ininterrompu qui faisait luire le nez d'Alice et la montre du lapin blanc en ces points où les jeunes grimpeurs s'agrippaient le plus lourdement. En leur temps, les maladroites escalades de ma mère avaient sans doute infligé à la statue une semblable usure, leur friction polissant les mêmes saillies du bronze.

Ma passion la plus récente avait pour objet les voiliers téléguidés qui évoluaient sur la mare avec une grâce penchée et frénétique. Côtoyer trop longtemps les gamins en polo Lacoste qui tripotaient leurs boîtiers me causait d'insupportables accès de jalousie. Un des habitués, un gentil monsieur d'un certain âge, aux traits un peu mous, à la barbe rousse, portant des chemisettes Model Yacht Club aux aisselles jaunies, me confia cette information importante : en kit, les voiliers coûtaient deux fois moins cher. L'idée de construire quelque chose plairait peut-être à papa, me dis-je ; je ne me trompais pas. Le jour où je lui montrai un modèle Lightning à monter, en vente dans l'abri à bateaux, il sortit deux billets de vingt dollars et me l'acheta sur-le-champ.

« Excellent, me dit-il. Tu m'aides sur mon projet, je t'aide pour le tien. »

La perspective de construire un petit voilier me paraissait si excitante qu'il ne me vint pas à l'idée de me demander où nous allions avant que nous ne nous mettions à fouler les dalles hexagonales et bicolores des trottoirs de la Cinquième Avenue.

« Mais c'est quoi, en fait, ton projet, papa ? Un truc de longue haleine ?

— Peut-être bien, répondit-il en levant la main, paume tendue, pour arrêter une voiture tandis que nous traversions la chaussée, en dépit du feu vert. On va voler un immeuble entier. »

Ces derniers temps, Quig et moi avions évoqué l'hypothèse que papa puisse être en train de devenir cinglé. Cette déclaration ambitieuse apportait de l'eau à notre moulin.

« Papa… », commençai-je, non sans prudence.

Il me fit taire d'un autre geste impérieux de la main.

« Ça n'aura rien à voir avec le Woolworth, je te le promets. Pas d'escalade ! Et cette fois-ci, je travaille avec une équipe au complet. Ce sont eux qui feront les prélèvements. »

Quand nous eûmes atteint TriBeCa, j'essayai de lui soutirer de plus amples détails. La nuit approchait ; je portais son gros sac et lui mon bateau. Nous approchions de l'atelier. Ma curiosité ne fit qu'irriter papa.

« Mais non, fiston. Nous n'allons pas voler de simples bouts d'immeuble. Nous allons tout voler. De la corniche au trottoir. Arrête donc, avec tes questions. Tu vas bientôt voir. D'accord ? »

Il me conduisait vers l'Hudson. Nous passâmes devant d'anciens grands magasins à la gloire défunte, aux murs de marbre usés par le temps. Devant d'orgueilleuses et antiques usines aux vastes ogives en brique, aux auvents de fonte avachie. Devant une étrange bâtisse d'allure hollandaise, au toit chantourné, à la façade de brique incendiée de graffitis ventrus rouge orangé. En mon for intérieur, j'étais bien persuadé que l'on ne pouvait voler un immeuble entier, mais je m'efforçai d'imaginer quel vieux bâtiment pittoresque et râpeux papa rêvait d'emporter chez lui, en un monde parallèle auquel les lois ordinaires de la physique ne s'appliquaient pas.

Devant nous, la ville sembla soudain disparaître dans un gouffre. Tandis que les dernières lueurs du jour disparaissaient, je suivis papa entre les grandes barres d'immeubles dénudées qui se dressaient sur la frange occidentale de l'île. Trois gratte-ciel monstrueux en brique couleur de vomi commençaient tout juste à s'élever au nord. Derrière ces horreurs, m'expliqua papa, une école professionnelle tout aussi hideuse devait être bâtie. Pour l'heure, nous déambulions entre des lotissements rasés protégés par des grillages.

« C'est ce dont je te parlais quand nous étions en haut du Woolworth, fiston. Une rénovation urbaine de premier ordre. »

Papa s'arrêta devant un bout de terrain vague où les mauvaises herbes avaient commencé à pousser autour de quelques tas de ferraille. Il s'adossa au grillage et me proposa une pastille Life Saver goût wintergreen qui faisait des étincelles dans la bouche quand on la croquait dans le noir. Je la fourrai dans ma bouche et me mis à la sucer. J'aimais coller ma langue dans le trou quand le sucre commençait à fondre.

« Les autres vont nous rejoindre ? demandai-je. Qu'est-ce qu'on attend, papa ? »

Je commençais à me sentir un peu inquiet.

« Non, je veux juste être sûr que nous sommes seuls. »

C'était bel et bien le cas. Il y avait des sens interdits aux coins des rues, mais aucun véhicule pour s'y conformer ou les ignorer. Aucun piéton sur les trottoirs défoncés. Dans la direction d'où nous étions venus, à l'autre bout de ce qui avait peut-être été Greenwich Street, un faible rai de lumière scintilla quelques secondes derrière la fenêtre du deuxième étage d'un entrepôt.

Des squatters, m'expliqua papa. Des artistes armés de lampes torches qui ne voulaient pas se faire repérer par les inspecteurs des services d'hygiène et de sécurité.

« Bien sûr, à cette heure, tous ces braves gens sont chez eux, à Staten Island, avec leurs femmes et leurs enfants, à manger du gratin de macaronis. Mais crois-moi : le risque d'expulsion, ça rend paranoïaque. »

Papa contourna le terrain, lequel avait une drôle de forme – vaguement trapézoïde, comme un grain de maïs. Lorsque nous approchâmes de son coin le plus étroit – nous n'étions plus séparés des quais que par une vaste avenue –, papa s'arrêta devant une porte cadenassée et sortit de son sac une pince à longs manches.

« Euh, c'est là qu'on va, papa ? Mais pourquoi ? »

Mon père enserra le U chromé du cadenas entre les mâchoires de sa pince et, d'un puissant mouvement des deux mains, le trancha net, avant de détacher le cadenas de la grille et de le glisser dans sa poche.

« Bienvenue, fit-il avec un geste fier de la main. Fais comme chez toi, explore à ta guise. »

Il n'y avait pas grand-chose à explorer, hormis quelques papiers gras que le vent avait plaqués contre le grillage, outre les tas de ferraille à l'autre bout du terrain vague. Papa s'écarta et se pencha en marmonnant vers une longue et étroite boîte rectangulaire en deux morceaux.

« Ça doit être ce que ça donne, ouais. Ils ont dû… *merde !* »

Il retira sa main d'un geste vif et la secoua.

« C'est plus coupant que ça n'en a l'air. C'est bien que tu sois venu, ajouta-t-il en se tournant vers moi. Mieux vaut procéder de façon méthodique. Tu vois ces tas de ferraille, là-bas ? »

J'opinai, méfiant. Nous n'étions pas depuis cinq minutes dans ce minable terrain vague qu'il commençait déjà à entamer ma confiance branlante.

« Voilà ce que j'attends de toi : il faut que tu te glisses entre ces plaques, dans les interstices, en commençant par ces deux-là, sur la gauche, expliqua-t-il en se tapotant le ventre. Je commence à ne plus être assez svelte pour ce genre d'exercice. »

Il me fourra alors un stylo-torche éteint dans la main.

Les bouts de ferraille – pour l'essentiel des plaques – étaient classés par taille et par forme ; aucune pile ne dépassait le mètre vingt. En fait, il n'était pas bien difficile de se faufiler entre les deux premières piles et de s'accroupir par terre, comme papa me l'avait demandé. C'était même, chose surprenante, très agréable. L'obscurité était plus profonde, le silence plus absolu. Cette intimité était aussi réconfortante que celle que m'offrait le placard dans la chambre de maman, sous la fenêtre.

« Tu t'y retrouves ? fit la voix de papa, au-dessus de ma tête. Bon, maintenant, il faudrait que tu inspectes le dessous de toutes les plaques qui dépassent. Commence par la pile de gauche. »

J'allumai le stylo-torche. Entre les plaques, le sol était poussiéreux, sans mauvaises herbes.

« Tu vois des numéros ? Nous n'avons besoin que d'une série de chiffres par pile, deux peut-être, c'est plus rassurant. »

Impossible d'inspecter les plaques du dessous de la pile. Mais, en commençant à trente centimètres du sol, je commençai à distinguer des numéros jaunes à trois chiffres, tracés au pochoir – la couleur était aussi vive que celle des graffitis sur la bicoque hollandaise.

« 390, prononçai-je à voix haute. 341. 306.

— Ils commencent tous par 3 ? »

Oui, pus-je confirmer, c'était bien le cas. Je répétai l'opération avec la deuxième pile, constituée de longs demi-cylindres cannelés. Cette fois-ci, on avait utilisé la lettre C, suivie d'un seul chiffre : C4, C8, C5. Lorsque je regardai par-dessus le tas, papa était en train de griffonner dans un cahier d'écolier. Je dirigeai le rayon de ma petite lampe vers son visage. Même si la lumière le faisait grimacer, il semblait plus optimiste que je ne l'avais vu depuis des semaines.

« Papa, demandai-je, enhardi. Ce tas de cochonneries, en fait, c'est quoi ?

— De "cochonneries" ? répéta-t-il avec une indignation feinte. Notre jeune ami aurait-il réellement prononcé le mot "cochonneries" ? Ce n'est vraiment pas une façon de parler de la maison d'un être humain.

— Que veux-tu dire ? » bredouillai-je, interloqué.

Il éclata de rire, s'amusant de ma perplexité.

« Je t'avais bien dit que je te montrerais ma maison de Washington Market, un de ces jours ? Eh bien, nous y sommes. C'est là-dedans que nous t'avons fabriqué, ta mère et moi. »

27

LE LENDEMAIN MATIN, lorsque je me réveillai dans son lit à baldaquin, papa s'était comme évaporé. Sur l'oreiller voisin, qui avait la nuit durant accueilli sa massive tête et ses ronflements graves, reposait maintenant un vieil opuscule sans couverture, de la taille d'une bande dessinée.

Au vu des empreintes de pouce graisseuses qui souillaient ses pages cornées et des quelques taches laissées par un déjeuner du siècle passé, il n'était pas difficile de déduire que la chose n'était pas un précieux manuscrit destiné à passer son existence enfermé dans une bibliothèque. Ce livre-là était destiné à être utilisé.

Son contenu consistait pour l'essentiel en croquis noir et blanc finement réalisés. Le tout premier était d'une étrangeté exubérante qui me rappela des reliques d'antan, les affiches des Ringling Brothers. On y voyait une « manufacture » à l'activité joviale – *Fontes architecturales : D. D. Badger & Autres, Propriétaires* – dont les huit hautes cheminées exhalaient de petits nuages, tandis que le vent, dans sa bonté, permettait à l'oriflamme de se déployer complètement au-dessus de la coupole. Les autres illustrations étaient moins parlantes. Entre deux dessins représentant de luxueuses façades dans leur intégralité, on trouvait tout un bric-à-brac d'ornements et de détails soigneusement reproduits. Fig. XLIII, Linteaux, Architraves et Appuis de fenêtre ; Fig. XXXII, Corniches, Cintrages et Cintrages ornementaux.

J'entendis la porte gémir lourdement sur ses gonds avant de voir surgir papa. D'excellente humeur, il serrait dans ses bras un sac en kraft auréolé de taches de graisse.

« Ah, je vois que tu as rencontré M. Badger ! s'exclama-t-il, voyant l'opuscule entre mes mains. Je me suis dit que ça pouvait t'intéresser.

— Oui, si on veut. C'est quoi, en fait ?

— Il s'agit d'un ouvrage assez remarquable – un catalogue d'époque publié par une des fonderies qui fabriquaient des éléments pour les bâtiments à armature de fonte, dans la seconde moitié du XIXe siècle. Les bureaux de Badger se trouvaient tout près d'ici, dans Duane Street. Et sa manufacture était située au carrefour de la 13e Rue et de l'Avenue B. L'emplacement est maintenant occupé par la centrale de la Consolidated Edison.

— C'est là que nous avons trouvé toute cette ferraille hier ?

— Tout juste. Pour faire court, le système avait été inventé par un New-Yorkais du nom de James Bogardus. Lequel était loin d'être un idiot. »

Bogardus, m'expliqua papa, procédait de cette façon : il faisait fabriquer des pièces de fonte par des manufactures qui se servaient de moules au sable pour les produire une par une. Puis ces pièces détachées étaient livrées sur le chantier, où elles étaient vissées sur place, comme une sorte de monture de charpente géante. Le plus souvent, une belle façade classique était plaquée sur le bâtiment, comme celle qui agrémentait les immeubles traditionnels. Mais la structure pouvait aussi rester visible.

« Cette façade, c'était comme un masque ?

— Oui, mais un beau masque, qui de surcroît avait des avantages matériels. En fait, ce système devint si répandu que diverses manufactures comme Badger commencèrent à concevoir leurs propres moules de fonte. On a perdu des tonnes d'archives, malheureusement, ce qui fait que, de tous les bâtiments de fonte encore debout à New York, il n'y en a qu'un dont nous sachions avec certitude qu'il a bel et bien été conçu par Bogardus. Il se trouve sur Leonard Street. Et comme on n'a jamais retrouvé de plans complets de la main de ce Bogardus, on n'a jamais vraiment compris comment les éléments étaient assemblés. »

Je feuilletai l'opuscule de la firme Badger. Page après page défilaient les *Chapiteaux*, *Encorbellements* et autres *Piliers*, tous accompagnés d'une description en lettres alambiquées.

« C'est vraiment un catalogue, ça ? Tu dis qu'on pouvait construire un immeuble à partir de ces éléments ?

— Sans problème ! Tu pouvais également concevoir tes propres éléments ; la firme te les fabriquait. C'était comme un rêve d'architecte, cette affaire. Ils pouvaient concevoir des façades très complexes : la méthode Bogardus permettait un assemblage rapide. On pouvait peindre la fonte pour lui donner l'aspect de la pierre. C'était comme les menus dans les restaurants chinois : allez, un numéro 12 – le toit mansardé Napoléon III. Et vous me mettrez une assiette de fenêtres palladiennes et deux frontons brisés.

— Et que ça saute !

— Tout à fait. Tu plaisantes, mais c'était un procédé très rapide. En 1849, il ne leur a pas fallu plus de deux mois pour construire l'atelier de Washington Market. Ce qui a facilité la tâche des barbares qui contrôlent cette ville, lorsqu'ils ont voulu le détruire. »

Et quand l'avaient-ils fait ? demandai-je.

« Il y a trois ans. Tu dois t'en souvenir. Je t'avais emmené voir le spectacle. Tu avais bien aimé la manière dont les lampes à souder crachaient des étincelles quand les ouvriers attaquaient les boulons. »

Elle me revint alors, cette matinée de destruction. Les gros bonshommes chevauchant des poutres, à deux étages au-dessus de notre tête. La manière dont ils avaient dépouillé l'immeuble de sa peau, descendant les plaques à la poulie, une par une. La douleur si vive sur le visage de papa.

« Bon, ravioli du matin, annonça-t-il, nous ramenant brutalement au présent, au lit à baldaquin. Il me tendit un ravioli frit embroché sur une baguette. Je le détachai. De la vapeur s'échappait par la petite blessure ronde.

Je le tranchai en deux d'un coup de dents. Quel délice ! Une minuscule explosion de gras et de sel. Mais papa n'aurait pas dû continuer à me fixer, car il vit alors le dégoût remplacer le plaisir sur mes traits.

« Oh, fiston, il ne faut pas faire ça, s'esclaffa-t-il. Tu ne sais donc pas que le premier commandement du gastronome chinois est : "L'intérieur d'un ravioli jamais tu n'inspecteras" ? »

Il était un peu plus de 9 heures lorsque nous nous rendîmes au terrain grillagé dans un gros camion de livraison brinquebalant que Zev avait garé près de l'entrepôt. Papa alluma la radio le plus fort possible et descendit de la cabine en laissant la portière ouverte, de sorte que les chansons d'amour sirupeuses de sa station spécialisée en vieilleries avaient toutes les chances d'être entendues par d'éventuels passants. Le but était de faire croire que nous étions du coin.

Coiffé d'un casque de chantier bleu, il ouvrit le cadenas avec une petite clef munie d'une chaîne reliée à sa boucle de ceinture, puis fit signe à Zev d'entrer avec le camion. Nous progressâmes sur le sol cabossé, avant de reculer au niveau des panneaux de fonte.

« Mais pourquoi veut-il récupérer ces plaques ? demandai-je à Zev.

— Pour les revendre. N'importe quel ferrailleur de Hunt's Point te payera cent dollars la tonne, fastoche. »

Quand papa eut baissé la bâche du camion, Curtis se leva et sauta à terre, suivi d'un autre gars noir, plus âgé,

287

légèrement voûté, jusqu'ici installé sur une glacière Pompes Funèbres et crématorium DeCarlo. Avant même qu'il se mette au travail, sa peau avait pris un aspect bleuté, poussiéreux. On ne me le présenta pas, mais tous les autres l'appelaient Furman.

Sur l'ordre de papa, je restai toute la matinée à l'arrière du camion, dissimulé aux regards, armé d'un crayon et du carnet de notes. Je devais tenir le compte des panneaux de fonte que les gars hissaient dans le camion et noter les numéros au pochoir sur ledit carnet.

« Les fonderies conservaient des rapports de fabrication assez précis quant aux spécificités des pièces qui sortaient de chez elles, expliqua papa. C'est pourquoi les numéros que tu m'as indiqués hier m'ont permis de retrouver le poids de chacun des éléments. Si tu fais bien ton travail et si tu notes les numéros et les quantités, les ferrailleurs ne pourront pas nous rouler. »

Il suffit de deux ou trois heures pour remplir le camion. Certaines pièces – les longues colonnes striées percées de trous pour les boulons, par exemple – n'exigeaient que deux paires de bras. Pour les panneaux les plus gros, il fallait quatre personnes. Les pièces qui me plaisaient le plus portaient en leur centre le visage d'une femme aux sourcils hérissés et aux cheveux serpentins, frémissants. C'était Méduse, disait papa. À mes yeux, elle avait surtout la tête d'une pauvre femme qui n'a pas envie de se lever.

Il devait faire dans les quarante degrés à l'arrière du camion. Plus la température montait, plus les regards que je lançais à la glacière DeCarlo se faisaient fréquents. Je me rappelais, non sans écœurement, l'odeur de viande pourrie que dégageait celle que j'avais trouvée dans notre jardin. Celle-ci, que contenait-elle donc ?

Un peu après midi, j'eus la réponse à ma question. Mon père, Zev, Curtis et Furman sur les talons, grimpa dans le camion et poussa la glacière en son centre.

« Et maintenant, les gars, le moment que vous attendiez tous, annonça mon père en grande pompe, en soulevant le couvercle. Voyons : quel festin nous propose en ce jour Tony, notre aimable bienfaiteur ? »

Curtis et Zev se penchèrent sur la glacière, impatients. Je ne pus me forcer à les imiter.

« Pas mal ! s'exclama mon père en tripotant le contenu de la glacière. De la dinde, du jambon, du fro... – ah, il y a même des olives fourrées comme tu les aimes, Curtis. Une bonne pioche. »

Je lançai un œil à la glacière : bien sûr, elle était remplie de tranches de charcuterie et autres hors-d'œuvre, disposés sur des plateaux en plastique et recouverts de film alimentaire. Mon père m'en expliqua la provenance : c'était les restes des réceptions commémoratives organisées chez DeCarlo, l'ami des cadavres.

« C'est vraiment ce qu'il y a dans ces glacières que vous traînez partout ? demandai-je, aussi soulagé que surpris.

— Qu'est-ce que tu veux qu'il y ait d'autre ? reprit papa. Personne n'a faim pendant ces cérémonies. Les gens pleurent trop. Tony se retrouve submergé de restes. Il ne veut même pas que je les lui rachète. »

Les gars se servirent les uns après les autres de charcuterie en petits rouleaux et de fromage coupé en dés ; nous nous installâmes au milieu des plaques de fonte pour déjeuner. Au moment où Curtis commençait à grommeler – il aurait bien aimé un lait chocolaté Yoo-Hoo ! pour faire descendre tout ça –, papa annonça que la journée de travail était finie. En refermant la grille, il était joyeux comme un pinson.

« Je prendrai d'abord Manhattan, chantait-il en dodelinant de la tête. Et puis le Bronx et Staten Island[1]... »

---

1. Nick fait ici allusion à une chanson bien connue de Rodgers & Hart, « We'll Have Manhattan », passée à la postérité sous le titre de « I'll Take Manhattan ». *(N.d.l.T.)*

Zev leva les yeux au ciel. La plaisanterie était foireuse. « Seigneur, Nick. Pas devant le gamin. »

Papa remonta dans le camion et nous prîmes la FDR Drive, direction le Bronx. J'étais devant, entre papa et Zev ; Furman et Curtis se trouvaient à l'intérieur du camion, avec les plaques de fonte. Lorsque Zev, sur ordre de papa, me fit descendre au carrefour de la 89e Rue et de la Troisième Avenue, je m'efforçai de dissimuler ma déception. J'aurais bien aimé traverser avec eux le pont de la Troisième Avenue pour aller voir les fracassantes broyeuses du Bronx déchirer le métal.

Près du carrefour, sur le perron fendu d'un immeuble minable, trois vieux Portoricains aux chaussettes en accordéon braillaient en espagnol tandis qu'une radio crachotante diffusait un match des Mets. Plus haut, un gosse, également portoricain, jouait au hand contre lui-même avec une balle en caoutchouc rose.

J'étais presque arrivé à la maison – je passais devant la résidence à l'auvent fendu – lorsque je me rendis compte de la chose suivante : je n'avais aucune envie de me retrouver enfermé dans les pièces étouffantes et sombres de notre pavillon de grès.

28

DANS LES DEUX OU TROIS SEMAINES qui suivirent, je passai
le plus de temps possible chez papa. Je me rendis vite
compte que, si je me levais assez tôt, il consacrait un peu
de temps à la maquette du Lightning avant d'aller récupérer ses plaques de tôle. Je n'aurais jamais pu assembler
le moteur sans son aide. Il avait grandi à Rhode Island
dans les années 1930, à réparer des tracteurs avec ses
frères : c'était quasiment inné, chez lui.

Le ramassage des plaques de fonte se transforma en rou-
tine. Le matin, avant qu'il fasse trop chaud, nous garions
le camion dans le terrain vague et nous nous mettions au
boulot. Zev et Curtis se disputaient toujours sur l'incli-
naison à donner aux plaques avant de les extraire des
piles. Furman attendait qu'ils aient pris leur décision pour
leur prêter main-forte, sans jamais rien dire – sans une
récrimination, sans un sourire. Quant à moi, je restais à
l'arrière du camion, à l'abri des regards, recopiant dans
le carnet de papa les numéros des pièces.

Parfois, je me demandais ce que Dani aurait pensé
de mes performances : lui serais-je apparu tel un rude
ouvrier assumant une responsabilité d'adulte ou comme
une dactylo qui prenait sagement sous la dictée ?

Après avoir cadenassé la porte, nous retraversions invariablement Chambers avant de nous diriger vers le nord
de la ville. Je ne pus jamais surmonter la vexation qui

m'était infligée avec la même régularité : je descendais toujours à la 89ᵉ Rue et ne les accompagnais jamais chez les ferrailleurs du Bronx.

Un après-midi, après avoir vu le camion marron filer sans moi sur la Troisième Avenue, je remontai le pâté de maisons et, une fois devant chez nous, je poursuivis mon chemin. Mes doigts ne se refermèrent pas sur mon porte-clefs, je ne cherchai pas la nouvelle clef sur laquelle maman avait posé un rond de vernis à ongles rouge-brun – elle me l'avait donnée après avoir fait changer la serrure de la porte d'entrée. L'habitude, peut-être, me fit longer Finast et la pharmacie Paulding, sur Lexington Avenue, puis mon école sur la 90ᵉ Rue et je m'engageai par la porte des Ingénieurs sur le sentier noir et poussiéreux qui faisait le tour du Réservoir. Je ressortis du parc au niveau de la 96ᵉ Rue et continuai. Je passai devant Fowad, où l'on vendait d'infâmes fringues de seconde main pour gagner des sous, et devant l'Armée du Salut, où l'on vendait d'infâmes fringues de seconde main pour aider les pauvres. Lorsque je fis halte pour me demander où mes pas me menaient, je constatai que j'étais au pied de l'immeuble où habitait Dani.

Je restai planté là un moment, à pivoter sur mes talons. La porte était ouverte ; un immense ventilateur à pales posé sur le seuil du vestibule remuait l'air avec un vrombissement sonore digne d'un réacteur d'avion. La radio du portier diffusait une chanson de Steely Dan : « *Any major dude with half a heart surely will tell you, my friend : any minor world that breaks apart falls together again…* »

Les yeux plissés à cause du soleil, je comptai les étages, jusqu'au dixième, dont les fenêtres étaient bordées d'ornements en terre cuite de style vaguement grec, du beige aimable des céréales Alpha Bits. Où était son appartement ? N'était-elle pas en train de me regarder ? Et si ses parents avaient déménagé ? Si sa maladie la clouait vraiment au lit ?

Je fis deux ou trois pas vers l'immeuble avant d'être pétrifié par la peur. Et si l'irascible Irlandais sur lequel j'avais fait fondre le déluge était en faction ce jour-là ?

Le risque était faible. Il n'était pas franchement courant pour un gars d'assurer les après-midi de semaine après avoir fait les soirées du week-end.

Certes. Mais on n'est jamais trop prudent.

Je me dirigeai vers la rocade de la 86ᵉ Rue sans même avoir passé la tête dans l'embrasure de la porte.

Mauviette.

29

ON AVAIT PASSÉ UN ACCORD, Furman et moi. Papa refusait de m'acheter des pâtisseries industrielles ; Furman ne mangeait que le glaçage de ses Ring Dings. Il me refilait donc l'intérieur spongieux de ses gâteaux (douze mille ans de radioactivité, à prendre ou à laisser) en échange de ma portion d'olives et autres cornichons fournis par les glacières de la maison DeCarlo. Je le regardais grignoter minutieusement le sucre brillant de tous ses Ring Dings, commençant par le pourtour puis s'attaquant au dessus et au dessous. Il avait le visage tanné ; la peau entre ses yeux était ridée, gris-bleu, comme celle d'un vieil éléphant. Ses narines laissaient échapper un sifflement à chacune de ses respirations.

Zev et Curtis profitaient de la pause déjeuner pour se titiller sur des sujets absurdes. Lequel d'entre eux ressemblait le plus à un Schtroumpf, une fois coiffé de son casque de chantier bleu ? Quelle était la marque préférée des femmes, Wrangler ou Levi's ?

« De toute façon, vieux, dans ton cas, expliquait Curtis, c'est pas bien grave, vu que ton jean, il n'a pas de cul à mouler. »

Et de secouer la tête, compatissant.

« Aucune femme de ma connaissance ne se fierait à un mec sans cul. »

Parfois même, nous prenions le petit déjeuner dans le terrain vague, débarquant pour un pique-nique matinal sur ce qui restait des tas de ferraille. Ce que je préférais, c'était le tas de panneaux-tympans, duquel je pouvais, les jambes ballantes, regarder les quais abandonnés. De l'autre côté de West Street, au-delà du cadavre en sereine décomposition de l'autoroute surélevée détruite un an plus tôt (après qu'une benne à ordures avait plongé de la voie sur la rue en contrebas), un V avait déserté les inscriptions du quai 21. MARINE ET AVIATION, pouvait-on y lire. OIE ERIE LACKAWANNA.

J'essayai à deux ou trois reprises de m'installer avec papa dans la cabine du camion, mais, de toute évidence, j'étais de trop. Papa ne fraternisait pas avec ses équipes au repos. Il mangeait seul, face au volant, en compagnie de son *New York Times*, à l'écart de ses hommes, tout comme le capitaine Scott, seul dans son igloo, au cours de sa malheureuse expédition au pôle Sud. Son refus me vexait, mais si je m'en étais plaint, ne m'aurait-il pas renvoyé chez moi ?

Je n'étais pas le meilleur des secrétaires. Zev, qui ne ménageait pas les rappels à l'ordre en forme de gentils coups de pied au derrière, travaillait à l'entrepôt ce jour-là, si bien qu'au lieu de tenir mon inventaire j'étais installé à l'arrière du camion, occupé à dessiner un tribule digne de ce nom. Papa, Furman et Curtis étaient en train de hisser un panneau orné d'un double soleil levant dans le camion lorsqu'une voix venue de l'extérieur nous fit sursauter de concert.

« Hé ! Hé ! Qu'est-ce que vous foutez avec cette ferraille ? »

Papa réagit dans la seconde.

« Vous, vous restez à l'intérieur », siffla-t-il à ses deux hommes de main.

Il me désigna d'un signe de tête impérieux.

« Planquez le gosse ! »

Feignant le calme – presque désinvolte, même –, papa sauta du pare-chocs et se dirigea d'un pas nonchalant vers l'avant du camion.

« C'est quoi, le problème ? l'entendis-je demander en grimpant dans la cabine.

— Vous êtes des services d'hygiène ? répliqua la voix du nouveau venu, méfiante. On ne m'a pas prévenu que… »

Le moteur se mit en marche et le camion sortit en brinquebalant du terrain vague, soulevant des tourbillons de poussière et me faisant perdre l'équilibre.

« Hééééé ! hurla le nouveau venu. Stop ! »

J'essayai de voir à quoi il ressemblait en me penchant hors du camion mais la grosse main brune de Curtis m'empoigna par le crâne et m'aplatit sur le plancher comme on renferme une tête de clown dans un diable en boîte. Le camion vira une première fois à droite, puis une seconde fois, ce qui nous envoya valdinguer dans l'habitacle. Le moteur se mit à gronder ; le camion prit de la vitesse : nous filions vers le nord, les plaques de fonte glissant et jouant les cymbales autour de nous.

« Le mec a pris des notes ! grommela le vieux Furman en se remettant à genoux. Il a peut-être retenu notre immatriculation.

— T'es sûr ou tu crois ? » répliqua Curtis.

La conversation s'arrêta là. Curtis était quasiment assis sur moi ; entre ses cuisses, cependant, je vis Furman se relever tant bien que mal et se diriger vers le hayon.

Qu'il réussit à refermer, à grand fracas. Nous continuâmes à tressauter dans les ténèbres.

Le camion s'immobilisa avec un dernier sursaut. Le trajet avait duré vingt minutes, un peu plus peut-être. Curtis m'intima le silence, sa main calleuse curieusement douce contre mon torse. J'entendis des cris – impérieux, irrités –, quelqu'un remonta le hayon ; le soleil, de retour, me fit grimacer. Un gamin au visage de fouine, vêtu d'un tee-shirt malpropre, passa la tête dans l'embrasure pour disparaître aussitôt.

Curtis et Furman ne perdirent pas un instant pour commencer à décharger les pièces de fonte, les jetant en pile près du camion avec grand fracas.

Nous nous trouvions dans une vaste cour au sol souillé de graisse. Une caravane à une extrémité, un Himalaya de ferraille difforme de l'autre, le tout ceint d'un mur en brique. Papa n'était plus dans la cabine du camion, mais dans la caravane ; il discutait, concentré, avec un gros bonhomme mal rasé qui avalait un sandwich aux boulettes, accoudé à un plan de travail en alu. Un peu plus loin, un vieil homme maigre et sec, coiffé d'une casquette des New York Giants, noir et orange – et surtout crasseuse –, était installé dans un siège de voiture dont le rembourrage portait la trace fessue de longues années d'occupation.

Papa me lança un regard indifférent de papa tandis que je me tenais à la porte. Puis il se tourna vers le gros bonhomme. Je partis explorer les lieux.

Lesquels étaient incroyablement déments – terre de massacre organisé, gouvernée par deux pinces géantes et jaunes. Cette topographie de décombres, à y regarder de plus près, ressemblait à un immense système de tri – version colossale des bocaux à mayonnaise où maman gardait ses coquilles d'œufs. Il n'y avait pas de mélange entre les montagnes de métal écrabouillé. Chacune avait sa texture – certaines une teinte spécifique. La plus élevée consistait apparemment en un tas de feuilles d'acier, de carcasses de voiture et de tuyaux de cuisine aux reflets argentés. Un autre monticule, plus sombre, devait regrouper le fer et la fonte. Le plus proche était un pic de cuivre torturé – tuyaux tordus, câbles scintillant dans le soleil.

Le vacarme causé par les destructions incessantes était assourdissant ; s'y mêlaient fracas métallique, gémissements et bips-bips des machines. De temps à autre, à tour de rôle, elles s'arrêtaient, poussaient un soupir rauque et pivotaient d'un quart de tour avant de reprendre leur attaque.

Le camion garé devant le nôtre était un pick-up vert et éraflé, dont les jantes rouillées ressemblaient à des sourcils arqués de stupéfaction. Avec le concours du jeune homme à tête de fouine, un Portoricain aux épaules tombantes, méduses aux pieds, tenta avec peine de transférer un réfrigérateur du pick-up vers un diable. Ses deux petits garçons, trop jeunes pour lui prêter main-forte, hurlèrent de joie quand leur papa le transporta en ahanant sur l'énorme balance du ferrailleur. La porte du frigo était constellée d'aimants multicolores en forme de lettres ; y était resté fixé ce qui ressemblait à un fragment de dessin d'enfant. Tandis que le père se prenait le bec avec un ferrailleur, l'un des garçonnets quitta sa proximité rassurante pour essayer de récupérer le dessin. Le père, parti à sa poursuite, le rattrapa par le col, lui ficha une taloche et se mit à le gronder en espagnol. Le gamin hurlait.

Au bout de la cour, le sol s'élevait en pente. Je montai jusqu'au mur de clôture, lequel était une sorte de quai donnant sur une étroite rivière, ou un canal, peut-être. L'eau paresseuse était auréolée d'arcs-en-ciel huileux. Trois péniches, en contrebas, courtisaient la paroi ; l'une était vide, les autres chargées de quelques monceaux de ferraille. L'une des gargantuesques pinces jaunes pivota de manière à se retrouver au-dessus d'une des péniches et y laissa tomber une cliquetante cascade de métal. Dans la cour, près de la balance, la seconde pince fondit sur le frigo de la famille portoricaine – frigo qui échappa à sa prise et tomba de trois bons mètres, s'écrasant sur le sol. La pince repartit à l'attaque. Cette fois-ci, sa prise était plus sûre. Ses dents pénétrèrent dans les flancs du frigo, qu'elles broyèrent. Après une subite rotation, la pince lança l'appareil sur l'une des montagnes, provoquant une petite avalanche de métal déchiqueté – des fragments roulant avec fracas jusqu'à sa base.

Non loin de la caravane, l'ado à tête de fouine avait, avec deux autres ouvriers, dressé plusieurs de nos panneaux de fonte contre le mur pour les attaquer férocement à la scie circulaire, les découpant en deux ou trois morceaux. Papa se tenait près d'eux, leur demandant parfois de poursuivre leur tronçonnage. Il fallait de toute évidence rendre ces pièces méconnaissables.

J'étais inquiet. Si Jim Rockford avait enquêté sur notre affaire, il n'aurait pas fallu plus d'une heure au sergent Becker, le policier chauve qui était son ami, pour identifier notre plaque d'immatriculation et laisser un message déclinant le nom et l'adresse du propriétaire du camion sur le répondeur ultramoderne de Jim – lequel vivait dans un spacieux mobile home. Une fois que Jim aurait mis la main sur le camion, il nous trouverait sans aucune difficulté : ce n'était qu'une question de temps. Dans la vraie vie, la police ne pouvait-elle pas remonter la piste aussi facilement ?

« On est fichus ! » bêlai-je en rejoignant papa près du tas de plaques tronçonnées, de plus en plus haut.

Je tendis la main vers notre camion que quelqu'un avait déplacé. Il se trouvait désormais tout près de nous.

« On a dû laisser nos empreintes digitales dans tous les recoins ! »

Papa réussit à se fendre d'un sourire sans joie.

« J'ai trouvé la parade. Tu ferais mieux de reculer, fiston. »

Je suivis son regard – assez rapidement pour voir la pince jaune se serrer comme un poing géant, avant de descendre droit sur le camion – boum ! –, perçant son toit aussi facilement que si la tôle avait été de la simple toile. Dans mon effroi, je reculai d'un bond tout en poussant un piaillement de fillette – noyé, je l'espérais, dans le vacarme. La pince se releva, souleva à soixante centimètres au-dessus du sol le camion, qui échappa à son étreinte. La pince repartit à l'assaut, elle martelait le pare-brise, faisait voler les vitres en éclats, écrabouillait capot et moteur.

Tandis que se poursuivait ce tonitruant travail de destruction, papa fourra quelques billets dans la main de Furman.

« Tu diras à ton cousin que je suis navré pour son camion. »

30

AVANT MÊME QUE JE ME BAISSE pour ramasser le *New York Times* qui gisait sur le perron, la une me sauta aux yeux.

150 TONNES DE FONTE ÉVANOUIES : ON A VOLÉ UNE FAÇADE HISTORIQUE DE LA VILLE DE NEW YORK

Une terreur atroce, bilieuse, me noua la gorge tandis que je découvrais l'article.

Opérant en plein jour sous le regard ébahi d'un entrepreneur de travaux publics, trois hommes se sont enfuis hier au volant d'un camion contenant des panneaux appartenant à un monument historique de la ville de New York – une façade de fonte vieille de cent vingt-six ans, d'une hauteur de trois étages, décrite par les spécialistes comme un trésor architectural. Elle ornait jadis le Bogardus Building.

C'est à onze heures du matin que Gerard Varlotta, entrepreneur de travaux publics, a surpris les audacieux criminels à l'œuvre dans un terrain situé entre Chambers et Washington Street, dans le sud de Manhattan.

M. Varlotta a expliqué aux enquêteurs avoir vu trois hommes coiffés de casques de chantier bleus transporter les panneaux dans un camion de couleur marron, garé à l'intérieur du terrain. Selon ses déclarations, il a couru vers les voleurs ; ceux-ci, le voyant approcher, ont sauté dans leur

véhicule, à bord duquel ils se sont enfuis. Il a cependant eu le temps de noter le numéro de la plaque minéralogique du véhicule.

Hier soir, les enquêteurs ont déclaré avoir arrêté l'un des trois hommes, qu'ils sont en train d'interroger. Une entreprise de ferraillage du Bronx fait par ailleurs l'objet d'une perquisition. Le capitaine Paul G. Mannino, responsable du commissariat du premier secteur, rapporte que le vol « d'environ cent vingt panneaux » a pris plusieurs semaines aux malfaiteurs, et qu'il est peu probable qu'on puisse tous les retrouver. « Au premier regard, rien ne les différencie d'un simple tas de ferraille », a-t-il commenté.

Sur le marché des métaux, la fonte, dit-on, coûte cent dollars la tonne.

Je dus m'arrêter de lire. J'allais vomir sur mes chaussons, j'en étais sûr et certain.

« Donne-moi ça, petit, fit Mathis d'un ton enjoué tandis que je traversais d'un pas traînant la salle à manger, le journal à la main. Regardez ! ajouta-t-il à l'intention de M. Price, tapotant la une de son index. C'est dans le journal. Ils ont volé un *monument* ! »

Il lut le début de l'article à voix haute, secouant la tête avec une stupéfaction ravie. J'entendais sans écouter.

« Voilà ! s'écria-t-il soudain. Ce sont les détails dont je te parlais ! »

Il poursuivit sa lecture, tandis que je cherchais à me rendre invisible.

« *Le vol a été rendu public lorsque Mme Beverly Moss Spatt, présidente de la Commission de sauvegarde du patrimoine de la ville, s'est ruée hier dans la salle de presse de l'hôtel de ville en hurlant : "On m'a volé un de mes monuments !"*

» *"C'était un joyau de l'architecture new-yorkaise, a-t-elle ajouté. Le plus bel exemple d'immeuble en fonte dont la ville pouvait s'enorgueillir."*

» *L'immeuble d'origine avait été conçu par James Bogardus ;* *il fut construit en 1849 au 97, Murray Street. Il contenait l'un des plus beaux spécimens de structure architecturale en fonte du monde, estiment les spécialistes. Un fragment de cette façade unique est d'ailleurs conservé au Smithsonian Institute, à Washington.*

» *La façade de trois étages pouvait être démontée, déménagée et remontée sur un nouveau lotissement. Elle a été classée en 1970. Un an plus tard, lorsque le bâtiment a été détruit dans le cadre du programme de réhabilitation urbaine de Washington Market, la façade a été démontée et entreposée sur place.*

» *En 1971, le gouvernement fédéral, a précisé Mme Spatt, a subventionné la ville de New York à hauteur de 450 000 dollars pour que la façade soit remontée sur les locaux de la nouvelle école professionnelle du programme.*

» *"Je m'étais fait un tel souci pour cette façade, a déclaré Mme Spatt. J'avais parlementé en vain avec le département Urbanisme et logement pour qu'elle soit conservée en lieu sûr. Sa disparition me brise le cœur." »*

« Mais c'est proprement délirant ! ricana M. Price, avec une condescendance horrifiée. Vous autres, les Américains, vous devriez quand même faire attention aux rares monuments historiques dont vous disposez.

— Price, la ferme, rétorqua Mathis. Il n'y a pas de mecs qui grattent, peut-être, à Londres ? »

L'article n'était pas fini. M. Price se leva et se pencha par-dessus l'épaule de Mathis. Ils lisaient en silence, leurs regards filant d'une colonne à l'autre.

En restant là à faire semblant de ne pas m'intéresser à cet extraordinaire événement, j'allais sans doute finir par être victime d'une combustion spontanée. Je courus me réfugier dans les toilettes du bas de l'escalier en attendant qu'ils fichent le camp. Lorsque je n'entendis plus aucun bruit dans la salle à manger, je me ruai vers la grande table pour dévorer le reste de l'article.

Le Bogardus Building fut le premier immeuble new-yorkais doté d'une façade complète en fonte. Il servit de référence pour toutes les constructions de ce type qui suivirent. Les spécialistes y voient une préfiguration de l'armature métallique employée pour les gratte-ciel.

L'individu interpellé est un certain Furman Boyd, 46 ans, demeurant 121, 120ᵉ Rue Est, Manhattan. Il fait désormais l'objet d'une inculpation pour vol qualifié.

(Merde.)

Les enquêteurs pensent pouvoir arrêter rapidement les deux autres malfaiteurs.

(MERDE !!)

Selon des sources policières, les panneaux de fonte ont été retrouvés dans une décharge, au 850, Edgewater Road, dans le Bronx, adresse fournie par M. Boyd. Ces panneaux avaient déjà été tronçonnés, mentionnent les enquêteurs.

Ces derniers ont précisé qu'ils continueraient à fouiller la décharge à la recherche d'autres éléments de la façade. D'après leurs informations, le gérant de la société de récupération de métaux n'avait aucune idée de la valeur historique de ces panneaux de fonte.

Papa, je dois le mentionner, ne fut pas très heureux de me voir pointer le nez à l'atelier, le matin même.

« Qu'est-ce que tu fiches ici, fiston ? »

Il fusilla du regard le pauvre Zev, coupable de m'avoir laissé entrer.

« Mieux vaut que tu gardes tes distances, petit, à partir de maintenant. »

Papa avait une tête épouvantable. Il portait les mêmes fringues malpropres que la veille, jean et chemise de flanelle. Ses yeux étaient injectés de sang.

« Zev ! aboya-t-il. Emmène Griffin bouffer un truc. Il me faut de l'espace pour réfléchir. »

Zev se leva, comme pour me faire sortir. Je fis semblant de ne pas le voir.

« J'ai lu dans le journal que c'était un monument connu, papa, le truc qu'on a volé.

— Qui dit le contraire ? Pourquoi crois-tu que j'étais si furax quand ils m'ont expulsé pour pouvoir le détruire ?

— Mais ils allaient le remonter ! Ils ont dépensé des paquets de dollars pour sauver les panneaux et…

— Sauver les panneaux ? rétorqua papa, amer. Ah oui, pour les sauver, ils les ont sauvés. Exactement comme Teddy Roosevelt a sauvé tous ces beaux mammifères du monde entier en leur tirant dessus, avant de les exposer empaillés au Museum d'histoire naturelle. La ville est un être vivant, fiston. On ne la sauve pas en la démantelant.

— Mais, dans le journal, ils disaient qu'ils avaient reçu, genre, un demi-million de dollars pour reconstruire la façade. »

Papa secoua la tête.

« Fiston, je suis certain qu'il y a des individus bien intentionnés à la direction du patrimoine, mais leur projet était grotesque.

— Complètement », confirma Zev.

Ma perplexité devait sauter aux yeux. Je n'avais pas la moindre idée de ce dont ils parlaient.

« Le fait est, fiston, qu'il y a maintenant une législation tout à fait sévère ici, à New York, en faveur du patrimoine, expliqua papa. Ils auraient pu s'en servir sans problème pour préserver le Bogardus Building au complet, à l'endroit même où il avait été construit. Au lieu de quoi, ils ont démoli des centaines d'immeubles anciens autour de Washington Market, y compris le Bogardus, pour construire les tours jumelles et l'école supérieure. Ils ont entassé les morceaux du Bogardus dans un terrain vague, sans surveillance – tu l'as bien vu ! – et se sont débarrassés des questions de sauvegarde du patrimoine en les refilant aux malheureux architectes de l'école professionnelle.

— Sans rire, approuva Zev. Le mariage arrangé le plus mal assorti qu'on puisse imaginer.

— Comment ça ? demandai-je.

— La direction du patrimoine a forcé les architectes à intégrer le Bogardus dans leur nouveau campus flambant neuf, lâcha Zev.

— La meilleure idée qui leur soit venue, ajouta papa, c'est ce plan complètement débile : les deux murs de fonte du Bogardus devaient servir de séparation dans une des cours. Les gamins pourraient viser les fenêtres avec leurs frisbees. »

Je jetai un coup d'œil à son visage cramoisi. La remarque que j'avais sur le bout de la langue était-elle opportune ?

« Il ne vaut pas mieux qu'ils se retrouvent dans une cour plutôt que chez le ferrailleur ? me risquai-je.

— Non ! tonna papa. Mille fois non ! »

Une épaisse veine bleue saillait au milieu de son front.

« Le Bogardus, c'était un immeuble ! Une structure vivante à l'intérieur de laquelle tu pouvais vivre, travailler ! Leur idée était aussi grotesque que la ville en contreplaqué du *Shérif est en prison.* »

Bon Dieu, qu'est-ce que j'aimais ça, *Le shérif est en prison*. Il était sorti en février. Comme on ne pouvait le voir qu'en compagnie d'un adulte, Kyle et moi avions convaincu un gentil monsieur barbu qui faisait la queue devant le Beekman de nous faire passer pour ses enfants, qu'on puisse voir le film.

Papa sortit une brique de lait de son petit frigo de célibataire et en but une gorgée.

« Fiston, ce n'est pas bien compliqué. La ville a traité le Bogardus sans aucun égard ; par conséquent, j'ai décidé (il me transperça du regard) – *nous* avons décidé – de mettre fin à ses souffrances. Et même si nous avons été pris sur le fait avant de pouvoir liquider toutes les pièces, nous nous sommes débrouillés pour retirer un bon paquet de dollars de cet acte aussi désintéressé que miséricordieux. »

Cela ne me réconforta aucunement.

« Mais, papa ! Furman a été arrêté ! protestai-je, ma voix retrouvant des aigus de petite fille. C'est peut-être ce qui va t'arriver ! Et à moi aussi !

— J'en doute. Je les paie généreusement, ces gars : assez pour qu'ils restent discrets. Ils s'en tireront sans doute avec un court séjour à Rikers. Pour des types comme eux, tu sais, c'est un des risques du métier.

— Un "court séjour" ? Comment est-ce possible ? Le journal parlait de *vol qualifié*. »

Papa me tendit les mains, paumes offertes.

« C'est grotesque. Quand les flics se sont mis à fouiller la décharge du ferrailleur, hier, toutes les pièces que nous avions apportées avaient déjà été traitées : elles étaient impossibles à identifier. Par conséquent, les charges ne portent que sur les vols d'hier. Pour les autres, il n'y a aucune preuve. Quant à l'accusation de vol qualifié, elle veut simplement dire que le délit concerne un bien d'au moins mille dollars. Ce qui n'était pas le cas avec la récolte d'hier. »

Il me toisa, non sans irritation.

« Le Bogardus était peut-être un inestimable joyau de l'architecture new-yorkaise mais il n'a aucune valeur sur le marché. Contrairement à la fonte : elle coûte quatre-vingt-dix-sept dollars la tonne. Aux yeux de la loi, ces types n'ont pas volé un trésor national. Tout juste un tas de ferraille. Furman ne pourrira pas en prison. »

Papa disait peut-être vrai. Mais il me semblait tout de même que chaque fois que des gens – des adultes ou des gamins – se regroupent pour faire un truc, il y en a toujours un – le plus vulnérable, en général – qui se fait complètement rouler. Il me revint un souvenir : un jour, après les cours, on avait monté une expédition pour choper Lamar. Tout en psalmodiant « Grosse Tête, Grosse Tête », on l'avait enfermé dans une énorme poubelle qu'on avait hissée sur un pupitre, dans une salle de classe : impossible pour lui d'en sortir, il risquait de tomber la tête la première.

Dans *Le shérif est en prison*, il y a cette espèce de colosse abruti du nom de Mongo ; il travaille pour le méchant du film, joué par Harvey Korman. Il nous faisait penser à Lamar, ce que nous ne cessions pas de lui répéter, d'ailleurs. Et voici comment Mongo finissait par passer l'arme à gauche : ses ennemis lui envoyaient une boîte de bonbons fourrés à la dynamite et la lui livraient près du feu de camp.

« Un bonbongramme pour Mongo ! Un bonbongramme pour Mongo ! »

Pauvre gars, il s'attendait à tout sauf à ce que ça lui pète au nez.

À quoi Furman avait-il pu penser, la veille, dans Harlem, lorsqu'il avait ouvert à la police – en ce moment où la confiance qu'il avait eue en papa lui avait explosé au visage ?

31

L'APPARTEMENT DE ZEV, THOMPSON STREET, avait tout du taudis. Minuscule, et situé juste au-dessus de la boutique d'un tailleur, dont l'enseigne de néon vert – une aiguille et une bobine – clignotait dans sa fenêtre. Tandis que, penchés sur sa petite table, nous saucions notre bœuf Dinty Moore avec des tranches de Wonder Bread, le cliquetis nerveux de la machine à coudre se faisait entendre à intervalles irréguliers sous le parquet.

« Ça te plaît, cet endroit ? demandai-je en embrassant les lieux du regard.

— C'est mon chez-moi, répondit Zev en haussant les épaules. Je ne me torture pas la cervelle en pensant à tout ce que je n'ai pas, tu sais. »

Ce qu'il avait, du reste, sortait vraiment de l'ordinaire. Le plancher était en grande partie recouvert de petits tapis orientaux, lesquels se chevauchaient de la manière la plus erratique. L'un d'eux, rouge, splendide, avait perdu un petit fragment rond – happé, peut-être, par un chien. Pas un centimètre de l'appartement qui ne fût occupé – et pourtant, rien de ce qui s'y trouvait ne semblait avoir d'utilité. Des tas de boîtes anciennes en fer : boîtes de cigarettes, boîtes de poudre dentifrice, boîtes que leur décor en trompe-l'œil faisait ressembler à des paniers d'osier. Des tableaux sans cadre représentant des moutons, des vieilles dames, un paon unijambiste. Une étagère de fenêtre garnie de siphons aux couleurs vives, toutes différentes. Un Empire State Building en cire rouge dont la flèche avait cédé sous la chaleur.

« Dis-moi, tu as quel âge, en fait ? me demanda Zev. Quatorze ans ?

— Non, treize ! »

Le nombre resta en suspens dans les airs, dans toute son affolante ambiguïté, ni très conséquent ni complètement dépourvu de substance.

« Et ça te plaît d'avoir treize ans ? »

Je fixai Zev.

« À ton avis ?

— Ouais, d'accord, ce n'est pas très futé, comme question, gloussa-t-il. Dans mon souvenir, c'est merdique : rien à faire, et personne avec qui tu pourrais le faire. »

Un silence suivit.

« Il faut bien reconnaître, finis-je par dire, que c'était vraiment taré de sa part d'embarquer ce monument unique et de le filer aux ferrailleurs. Vraiment taré. »

La machine à coudre vibrait sous les semelles de mes baskets en rafales dignes d'une mitrailleuse : tir de Thompson sur Thompson Street.

Zev soupira.

« Écoute, petit. Ton père n'est pas un mec commode. Mais cet immeuble, il l'adorait. Et ils l'ont saccagé. Les gens se comportent curieusement dans ces situations. Mais c'est sûr, il aurait pu réagir d'une autre façon. »

Zev regarda ses doigts, qui pianotaient sur le plateau métallique de la table.

« Je peux te montrer quelque chose ? »

Je le suivis jusqu'à une vitrine d'un mètre de haut, logée sous son étroit lit en mezzanine. Elle avait naguère hébergé des Hostess CupCakes au chocolat et à la vanille. Ses étagères en grillage blanc exhibaient désormais toute une collection d'insolites vieilleries dont le seul point commun semblait être qu'elles avaient toutes quelque défaut.

« Je les ai baptisés "Raccommodages émouvants", me confia Zev. Ce sont des objets très anciens, dont certains n'ont rien de remarquable à l'origine. Mais ils ont tous été cassés, à un moment ou un autre, et leurs propriétaires y étaient si attachés qu'ils se sont donné tout le mal de la terre pour les réparer. Par leur affection, leur invention, ils ont fait de ces reliques quelque chose d'entièrement nouveau et de parfaitement singulier. »

Zev s'accroupit, le visage pratiquement collé à son petit bric-à-brac.

« C'est ce que font toujours les gamins, poursuivit-il. Une peluche bien-aimée perd un œil ? Ils demandent à leur mère de coudre à la place un des boutons de leur manteau de l'année précédente. Une de leurs petites voitures perd un de ses pneus ? Ils le remplacent par un des élastiques de l'appareil dentaire de leur grand frère. La plupart des adultes ne savent plus comment prendre soin des choses. Ils perdent patience. Tout ce qu'ils voient, ce sont les défauts. Les défauts de l'objet, les insuffisances de leur propre raccommodage. Alors ils jettent. »

Zev sortit de la vitrine un broc dont la glaçure ressemblait à une avalanche de lave brune.

« Regarde. C'est un broc Bennington en terre cuite fabriqué sans doute dans les années 1910. Il a perdu son anse. Mais son propriétaire, au lieu de le jeter, lui a confectionné cette magnifique prothèse de fer-blanc, rattachée au corps du broc par une paire de boulons fixés dans des trous très soigneusement percés dans la poterie. »

L'anse n'était pas totalement assortie au broc mais lui donnait, d'une certaine façon, une apparence plus chouette. Moins banale. On pouvait même distinguer les marques du marteau sur le fer-blanc, le réparateur ayant travaillé avec amour la courbe gracieuse de la prothèse. Zev m'ayant déposé le broc dans les mains, je refermai les doigts sur l'anse, qui se lova aussi parfaitement au creux de ma paume qu'un chat qui se loge bien au chaud entre vos genoux quand vous dormez en chien de fusil.

« Et regarde ça, fit Zev en me reprenant le broc, qu'il fit pivoter. Le réparateur, un certain M. Frühman, était si fier de son raccommodage qu'il a même fixé à l'intérieur de l'anse une petite plaque de laiton portant son nom, plaque confectionnée par ses soins. »

Zev rangea le broc sur son étagère, à côté d'un gobelet de verre dont l'un des pieds avait été remplacé par une prothèse de marbre et d'un roi blanc de jeu d'échecs – à la croix perdue de sa couronne, on avait substitué le minuscule x d'une machine à écrire, auquel on avait imprimé un quart de tour.

« Mais ce n'est pas simplement une manière particulière de restaurer des objets ?

— Absolument pas. La restauration, c'est une manière un peu distinguée de dire qu'on va repartir en arrière, qu'on va faire tout ce qu'il faut pour restituer à l'objet ses attributs d'avant. Ici, c'est quasiment le contraire. C'est une création personnelle qui porte en elle-même un acte de destruction assez violent. Et ce qu'on détruit, c'est la possibilité de restaurer l'objet, justement.

— De le dé-casser, tu veux dire ? »

Zev éclata de rire.

« Oui, de le dé-casser. »

Et de ronger l'ongle de son pouce, déjà bien attaqué.

« Car dé-casser quelque chose, comme tu le dis, quand bien même la chose serait possible, est une action des moins imaginatives. Un artisanat, peut-être, mais certainement pas un art. »

Il sortit de la vitrine un peigne à deux dents en écaille de tortue, ornée de motifs à volutes mêlant dragons et fleurs.

« C'est ma copine Marilynn Gelfman qui m'a fait cadeau de celui-là. Comme tu peux le voir, il a été cassé aux deux endroits les plus fragiles – sans doute, comme le dit

Marilynn, lorsque sa propriétaire a voulu le ficher dans son épais chignon pour y attacher une de ces mantilles en dentelle, à l'espagnole. Mais vois-tu les magnifiques petites pièces d'argent avec lesquelles il a été reconstruit ? »

Et scrutant le peigne, je vis les minuscules plaquettes d'argent dont il parlait – aucune n'était plus grande que l'ongle de mon petit doigt. Elles étaient gravées de motifs floraux d'une invraisemblable délicatesse et fixées à l'écaille de tortue par les rivets les plus microscopiques qui soient. Honnêtement, je ne m'étais jamais intéressé aux peignes pour dames avant ce jour, mais celui-là était vraiment dingue.

« C'est le fait qu'il ait été cassé qui a rendu les choses possibles, reprit Zev. Sans accident, pas de découverte. »

Il contemplait le peigne avec autant d'admiration que s'il lui était présenté pour la première fois.

« À l'origine, c'était un joli peigne, tu sais – comme des tonnes d'autres jolis peignes, conclut-il en rangeant le bibelot dans sa vitrine. Mais, à présent, il est le seul de son espèce en ce monde. Il est parfaitement *lui-même*. »

Cela me donna à réfléchir ; je ne savais trop pourquoi ces objets me faisaient sentir simultanément très seul et revigoré.

32

UN GARÇON DONT LE COURAGE FLUCTUE entre correct et moyen finit toujours par faire son devoir. J'attendis que l'Irlandais grincheux posté dans le vestibule de Dani soit parti fumer sa cigarette au coin de la rue pour traverser l'entrée en un éclair. Tout au long de l'escalier gris, le bas du mur était constellé sur quarante ou soixante centimètres de grandes touches d'enduit blanc. Il y avait eu de vagues travaux, bien sûr, mais pas de vrai coup de pinceau, en dépit des mois écoulés. Très West Side, ça.

Je n'avais pas vraiment de stratégie arrêtée, mais, quoi qu'il en soit, je ne m'attendais certainement pas à tomber sur l'un des frères de Dani – un mec déplaisant, largement plus vieux que moi – au moment même où je passais la tête sur le palier du dixième étage. Il avait des cheveux noirs coiffés à la David Cassidy, avec la raie au milieu – pas très viril –, et venait tout juste de sortir de chez eux lorsqu'il me repéra. Il continua à me toiser, sceptique, pendant que j'essayais de m'expliquer.

« Tu sais quoi ? m'interrompit-il assez rapidement. Garde tes boniments pour toi. Je viens de me rendre compte qu'il était bien trop fatigant de faire semblant d'être intéressé par ce que tu me racontes. »

Sur quoi il se retourna vers la porte ouverte.

« Hé, Dani ! T'as un jeune admirateur qui rôde devant la porte. Il a une toute petite voix, comme si ses couilles n'étaient pas encore descendues. »

Puis il s'interrompit, pensif, avant de se remettre à hurler :

« Tu vois ? Je t'avais bien dit que tu avais des amis. »

De l'intérieur de l'appartement, on entendit dans un téléviseur une convulsion de rires préenregistrés. Quelques instants plus tard, Dani apparut dans l'embrasure de la porte. Elle portait un tee-shirt Bruce Lee orné de l'inscription « Dy-no-mite ! » et un pantalon de pyjama bleu. Elle semblait frêle, pâle comme au sortir de l'hiver. À ma vue, elle laissa échapper un petit « Oh ! » de surprise.

Son frère la scrutait.

« Apparemment, la personne en question n'était pas attendue, dit-il, considérant sa sœur avec un mélange d'apparente moquerie et de protection. Souhaites-tu que je raccompagne notre jeune visiteur ?

— Non, non, répondit Dani. C'est Griffin, un type de l'école. Pas de problème. »

Le frangin se méfiait encore.

« Qu'est-ce qu'il a dans son Big Brown Bag, Griffin, ce Type de l'École ? »

Le fait est que j'avais dans les bras un gros sac en kraft sur lequel étaient imprimés ces trois mots super-utiles : *Big Brown Bag*.

« C'est pas tes oignons, Brian, répliqua Dani, qui me fit entrer en me prenant par le coude. Toi, tu ne lui réponds pas », ajouta-t-elle d'un ton ferme à mon intention.

Qu'apporter à une personne malade ? De la nourriture, n'est-ce pas ? De la soupe au poulet maison, ou un plat de lasagnes, ou un truc de ce genre. Bien mieux qu'une carte dégoulinante de bons sentiments de chez Lamstons (« Prompt rétablissement ! »), car il fallait prévoir l'éventualité d'un grand n'importe quoi de la part de Quig, et donc que Dani soit en pleine forme. La bouffe, ça fonctionnait dans tous les cas.

« Bon, alors qu'y a-t-il dans le fameux Big Brown Bag ? » me demanda Dani.

Nous nous étions installés sur le canapé de velours bleu aux coussins avachis, dans le salon, non loin d'une troupe d'énormes avocatiers cultivés en appartement, dont les feuilles ressemblaient à de longues rames vertes.

Je sortis du sac un grand tupperware et le posai sur la table basse, un cube en acrylique.

« Tu as faim ? »

Elle ne répondit pas.

« C'est une gâterie pour le petit-déjeuner que j'ai fabriquée à la maison, annonçai-je. Pour toi, spécialement. Pour qu'on fasse la paix. Moi et Kyle, on a mis ce truc au point au début de l'année. Il a connu certaines modifications avec le temps, mais aujourd'hui je suis vraiment quasi certain d'être parvenu à la perfection ! »

J'ôtai le couvercle – « *Et voilà, mademoiselle** » – et inclinai le récipient vers Dani.

Elle y jeta un coup d'œil réticent, avant de rejeter la tête en arrière avec une expression d'épouvante.

« Beurk ! Qu'est-ce que c'est que ce machin ? On dirait que ç'a été prédigéré. »

Ce qui me fit éclater de rire.

« Je sais, je sais, Dani. Mais c'est aussi goûteux que hideux, je te le jure. Ç'a juste besoin d'être réchauffé.

— C'est vert ! Qu'est-ce que tu cherches à me faire avaler ?

— Eh bien, c'est un petit chef-d'œuvre de bric et de broc qu'on sert au petit-déjeuner et que j'ai la faiblesse d'appeler l'Œufxorciste. Hideux, certes, mais si diaboliquement délicieux qu'une bouchée suffit pour que tu sois possédée corps et âme. (Le visage de Dani ne reflétait aucune expression.) Et même, pour te soulever et te faire tournoyer autour de ton lit pendant qu'un vieux curé tout recroquevillé le conjure en hurlant de te délivrer. »

(En fait, je n'avais jamais pu voir *L'Exorciste*, mais tout le monde avait entendu parler de Linda Blair transformée en toupie humaine par le démon ; si je mentionnais un film que les moins de dix-sept ans ne pouvaient voir qu'avec un adulte, j'aurais peut-être l'air un peu moins collégien.)

Dani ne répondant toujours pas, je continuai à bavasser.

« Les ingrédients sont super-simples : six gros œufs, six louches d'épinards à la crème Seabrook Farm, une boîte de thon Star Kist de six cents grammes, six cuillers à soupe de saindoux, six portions de steak haché, six doses de mayonnaise Hellman en bouteille et six cuillers à soupe de graisse de bacon – tu sais, cette espèce de substance solidifiée que tu gardes dans un pot à café, pour la cuisine. Et tout cela équivaut – je crois que nous nous trouvons exactement dans le cadre des Apports journaliers recommandés – à environ 666 000 calories par portion. »

Dani me considéra pendant un temps infini sans que son expression trahisse quoi que ce soit. Puis un sourire daniesque se mit à flotter sur ses lèvres.

« Qu'est-ce qui se passe ? » demandai-je.

Le sourire s'élargit.

« Tu sais que tu es un mec vraiment attentionné, toi ?

— Mais c'est l'Œufxorciste en personne ! me défendis-je, impuissant. Tu ne vas pas me dire que tu te dérobes à l'Œufxorciste ! Vas-y, juste une bouchée ! Tu vas adorer. »

À présent, Dani riait à gorge déployée.

« Mais quoi ? la suppliai-je. Qu'est-ce qu'il y a ? »

Elle me posa la main sur le bras d'un geste doux. Puis, sans cesser de sourire, elle plongea son regard dans le mien.

« Tu dois bien savoir que j'ai été hospitalisée le mois dernier pour anorexie, non ? »

C'était la première fois que j'entendais parler d'anorexie. Les filles rondelettes comme Quig, tout le monde savait qu'elles mangeaient trop. Ça, c'était vraiment un problème. Quant aux filles maigres, je m'étais toujours dit qu'elles étaient en pleine forme.

« Ça veut donc dire que tu ne peux pas manger ? » lui demandai-je après qu'elle eut passé quelques minutes à essayer de m'inculquer quelques notions relatives aux troubles de l'alimentation.

« Ce n'est pas une question de volonté. Je ne mange pas, c'est tout. Pas assez, en tout cas. »

Je hochai la tête, comme s'il s'y passait quelque chose de l'ordre d'une réflexion intelligente.

« Et tu sais quoi ? poursuivit Dani. C'est bizarre. Parfois, d'une certaine manière, c'était une bonne chose pour moi, de prendre cette décision de ne plus manger. Comme si, pour une fois, j'étais vraiment maîtresse de mes mouvements. Comme si j'étais seule à choisir pour moi – enfin, c'est du passé. »

Elle m'emmena dans la cuisine et me montra des canettes entreposées dans le frigo : elles contenaient un milk-shake spécial dont elle était censée avaler trois portions par jour, désormais. Elles étaient au fond du frigo : goût chocolat principalement, mais il y avait deux ou trois canettes roses qui devaient être aromatisées à la fraise ou à la cerise. Elles avaient un aspect ignoble, artificiel – certes –, me dit Dani, mais le breuvage l'avait « engraissée » ; elle avait repris six kilos depuis que sa mère l'avait emmenée aux urgences, l'avant-avant-dernière semaine de cours. Elle n'en pesait alors plus que quarante-deux. Même si je n'avais aucune idée du poids idéal de la jeune fille des années 1970, les deux chiffres qu'elle venait de me donner me paraissaient diablement insuffisants. La dernière fois que j'étais monté sur la balance, l'aiguille avait indiqué 60. Et j'étais tout nu dans mon caleçon.

« Tu sais que tu es le seul qui soit passé me voir ? fit Dani. À part Valerie. Elle est venue le week-end qui a suivi ma sortie de Roosevelt et s'est comportée d'une manière ultra-bizarre, genre j'étais contagieuse, ou je ne sais quoi. Elle n'est plus jamais revenue. C'est comme si, à part elle et toi, aucun élève ne s'était rendu compte de mon absence. »

Dani s'avança vers la table de la cuisine et se hissa précautionneusement sur le plateau de métal émaillé. Ses jambes maigres se balançaient dans le vide, revêtues de leur pantalon de pyjama.

« Je veux dire, mes frères ont été corrects, à leur manière, plus ou moins neandertalienne, et maman n'arrête pas de me harceler, du style "Mais comment ma propre fille a-t-elle pu s'infliger une telle torture", quand elle n'assiste pas à ses colloques aisselles poilues avec ses copines gauchistes, à Barnard. »

Dani se mordilla les lèvres.

« Mais sinon, tu sais, je me suis dit, en quelque sorte, que si j'arrivais à complètement arrêter de manger… (elle baissa les yeux vers ses pieds qui pendaient dans le vide)… je finirais par disparaître. »

J'allai m'asseoir sur la table, près d'elle. Sa cuisse était étonnamment chaude contre la mienne.

« Tu ne devrais pas…, bredouillai-je. Je veux dire, non. Tu n'as pas disparu. Je veux dire… moi, j'avais remarqué. »

Nous restâmes silencieux pendant un long moment. Lorsque je finis par me tourner vers elle, je fus surpris de constater qu'elle me dévisageait.

Elle eut un petit sourire.

« Tu n'es pas simple à comprendre, tu sais, Griffin ? Je veux dire, comment un type aussi sympa peut-il faire des trucs aussi tordus ? »

Je m'absorbai dans la contemplation de mes baskets, les paumes à plat sur les genoux lissés par l'usure de mon Levi's en velours côtelé.

« C'est peut-être parce que je suis un type tordu qui fait des trucs sympas ? »

Pendant un instant, il ne se passa rien. Puis je sentis sa petite main se poser sur la mienne. Je n'avais jamais étudié la forme de ses doigts. Ils étaient élégants et osseux : osseu-phistiqués. Elle aussi, peut-être, avait deux personnalités.

Le souffle de Dani me réchauffa l'oreille.

« Je suis contente que tu sois venu. »

33

ALORS QUE *MONSIEUR** CLAUDE était dans la cuisine, penché sur la cuisinière pour y allumer une de ses infectes Gauloises sans filtre, je subtilisai le *Times*, posé sur la table, devant sa chaise, et m'enfuis, ma prise à la main, pour me réfugier dans le seul endroit où personne, je le savais, n'irait me chercher – le placard sous la banquette de la fenêtre, dans la chambre de maman. Ces derniers temps, j'y avais passé des heures à dépouiller le journal, à la recherche de la moindre information sur l'enquête concernant le vol du Bogardus.

Ce matin-là, maman rentra alors que j'avais à peine fini la première moitié de la première section. Je ne fus pas pris au dépourvu pour autant. Lorsque je constatai qu'elle était en train de se coucher, je tirai doucement la porte du placard vers l'intérieur, à l'aide d'un élastique enroulé autour de la poignée, avant d'enfiler la chouette lampe frontale que je m'étais fabriquée en fixant le stylo-torche de papa à la visière de mon casque des Mets. Ma vieille cachette avait une familiarité rassurante ; les briques nues du mur, sous la fenêtre, donnaient à l'endroit une fraîcheur de grotte que j'avais toujours adorée.

Après l'article en une, j'avais exhumé la première nouvelle inquiétante dans un article publié le surlendemain de nos exploits. J'avais gardé la coupure dans le placard. L'article était ainsi titré : LE PONT DE RIVERSIDE DÉPOUILLÉ DE

SES BRONZES ; ÉPIDÉMIE DE VOLS ARCHITECTURAUX. Apparemment, quelqu'un avait volé sept sections d'une rambarde ornementale en bronze qui ornait jusqu'alors le pont de Riverside Drive, sur la 96ᵉ Rue. Délit d'importance, car le pont avait été conçu par Carrère et Hastings, les architectes de la New York Public Library, sur la 42ᵉ Rue.

L'article était illustré d'une photo montrant un type et sa fille – ou peut-être un fils à cheveux longs – penchés sur une rambarde dont les ornements évoquaient vaguement une rangée de violons en bronze. Y était fixé le pathétique bouche-trou dont la ville s'était fendue pour remplacer les éléments volés : une collection de tasseaux cloués les uns contre les autres de la manière la plus rudimentaire qui soit.

L'article donnait la liste d'autres joyaux architecturaux, tout aussi chouettes, à en croire leurs noms, arrachés eux aussi au paysage urbain. Parmi ces trésors, deux lampadaires splendidement décorés qui flanquaient le monument aux Pompiers au carrefour de Riverside et de la 100ᵉ Rue et une statue entière représentant un célèbre architecte du XIXᵉ siècle, Richard Morris Hunt, tout simplement arrachée de son piédestal de Central Park.

La plupart des objets en bronze ont disparu sans laisser de trace ; dans un cas, cependant, on a pu remonter la piste de l'urne de bronze qui avait été arrachée au monument de la Grand Army Plaza, dans Brooklyn. Elle a finalement été retrouvée dans une usine de boucles de ceinture, également sise dans Brooklyn. Les voleurs ont été interpellés quelque temps plus tard.

C'était la première fois que je prenais conscience du fait que papa n'était pas le seul pirate de la ville. Fichue New York, qui s'autophagocytait !

Cependant, ce fut la fin de l'article qui me noua les intestins.

En lien avec l'enquête, la police a procédé à deux arres-
tations et recherche activement un troisième homme dans le
cadre de son enquête sur le vol des panneaux de fonte qui
constituaient jadis la façade du Bogardus, un monument de
l'architecture new-yorkaise. La police, ayant réussi à iden-
tifier le camion qu'un témoin avait vu sortir d'une zone de
stockage, au croisement de West Street et Chambers Street,
chargé de quelques-uns de ces panneaux, a pu appréhender
deux hommes.

Lesquels sont Furman Boyd, 46 ans, demeurant 121,
120ᵉ Rue Est et Curtis Knowles, 28 ans, demeurant 155,
104ᵉ Rue Est, tous deux manœuvres.

Chaque fois que je relisais ces deux derniers para-
graphes, je me souvenais de la grosse main calleuse de
Curtis s'abattant sur mon crâne et me plaquant vers le sol
pour me protéger des regards indiscrets. Pourquoi cette
main, dans un appartement miteux de Brooklyn, avait-elle
dû sentir se resserrer les menottes pendant que je jouissais
d'une chambre à moi dans une belle maison en grès de
quatre étages ? Papa avait-il raison de croire que seuls les
« manœuvres » pouvaient être arrêtés pour ce type de délit,
ou pensait-il que la police le traquait désormais – lui,
le « troisième homme » ? Était-ce pour cela qu'il s'était
montré si nerveux lors de ma visite à l'atelier ?

Le journal du jour apportait son lot habituel de nouvelles réjouissantes. Plus de cinq cents syndicats du pays
appelaient à la grève, la plupart pour obtenir des salaires
plus élevés. Les partisans de Nixon se plaignaient que
le responsable de la commission d'enquête du Congrès
était partial ; l'un des plombiers du Watergate avait rendu
publique une nouvelle stratégie de défense ; Bobby Fischer
avait dû flanquer son titre de champion du monde des
échecs à la poubelle pour une bête histoire de règles ;
les Mets et les Yankees étaient derniers du classement,

à égalité ; leurs matchs avaient dû être annulés à cause de la pluie ; l'amendement constitutionnel pour l'égalité des droits était sur le point de sombrer ; pour finir, Harry Browne, auteur de best-sellers catastrophistes sur « la dévaluation du dollar et l'inflation galopante », était en tournée à New York. Il venait de déclarer à un Carnegie Hall bondé que la Dépression nous pendait au nez. Il s'y était préparé, du reste, en se faisant livrer pour trois ans de provisions – conserves et chianti – dans le refuge où il s'était replié, quelque part dans le Grand Nord polaire, à six cents kilomètres au-dessus de Vancouver.

Rien, en revanche, sur le Bogardus ou quelque autre vol architectural. J'aurais bien aimé sortir me dérouiller les jambes, mais, lorsque je poussai la porte de quelques millimètres pour jeter un coup d'œil dans la chambre, je vis maman dans son lit, penchée sur une de ses gravures, les jambes croisées, sa robe paysanne en coton jaune relevée sur ses cuisses. Elle portait une culotte brun-rouge, constat dont je me serais bien passé, et, à l'aide d'une de ses petites gouges, découpait dans la planche de longues et fines bandes de bois qui se recourbaient d'une manière qui me rappelait les Ongles les Plus Longs du Monde que revendiquait cet Indien tout ridé du *Guinness Book des Records*.

Visiblement, elle en avait pour un moment. Un café était posé sur la malle Louis Vuitton griffée par les voyages qui lui servait de table de chevet. De temps à autre, elle bâillait et buvait une petite gorgée.

Il y a pire qu'être condamné à une sieste estivale, cependant. Je refermai la porte et changeai de position dans ma petite cave. Il se trouvait là assez de reliques diverses et variées de mon enfance pour que j'y sois à l'aise. *Le Retour du roi*, qui faisait six ou sept centimètres d'épaisseur, ferait un oreiller des plus corrects, pour peu que je l'emmitoufle de mon bas de pyjama, afin d'adoucir le contact. Et quelques vieux numéros de *Ranger Rick* disposés sur le sol atténueraient sa froideur contre mes jambes nues.

Il me fallut me coucher en position fœtale, le placard étant exigu, mais j'aimais bien cela. C'était réconfortant, cette lente descente vers le sommeil en ces lieux, comme lorsque j'étais enfant. Ce jour-là, comme autrefois, j'entendais vaguement la musique classique trémulante qu'écoutait maman, dont la radio était, comme toujours, réglée sur QXR. Hormis le fin rectangle de lumière qui suintait du pourtour de la porte, je me trouvais dans un cocon d'obscurité.

Le BOUM effroyable et profond qui me réveilla en sursaut quelque temps plus tard me donna l'impression que ces ténèbres s'effondraient sur moi, pas moins. Le point d'impact était situé juste au-dessus de ma tête ; les murs trop fragiles de mon sommeil en furent ébranlés. Je crus d'abord que j'étais de nouveau dans notre petite maison d'Echo Harbor, où les mouettes, à l'aube, bombardaient notre toit en piqué, larguant des palourdes pour les ouvrir. Bientôt, commençant à retrouver mes repères, je compris rapidement d'où provenait le bruit. Une grosse chaussure venait de se poser sur le bois nu de la banquette. Quelqu'un était entré par effraction, en escaladant la branche d'arbre rétive que je n'avais pas pu couper.

Maman fit entendre un hoquet de surprise – pas même un cri, plutôt une inhalation brève et stupéfaite. Le cœur battant, je poussai légèrement la porte du placard et, aveuglé par le retour de la lumière, vis un homme – grand, puissant – s'agenouiller sur le lit, devant maman, puis se pencher désespérément vers elle. Il la tenait par les épaules et semblait vouloir attirer son corps à lui, pour que leurs bouches se rencontrent.

« Arrête ! Arrête ! » hurla maman, qui se débattait et cherchait à repousser les mains de l'homme.

Soudain, l'intrus émit un effroyable gémissement de gorge et s'écarta brutalement, les yeux fixés, pleins d'une douleur stupéfaite, sur la gouge, dont la petite lame en U était enfoncée d'un centimètre dans son biceps.

« Espèce de salope ! » rugit-il, arrachant le ciseau à bois de son bras et le jetant au bas du lit.

Fou de rage, il y plaqua ma mère et s'agenouilla sur elle, lui clouant les bras de ses mains puissantes. La robe de maman était relevée jusqu'à la taille, ses jambes nues étaient écartées de part et d'autre de papa. Il se pencha de nouveau pour l'embrasser, mais elle se mit à secouer la tête, lui martelant le visage de son menton.

« Lâche-moi ! hurla-t-elle. Lâche-moi ! Qu'est-ce qui te prend ? Tu es fou ?

— Moi ? siffla-t-il. Te lâcher, alors que tu m'empêches de rentrer chez moi ? Tu rêves ?

— Ce n'est pas... »

Il ne la laissa pas finir sa phrase, collant ses lèvres à celles de maman, dont la réponse se délita en un bêlement de douleur bref et dur. Elle se débattit encore un instant puis cessa de bouger – de même que lui, si bien qu'ils restèrent enlacés sur le lit, dans une détresse inerte.

Peut-être était-ce volontaire – toujours est-il que je poussai la porte du placard avec une telle force qu'elle pivota complètement sur ses gonds, jusqu'à ce que sa poignée de porcelaine heurte le mur.

Les deux corps sur le lit sursautèrent, comme électrocutés ; leurs têtes se tournèrent simultanément vers moi d'un mouvement sec, les yeux écarquillés sous l'effet d'une panique curieusement similaire. Papa pleurait, le visage empourpré, impuissant, en dépit de sa domination supposée. Maman, furieuse, avait le souffle coupé.

Elle cligna des yeux, se débarrassa de cette colère. Se débarrassa de mon père. Je la vis qui me regardait, agenouillé, en slip, dans l'étroite embrasure du placard – qui me regardait vraiment, comme si elle me revoyait après de longues années d'absence.

« Oh, Griffin, dit-elle d'une voix à peine audible. Je suis horriblement désolée. »

QUATRIÈME PARTIE

Sauvetage

34

CET ÉTÉ-LÀ, IL NE REVINT PAS. Nous n'entendîmes plus parler
de lui.

Ma mère s'était départie de sa distance hébétée. Elle
semblait plus alerte, plus présente que je ne l'avais jamais
vue, comme lorsque nous mettions au point l'image
de notre poste RCA Victor en gainant ses antennes de
papier aluminium. Elle était aussi, grande nouveauté, plus
qu'attentive à mes faits et gestes.

Au début, cela me plaisait. C'était agréable, de manger
un hot dog avec elle dans les embruns de la super-cascade
artificielle de Paley Park – de même les crèmes aux œufs
de L'Agora. Maman, cependant, n'arrêtait pas de me
demander si je voulais parler de certaines choses.

Je n'en avais aucune envie. Ce dont j'aurais pu parler,
elle n'en avait aucune idée. Le truc qui m'inquiétait le
plus, à cette époque, pour ne rien lui cacher, c'était la
hanche gauche de George Thomas Seaver. Les Mets avaient
été tellement minables pendant la saison qu'aucune critique, si négative soit-elle, ne paraissait exagérée. Et dire
que l'automne d'avant il s'en était fallu d'une victoire dans
les World Series pour qu'ils éliminent ces deux effrayants
matamores, Reggie Jackson et Catfish Hunter, des Oakland
Athletics. (Pouvait-on imaginer un nom plus crétin pour
quelque sport que ce soit qu'« Athlétique » ? Y avait-il en
ce bas monde un lanceur remplaçant qui ressemblait plus

que Rollie Finger à un traître de film muet, toujours à se friser la moustache ?) Notre équipe à présent n'était plus que ruines. Willie Mays avait pris sa retraite, Buddy Harrelson ne pouvait plus, en raison d'une fracture à la main, que jouer les coureurs remplaçants ; les performances à la batte de Seaver, de loin mon joueur préféré, étaient passées d'étincelantes à ordinaires. Ce jour-là, nous étions exactement à mi-saison – quatre-vingt-unième match sur cent soixante-deux – et nous nous retrouvions à la dernière place, avec dix ignobles matches en dessous de cinq cents points. Seaver, après avoir remporté dix-neuf matches et le Cy Young l'année d'avant, était descendu à cinq, six. Tout cela à cause de sa hanche.

Ma mère voulait absolument m'emmener chez Tru-Tred pour m'acheter des mocassins neufs, cet après-midi-là, mais il était hors de question que je rate les débuts de Seaver. Que j'allais regarder sur Channel 9, ce qui n'était en réalité qu'un plan B. Pendant des semaines, j'avais englouti des petits cartons de lait Dairylea comme un fou et découpé les coupons cirés qui figuraient au dos dans l'espoir d'obtenir une entrée au Shea. La chose nécessitait vingt coupons, je n'en avais que seize. Il faudrait bien me contenter de Channel 9.

Dans sa loge du Shea, Lindsey Nelson, vêtu comme à l'ordinaire d'une hideuse veste à carreaux, venait tout juste d'expliquer à Bob Murphy que les Mets, en difficulté, avaient grand besoin que « Tom le Terrible fasse honneur à son surnom » quand le téléphone sonna. C'était Dani.

« Tu fais quelque chose ? me demanda-t-elle. Je vais peut-être avoir besoin de toi pour un truc. »

J'avais cru entendre Quig ou maman décrocher au rez-de-chaussée – sans raccrocher –, si bien que je répondis sur un ton encore plus responsable et détaché. Je parlai de Seaver et du match, que je ne pouvais vraiment pas rater.

« Viens le voir chez moi, proposa Dani. De toute façon, j'ai allumé. En général, Seaver se pointe en huitième ou neuvième. Tu as tout le temps d'arriver, tu ne manqueras pas grand-chose de son entrée dans le match.

— Tu es fan des Mets ? demandai-je.

— C'est quoi, cette question ? Je pensais que tu m'aimais bien. Tu crois vraiment que je pourrais m'intéresser trois secondes aux Yankeepuent ? »

Vu son ton dégoûté, j'aurais aussi bien pu avoir sous-entendu qu'elle était une supportrice acharnée des eaux sales dont les péniches de plaisance du Boat Basin de la 79e Rue se débarrassaient dans l'Hudson, là ou Kyle et moi allions parfois voir passer les étrons.

Je ne savais plus exactement qu'apporter à Dani sans la heurter, si bien que j'arrivai les mains vides. Je me contentais de renifler les dessous de bras de mon tee-shirt orange « Ya Gotta Believe », pour être certain que je ne sentais pas mauvais, et de déposer sur ma langue, à intervalles réguliers, quelques pschitts de spray à la menthe, en route vers la rocade de la 86e Rue.

On était dans la quatrième manche lorsque je retrouvai Dani, installée dans le lit de ses parents, devant la télé. Nous étions seuls dans l'appartement. On enfonçait les Giants – cinq à zéro pointé – mais, pour une raison inexplicable, je n'arrivais pas à me détendre.

« Tu peux arrêter de faire bouger ton pied ? me demanda Dani. Ça me rend nerveuse.

— Désolé.

— Je vais te dire. Pourquoi ne pas aller chercher une bouteille dans le cabinet à biture de mon père ? Il est dans le couloir, devant ma chambre. Un meuble bas, avec une porte en verre couverte de peinture. »

Il devait y avoir quelque chose comme un million de bouteilles là-dedans, mais toutes celles que je sortais étaient si vides que je me demandais pourquoi elles

333

n'avaient pas été fichues à la poubelle. Je finis par dénicher deux flasques à demi remplies. Elles portaient des noms exotiques et rigolos qui faisaient penser à des personnages des Monty Python. Je rapportai mon butin à Dani, toujours sur le lit de ses parents.

« Noilly Prat ? fit-elle en fronçant le nez. Tu crois qu'on peut boire du vermouth sans rien dedans ? »

Je haussai les épaules. C'était la première fois que j'entendais ce mot-là.

« Et Fernet-Branca ? »

Elle prit la seconde bouteille à bout de bras.

« Tu sais ce que c'est, ce truc-là ? »

Je fouillai ma mémoire. Fernet-Branca, oui, ça me disait vaguement quelque chose.

« Attends, Dani. Ce n'est pas le mec qui a réussi un coup de circuit sur… comment s'appelait-il ? Bobby Thompson ? Tu sais bien : "Les Giants remportent le fanion ! Les Giants remportent le fanion !" »

Elle me dévisagea.

« Tu plaisantes ? »

C'était tout sauf le cas. Le nom de Fernet-Branca me paraissait si familier ! On avait bien pu baptiser une liqueur du nom d'un joueur de base-ball, comme une version pour adultes du Baby Ruth Bar.

Dani s'était mise à glousser.

« Mais non, c'est Ralph Branca, celui-là. Pas Fernet ! »

Elle posa sa main sur ma joue et m'enveloppa de ce regard vraiment extraordinaire, plein d'affection.

« Ralph Branca est un lanceur des Brooklyn Dodgers, à l'abondante dentition, qui fit naguère cadeau à son équipe de ce qui est encore considéré comme le circuit le plus émouvant de son histoire. Le Fernet-Branca est un ignoble digestif italien. Mon père l'a rapporté de Rome. Il prétend qu'un des profs de là-bas lui aurait dit : "Ça guérit n'importe quel rhume de cerveau en vingt-quatre heures." »

Elle déboucha le Fernet-Branca et, du geste, m'en proposa une gorgée.

« Et si quelqu'un nous surprend ?

— Impossible. Brian est le seul de mes frères qui traîne ici cet été, et en ce moment il est chez sa copine, à Amagansett. Celle qui est tout le temps défoncée.

— Et tes parents ?

— Ils cherchent des locations à Philadelphie. Ou dans la banlieue, je pense. »

De nouveau, elle me tendit la bouteille. Le breuvage dégageait une odeur ignoble.

« Tu déménages ?

— Qui sait ? L'université de Pennsylvanie a proposé un poste à papa. Je crois qu'il pèse le pour et le contre. C'est sûr, il adore New York, tout ça – il en est dingue, en fait – mais d'après lui la ville est en train de crever.

— Et donc, il s'en va ? Tu te fiches de moi ? Quel dégonflé !

— Pourquoi tu te fous en colère ?

— Qui te dit que je suis en colère ? Je pense seulement que ton père est un dégonflé, c'est tout. La ville meurt, et alors ? Il va lever le camp et se barrer ?

— On lui a proposé un boulot. Qu'est-ce qu'il est censé faire ? Sombrer avec le navire ? »

J'empoignai la bouteille et descendis une bonne gorgée de Fernet-Branca. Une lave visqueuse et brûlante, qui vous laissait un arrière-goût d'une infecte amertume. Je dus serrer les dents pour ne pas vomir. Dani en avala un peu, elle aussi avec une grimace.

« C'est franchement dégueulasse, constata-t-elle en s'essuyant les lèvres sur son poignet. Mais, crois-moi, on s'y fait. »

Je repris une deuxième gorgée, puis une troisième. À chaque fois, le goût s'améliorait. Je commençais à me sentir… je ne sais pas, plus à mon aise, d'une certaine façon. Comme chez moi. Je me trouvais exactement là où je devais être. Je me pelotonnai entre les oreillers rebondis des parents de Dani et elle m'y rejoignit, son épaule nue effleurant tout juste la mienne.

Seaver pétrifia le frappeur des Giants, un gaucher, en lui balançant une balle courbe sur les genoux à la troisième prise. Je serrai le poing.

« Le cas n'est peut-être pas désespéré ! m'exclamai-je. Il en a, mon Seaver !

— Non, il peine.

— Qu'est-ce que tu racontes ? Tu as vu la manière dont il a cloué le mec sur place ?

— Il ne finit pas ses lancers, répliqua Dani en tendant la main vers l'écran. Regarde. »

Seaver se détendit comme un ressort et lança sa balle rapide très haut et vers l'intérieur. Le frappeur s'écarta de sa trajectoire d'un pas dansant.

« Là, fit Dani. Tu vois ?

— Je vois quoi ? Seaver lui a roussi les poils du menton, c'est tout.

— Tu ne regardes pas.

— Je regarde à fond.

— C'est faux. Si tu ne vois pas à quel point il n'est pas en forme, c'est que tu ne regardes pas. La première règle pour bien regarder, Griffin, c'est de regarder. Pour de bon. »

Seaver tourna autour du monticule, malaxant la balle des deux mains, fixant ses coutures d'un œil sombre. Je n'aurais pas aimé être dans la peau de cette balle.

« Je vais te dire, reprit Dani. Il ne finit pas ses lancers. Sa puissance, il la tire de ses deux énormes jambes, qui le conduisent au marbre. Mais si tu regardes sa jambe droite, tu verras qu'elle est presque propre.

— Et alors ?

— Eh bien, quand Seaver est en forme, il fait pivoter ses hanches et suit le mouvement avec une telle concentration que le devant de sa jambe droite traîne toujours par terre.

En général, dès la cinquième manche, son uniforme est dégueulasse juste au-dessus du tibia. Ça n'arrive qu'à lui.

— Je n'avais jamais remarqué.

— Bon, mais aujourd'hui, sa jambe évite tout contact avec le sol, parce qu'il ne complète pas le mouvement vers Grote. »

Seaver était revenu à la plaque du lanceur. Il secoua la tête quand Grote lui fit signe, avant de lancer une cassante, que le frappeur commença par relancer à Miller pour la troisième sortie. Pendant les publicités – pour Rheingold et pour une autre dont je ne me souviens plus –, Dani et moi continuâmes à courtiser la bouteille, dont nous appelions désormais le contenu « M. Branca », par pur respect. Je me sentais comme sur un nuage – jusqu'à ce que la retransmission reprenne sur une annonce de Bob Murphy, qui mettait largement fin à la saison des Mets : Seaver, victime d'une douleur à la hanche gauche, avait déclaré forfait.

Dani et moi gémîmes de concert.

« Oooh ! Quelle horrible catastrophe pour les New York Metropolitans », psalmodia Bob avec son éternel accent paysan.

Yogi Berra, notre entraîneur, était déjà sur le terrain pour discuter du changement de lanceur avec l'arbitre en chef.

« C'est foutu, Yogi, braillai-je à l'intention de l'écran. La saison est perdue ! »

Dani se leva pour baisser le son. Ce qui n'ôtait rien au caractère insupportable de la chose, à mes yeux.

« Tu voulais que je t'aide à faire un truc ? lui demandai-je.

— Hein ?

— Un coup de main. Tu m'as dit que tu avais besoin d'aide. C'est pour ça que tu m'as appelé. Tu te souviens ?

— Ah oui ! Oui, oui. Bien sûr. Ne bouge pas, je reviens tout de suite. »

Elle réapparut deux ou trois minutes plus tard avec un plateau en plastique dans les mains sur lequel étaient disposés quelques accessoires hors du commun : un eskimo dans son emballage, des serviettes en papier, une bouteille d'alcool à quatre-vingt-dix degrés, une énorme aiguille à coudre, quelques allumettes à bout blanc qui ressemblaient à des tétons et un petit carré de bois blanc qui devait être un joker de Scrabble. Elle repoussa le miroir portatif de sa mère et installa le plateau sur la table de chevet, en équilibre sur un petit tas de magazines *Ms*.

« À quoi ça sert, tout ça ?

— Eh bien, répondit-elle, mutine, il y a des choses qu'une jeune fille ne peut accomplir elle-même. »

Elle s'étendit sur le dos, ses bras minces reposant sur les oreillers au-dessus de sa tête, ses cheveux couleur de cuivre scintillant, épars, sur la courtepointe blanche.

« J'ai pensé qu'avec une oreille percée et un anneau d'or, j'aurais l'air vraiment superbe. Un truc à la pirate, tu vois ?

— Oui, je crois.

— Et donc, cette oreille, c'est toi qui vas la percer. »

Un frisson me parcourut l'échine. Je n'avais aucune envie de faire un truc pareil, lui dis-je.

« Mais si. Tu vas suivre mes instructions. »

Dani posa l'eskimo sur son oreille gauche pour l'insensibiliser ; le froid la fit légèrement tressaillir. Je m'installai sur le bord du lit. Sur ses ordres, je craquai une allumette et plongeai la pointe de l'aiguille dans la flamme. Je badigeonnai le lobe de son oreille d'un peu d'alcool, me servant d'un coin de serviette. Elle se remit à gigoter.

« Ça chatouille !

— Je te signale que cette idée géniale vient de toi. Allez, pousse-toi. »

Ce qu'elle fit. Et je m'agenouillai sur le lit à côté d'elle, l'aiguille dans la main droite, introduisant délicatement le carré de bois derrière le lobe de son oreille de ma main gauche. Quelle idée lamentable. Ça allait finir par un drame, j'en étais certain.

« Arrête de glousser ! ordonnai-je. Ça fait bouger ton oreille dans tous les sens.

— Dans ce cas-là, répliqua-t-elle, c'est qu'il te faut un meilleur angle d'attaque, docteur ! »

Et, ce disant, elle me fit grimper sur elle.

« Attention ! m'exclamai-je, faisant tout mon possible pour ne pas lui planter l'aiguille dans le visage. Je pourrais te faire mal ! »

J'étais à cheval sur son bassin – les os de ses hanches s'enfonçant dans la face interne de mes cuisses. Je commençai à sentir les premiers fourmillements d'un raidissement contre son ventre si plat. Quelle était la situation la plus embarrassante ? Bander ou ne pas bander ? Je ne savais plus à quel saint me vouer.

« Eh bien ? » fit Dani.

Elle m'arracha le jeton de Scrabble de la main et le ficha fermement derrière le lobe de son oreille.

« Qu'est-ce que tu attends ? »

L'aiguille était de bonne taille et très pointue. L'idée de devoir la ficher dans sa chair était vraiment horrible. Je n'avais qu'à l'enfoncer d'un coup, me dit Dani.

« Sinon, ça va me faire un mal de chien. »

Elle tourna la tête, l'oreille offerte à mon geste. Son cou avait un aspect incroyablement fragile, le réseau des veines se dessinait, fin et bleu sous la peau fine. La féminité même.

J'avais envie de la caresser. Je reposai l'aiguille sur le plateau et tendis la main jusqu'à ce que mon index et mon majeur atteignent les os délicats au bas de sa gorge. Il y avait un petit creux entre les clavicules, un lieu intime, aussi parfait, aussi lisse qu'une coupelle à saké. J'enfonçai délicatement le bout de mes doigts dans ce creux, juste assez pour ne pas me sentir aussi loin d'elle, avant de remonter, à gauche, le long de l'un des fins tendons jumeaux qui en jaillissaient, puis de bifurquer.

Mes doigts s'attardèrent sur le monticule de sa thyroïde. Elle m'était offerte, cette petite bosse, reflet fidèle de la confiance qu'elle m'accordait. Je me surpris moi-même en me penchant pour l'effleurer de mes lèvres. Je sentis la matière, son étrangeté – mais aussi son incroyable réalité, si différente de la perfection étouffante d'une déesse de terre cuite ou d'un mannequin de publicité pour le tabac (*Newport : elle vibre de plaisir !*).

J'eus, avant de reprendre mon activité, un moment de gêne. Puis je plaquai le jeton de Scrabble sous son lobe, à la fois étonnamment caoutchouteux et pourtant étrangement beau. Je repris l'aiguille et la levai au-dessus de son cou. Elle avait beau faire sa bravache, je la vis plisser les yeux, attendant la souffrance, les joues marbrées de rouge. Elle avait peur et cela m'ennuyait. Je ne voulais pas être de ceux qui l'effrayaient.

Je fis plonger l'aiguille vers son lobe, serrai les dents et inspirai profondément. Ma main pourtant s'immobilisa. J'étais incapable de la percer de cette aiguille.

« Un problème ? »

Elle écarquilla ses yeux bleus, dirigea son regard vers moi.

« Tu as peur des aiguilles ?

— Non. C'est vraiment pas ça.

— Alors, c'est quoi ? »

Je considérai son corps sous le mien. Ardent, frêle dans son tee-shirt et son short en jean.

« Mon oreille, fis-je.

— Quoi ?

— Mon oreille à moi. C'est mon oreille qu'on doit percer. »

L'idée la prit au dépourvu, sans lui déplaire. Elle se redressa sur les coudes en me décochant un sourire torve.

« Et pourquoi veux-tu te faire percer l'oreille ? »

Tout en soupirant, je l'envoyai rouler sur le côté. De fait, je n'avais aucune envie de me faire percer l'oreille. Mais l'image de mon père maintenant ma mère prisonnière sur le lit était encore fraîche dans mon esprit, si bien que l'idée de verser le sang de Dani me donnait la nausée. Et je me disais que pour retrouver sa confiance, après l'avoir incitée à se déchirer la langue, je devais lui proposer de me faire souffrir, tout en comptant sur son refus.

Dani bondit. Avant que je puisse changer d'avis, elle me plaqua contre les draps et grimpa sur moi.

« Voilà. »

Elle rafla le miroir de sa mère et le fit planer au-dessus de moi. J'y vis un visage cramoisi, pas entièrement serein.

« Quelle oreille ? »

Je désignai la gauche. Elle me tendit l'eskimo.

« Mais pour ce qui est de l'anneau d'or à la pirate, précisai-je, c'est hors de question. Juste pour te prévenir, hein. »

Elle me reprit l'eskimo.

« Bien sûr. On te trouvera un joli bouton d'oreille ou un truc de ce genre. »

Elle me tartina l'oreille d'alcool et jeta la serviette humide sur le plancher, avant de me considérer avec un petit sourire.

« *Prêt ?* »

Je hochai la tête ; aussitôt fonça vers moi une abeille électrique saisie de folie, qui – « Yaaaaaargh ! » hurlai-je – fit pénétrer son dard sans pitié dans mon pauvre lobe. Dani laissa échapper un gloussement réjoui et tira sur l'aiguille.

« Voilà, dit-elle. Ce n'était pas si terrible, hein ? »

Je fis non de la tête. Curieusement, l'abeille psychotique s'était évanouie aussi vite qu'elle était apparue, ne me laissant en souvenir qu'une petite pulsation désagréable au bas de l'oreille.

Je voulus marmonner une remarque que j'espérais spirituelle ; Dani me fit taire d'un baiser, nos langues se mêlant comme des dauphins qui luttent. Sa bouche, qui avait le goût du Fernet-Branca et des Cheerios, était une retraite intime, affamée, où elle voulut bien m'accueillir. Je n'avais pas su jusqu'à ce moment à quel point on pouvait concilier l'égarement le plus splendide et le sentiment d'être chez soi. Je m'abîmai dans ce sentiment double, chaud, enivrant, et cessai de m'inquiéter de l'existence pendant un moment – ô soulagement ; tandis que nous roulions sur le lit, elle me prit les mains, les guida sous son tee-shirt, le long de son ventre plat, jusqu'à sa cage thoracique, jusqu'à cette partie d'elle, si tendre et tiède, cette partie qui s'élevait et retombait sur son cœur de quinze ans.

J'émergeai quelque temps plus tard d'un sommeil induit par le Fernet-Branca pour trouver Dani lovée contre moi, enfonçant dans le trou tout neuf de mon oreille un objet pointu et froid.

« Un peu de patience », dit-elle.

Elle glissa une petite plaque derrière mon lobe et appuya fort. Le pincement n'était pas douloureux.

« Tiens. Regarde-toi dans la glace. »

Elle me sourit.

« J'ai trouvé quelque chose de bien mieux qu'un bouton. Tu vas aimer, je crois. »

Je vis, dans le miroir de la salle de bains de ses parents, qu'elle avait fixé à mon oreille un petit disque de métal terni qui ressemblait à un mini-jeton de métro. Comme s'il avait été, à l'instar d'un Shrinky Dink, miniaturisé par un passage au four.

« C'est un vrai jeton ? De l'époque où ils les faisaient tout petits ?

— Ouais, répondit-elle, hilare. Mon père en a récupéré tout un tas avant qu'ils n'augmentent les prix parce que c'est un radin et qu'il était persuadé qu'ils bluffaient, qu'ils ne changeraient pas de modèle. Du coup, il s'est retrouvé avec un stock inutile. Il a fait monter celui-là en épingle de cravate. Mais je me suis dit qu'il t'irait mieux qu'à lui. »

Je me regardai dans le miroir : un nouveau moi – le Griffin raffiné, bientôt élève de seconde, qui avait roulé une pelle à une fille avant de lui toucher le sein gauche et de lui re-rouler une pelle. Et je dois dire que le mini-jeton de métro avait une allure vraiment chouette. Je fermai les yeux pour le caresser du bout des doigts, en me demandant si je pourrais reconnaître les lettres anguleuses gravées dans le métal. N... Y... C...

« Putain de merde ! me mis-je à brailler. Oh, putain de putain de merde ! Noooon !

— Quoi ? Qu'est-ce qui ne va pas ?

— C'est l'oreille pédé ! Tu viens de me percer l'oreille pédé ! C'est bien ça, c'est la droite, non ? »

Elle me fit pivoter par les épaules et me scruta un certain temps, avant d'exploser d'un rire franc.

« Oh ! Je suis désolée ! »

Elle avait beau avoir la main sur la bouche, ses glous-sements lui débordaient des doigts.

« Je ne m'en étais pas rendu compte, vraiment pas ! C'est celle que tu m'as demandé de percer, Griffin !

— Oui, mais j'ai été trompé par le miroir. La gauche était la droite. Tu aurais dû le prendre en compte. »

Son hilarité n'avait pas cessé.

« Mais j'étais face à toi ! Pour moi aussi, ta gauche était ta droite.

— À cause de toi, je suis pédé ! »

Elle laissa échapper un petit ricanement.

« Je te jure, je ne l'ai pas fait exprès. Sur tout ce que tu veux. Mais quelle importance, de toute façon ? Personne n'y croit, à ces sornettes de droite et de gauche, non ?

— Ouais, j'imagine. »

J'étais penché sur le lavabo, les paumes à plat sur les parois de porcelaine. Je sentais la chaleur du corps de Dani tout contre mon dos. Elle m'étreignit par-derrière, croisant ses bras sur mon torse, comme une écharpe.

Puis je la vis dans la glace qui secouait la tête. Elle avait un souci. Un gros souci.

« Que se passe-t-il ?

— Rien, répondit-elle, hésitante. C'est juste que...

— ... que quoi ? Dis-moi ! »

Elle m'enveloppa d'un regard d'une immense gravité pendant ce qui me parut une éternité. Son visage affichait une expression de plus en plus inquiète ; Elle ne cilla pas. Puis elle secoua la tête d'un air incrédule et laissa apparaître sur ses lèvres un sourire affectueux, gamin.

« Je n'arrive pas à croire que mon petit copain soit un pédé. »

Plus beau.
Jour.
De ma vie.

35

VINT L'AUTOMNE. Toujours zéro nouvelle de mon père, ce qui contraignit notre foyer à quelques bouleversements. La manne de la pension alimentaire tarie, ma mère ne pouvait plus payer notre école. Cette perspective avait assombri une bonne partie de mes vacances – c'est assez dur déjà de voir son père disparaître, mais s'il faut en plus ne plus voir ses copains... Ma mère prit un rendez-vous crucial avec le proviseur, le Dr Townsend. Lequel finit par proposer de mobiliser les ressources financières nécessaires à mon maintien : j'avais beau être parfois un vrai casse-tête pour mes professeurs, indiscipliné que j'étais, expliqua le Dr Townsend, je demeurais malgré tout l'un de leurs meilleurs éléments en lettres. Le proviseur cependant n'offrit pas la même solution à Quigley, qui détestait le carcan scolaire et séchait abondamment pour aller fumer des cigarettes au clou de girofle ou des joints sur le sentier du Réservoir. Elle fut donc inscrite à Julia-Richman, un établissement public atrocement surpeuplé situé près du carrefour 67ᵉ Rue-Deuxième Avenue – ce dont elle me rendit clairement responsable, même si, à l'usage, elle ne se trouva pas plus mal à Richman que dans notre école au-dessous de l'église. Quigley n'était pas vraiment scolaire, voilà tout.

Dani déménagea dans la banlieue de Philadelphie pendant les vacances de Noël. Son père avait accepté l'offre de l'université de Pennsylvanie. Il allait enseigner aux élèves de troisième cycle les arcanes de l'environnement du bâti, de la dégradation du tissu urbain et de l'agonie de la ville de New York. Le départ de Dani m'attristait vraiment, mais nous nous pelotâmes d'abondance dans l'escalier de service, qui n'avait toujours pas été repeint ; par ailleurs elle m'assura que nous continuerions de nous voir. Son père avait gardé un pied-à-terre à New York, un petit appartement à loyer modéré dans Morningside Heights ; elle reviendrait pendant les vacances. Par la suite, chaque fois qu'elle me manquait, je m'emparais de l'épée en mousse et carton qu'elle s'était fabriquée et allais frapper Quigley, sans raison précise, histoire de me soulager.

Dani revint en effet quelques jours en mars, la tête pleine à craquer d'anecdotes effroyables sur la monotonie assassine des banlieues. Elle voulait mettre à profit son bref séjour en explorant la ville en ma compagnie le plus souvent possible. Nous entrâmes par la porte sud sur le sentier du Réservoir de Central Park – là où, quelques années plus tard, serait filmée la scène de torture de *Marathon Man* – et y batifolâmes, tandis que les joggeurs faisaient leurs tours.

Selon Kyle, rester avec une fille qui n'habitait plus dans la même ville était un truc de mauviette. Lui finissait toujours les soirées enfermé dans un placard avec une nana, ce qui lui permettait ensuite de nous expliquer jusqu'où il avait pu aller. Je flirtais bien avec quelques copines, en cette année de seconde, mais aucune ne ressemblait suffisamment à Dani pour me séduire. Elles passaient trop de temps à raconter ce qu'elles pensaient que je voulais entendre : j'avais ça en horreur. Kyle se fichait bien de leur conversation : ce qu'il voulait, c'était explorer leurs dessous. J'étais partagé : j'enviais ses victoires, qui en même temps me dégoûtaient. Kyle semblait prendre un immense plaisir à rompre avec ses petites amies. Il n'avait pas hésité à enregistrer sur cassette sa rupture avec une fille de Town School qui se mettait trop d'eye-liner.

Durant l'année scolaire, nos chemins se séparèrent de plus en plus ; je passai davantage de temps avec Rafferty. Rafferty et moi aimions tous deux produire des dessins comiques débiles et des histoires idiotes, et nous défier l'un l'autre dans ces deux disciplines. Nos meilleures œuvres étaient pour l'essentiel contenues dans *Le Livre des châtiments*, un énorme volume dont ma prof préférée, Mme France, la directrice du lycée, était par ailleurs la gardienne. Elle s'intéressait plus à la langue qu'à la discipline et proposait donc aux délinquants d'écrire une petite histoire absurde plutôt que de leur infliger une heure de colle. Si bien que Rafferty et moi redoublions d'ingéniosité pour décrocher cette punition enviable. J'écrivais mes histoires au crayon et les remaniais constamment – gommer, récrire, gommer, récrire. Rien n'était jamais fini à mes yeux.

La ville continua de se dégrader : même sans mon père, elle savait très bien s'y prendre. Les caisses étaient vides : on ne pouvait ni réparer ni nettoyer. Parfois, les wagons du métro étaient si complètement recouverts de graffitis qu'on ne voyait plus rien par les fenêtres. Le pont de Brooklyn avait perdu quelques câbles. L'autoroute du West Side, deux ans après l'affaissement qui avait provoqué sa fermeture, était encore une voie fantôme. David Schapiro, un copain de Rafferty qui habitait le Village, y allait tous les jours faire du roller. Jusqu'au jour où il se tordit la cheville en sautant par-dessus un nid-de-poule. Tandis qu'il rentrait en boitillant chez lui, trois gamins de la cité proche lui sautèrent dessus pour le dépouiller de ses patins.

New York était désormais, aux yeux du monde entier, l'infernale capitale de la délinquance de rue, des incendies criminels et, plus généralement, des meurtres en tout genre. Et quand bien même nous aurions été tentés de nous dépeindre sous un autre jour, Hollywood, dans sa bonté, nous remettait sans cesse le nez dans notre noirceur. L'année où mes parents se séparèrent, Martin Scorsese,

New-Yorkais d'origine, nous donna *Mean Streets*. Et il y eut *Un justicier dans la ville*, et cette épique prise d'otages dans le métro que j'avais vue avec papa, *Les Pirates du métro*. Au programme de l'année nouvelle, *Un après-midi de chien*, suivi de près par *Taxi Driver*, puis par *Les Guerriers de la nuit*.

Sur le petit écran, ce n'était pareillement que décadence et désespoir. Abe Beame, notre maire – il semblait aussi timoré que celui des *Pirates du métro* –, surgissait devant les micros et suppliait littéralement tous les auditeurs de bien vouloir prêter de l'argent à la ville en achetant je ne sais quels « bons ». Personne ne voulait en prendre le risque.

Au printemps, la ville se trouva en cessation de paiement. Elle ne pouvait réellement plus régler la moindre facture. Qui s'attendait à une pareille catastrophe ? Beame nous avertit : le budget allait subir des coupes « horribles ». Des licenciements furent programmés : flics, éboueurs, personnels de santé. Des dizaines de milliers de manifestants s'amassèrent dans les rues étroites du quartier des affaires pour faire le siège d'une banque à laquelle la ville devait des paquets de fric – les manifestants étaient furieux, les banquiers ayant proclamé tout haut ce que tout le monde savait déjà. La ville était au bord du gouffre.

Un jour, Mathis rapporta de son agence de presse un opuscule effrayant que les syndicats de la ville menaçaient de distribuer aux touristes, au cas où Beame mettrait à exécution ses projets de licenciements massifs. « BIENVENUE DANS LA CITÉ DE LA PEUR », proclamait la couverture, au-dessus d'un dessin représentant un crâne. « Guide de survie à l'intention des visiteurs de New York. »

Et voici ce qu'enseignait aux touristes ce petit livret : « Le taux de violence et de criminalité est incroyablement élevé à New York, une situation qui ne cesse de s'aggraver. Du 1er janvier au 30 avril 1975, les vols à la tire ont augmenté de 21 %, les violences aggravées de 15 %, les vols qualifiés de 22 % et les cambriolages de 19 %. » Si le maire mettait à exécution son plan de licenciements dans les forces de l'ordre, avertissaient les auteurs du livret, « nous ne pouvons vous donner qu'un seul avis : si vous le pouvez, évitez New York ».

Les conseils destinés aux visiteurs décidés à ne pas tenir compte de cet avertissement étaient un peu exagérés : il était cependant difficile de ne pas ressentir un certain trouble à leur lecture. N'étaient-ils pas rédigés par de vrais flics ? « Ne sortez plus après 18 heures, mentionnait notamment le livret, qui ajoutait une précision fort utile : Ne vous déplacez pas à pied. Si vous devez sortir de votre hôtel, appelez un taxi par téléphone. » Quant aux transports en commun : « Le métro souffre d'une telle explosion de délinquance que la ville a dû récemment fermer le dernier wagon de toutes les rames le soir, pour que les passagers puissent se rassembler et bénéficier d'une meilleure protection. Raison pour laquelle il est préférable de ne jamais mettre les pieds dans le métro. »

Cela n'empêcha pas Beame de procéder à ses coupes budgétaires. Les syndicats étaient furieux. Lorsque le « budget de crise » du maire fut adopté, au début de l'été, les éboueurs se mirent en grève ; bientôt, ce furent par milliers de tonnes pestilentielles que les sacs-poubelle s'accumulèrent sur les trottoirs de la ville. Juste à temps pour mijoter sous les trente degrés des fins d'après-midi estivales.

Dans les premiers temps d'une crise qui ne faisait que s'aggraver, j'avais pris l'habitude de passer devant l'entrepôt de mon père à peu près une fois par semaine. L'immeuble était invariablement et hermétiquement fermé ; vieux contrevents de fer clos, intérieur inaccessible. Aucun signe de vie. Aucune réponse lorsque j'appuyais sur le sein de la fille robot. De même, pendant un bon moment je téléphonai régulièrement au studio. Personne ne décrocha jamais. Jusqu'au jour où commença à s'enclencher ce message, articulé par une voix féminine et joviale : « Le numéro que vous avez composé n'est plus attribué. Veuillez vérifier votre numéro avant de recommencer. Le numéro... »

Je voulus oublier mon père, comme maman s'y essayait visiblement. Et je crus même y être parvenu pendant quelque temps. Maman cependant avait moins de mal à se distraire que moi : elle travaillait désormais six jours par semaine dans une galerie d'art de SoHo appartenant à l'un de ses amis. Il fallait payer les factures, des tonnes de factures, tous les jours. Ce n'était pas mon cas. Début juillet, les cours finis, je décidai d'aller pour la dernière fois voir l'entrepôt de papa, que l'été avait peut-être fait revenir.

Je n'aurais pas dû prendre le métro. Avant même de descendre à l'arrêt City Hall, je compris qu'il se passait quelque chose de grave en surface. Des dames se précipitaient vers le quai, leurs talons hauts claquant dans l'escalier. Un sourd murmure vibrant de rage inarticulée les suivait en cascade.

Dans les rues, des centaines d'hommes corpulents – pour la plupart des Blancs mal rasés – faisaient le pied de grue devant la mairie, bouillant d'une fureur croissante qui semblait se chercher une cible. Certains brandissaient des bouteilles de bière, d'autres des pancartes manuscrites.

« Brûle, New York, brûle », proclamait l'une. « Beame, le rat quitte le navire, renchérissait une autre. Il laisse la ville sans défense. »

La foule était encerclée par les flics, qui n'avaient pas l'air de faire grand-chose pour mettre fin au désordre. Un policier, haut perché sur son cheval, sa longue matraque et son revolver saillant de part et d'autre de ses hanches, donnait même l'impression d'être en train de supplier ces hommes en colère de retrouver leur calme.

« Que se passe-t-il ? demandai-je à un homme en costume trois pièces.

— Flics licenciés », me répondit-il.

Il n'avait pas l'air rassuré.

La foule se trouva tout d'un coup une destination. Emporté par son élan, je fus entraîné contre mon gré sur le pont de Brooklyn, où quelques manifestants en colère avaient bloqué la circulation avec des barrières de police. D'autres allaient de véhicule en véhicule, armés de petites clefs à l'aide desquelles ils dégonflaient les pneus. L'embouteillage se prolongeait jusqu'à Brooklyn aussi loin que le regard portait ; un concert discordant de klaxons s'éleva dans les airs. Les automobilistes insultaient les flics au chômage, qui hurlaient en retour. Quelques gars avaient pris une voiture d'assaut et frappaient sur les vitres.

« Retournez-la ! beugla une voix. Retournez-la ! »

Le conducteur, un petit homme au teint sombre et à l'élégante moustache, semblait pétrifié.

Ses assaillants furent rejoints par trois ou quatre hommes qui firent tanguer le véhicule. Quelques flics en uniforme, parmi lesquels une huile en chemise blanche, les cheveux gris, matraque à la main, surgirent au trot pour les empêcher de nuire.

Je ne sais comment l'histoire se finit car, après m'être fait aussi petit que possible, je plongeai sous la houle d'épaules, me faufilai par tous les interstices possibles pour finir, à la force des coudes, par quitter le pont. Puis je descendis Park Row et contournai le bas de Central Park avant de me diriger vers Broadway, plein ouest.

Après le Woolworth Building, la foule se fit moins dense ; le temps que j'arrive à Greenwich, il n'y avait presque plus personne. Je pressai le pas et me retrouvai bientôt devant chez papa. Hâte bien inutile : même les sonnettes avaient disparu. Quelqu'un avait arraché le téton de la fille-robot, découvrant deux fils électriques – il n'y avait personne. Dans ce pâté de maisons où devant tous les entrepôts s'accumulaient les sacs-poubelle et les cartons de nourriture en décomposition, le trottoir devant l'entrepôt de papa était d'une singulière et impeccable propreté.

36

CET ÉTÉ-LÀ, Dani ne passa qu'un après-midi à New York et fit de son mieux pour m'éviter, même pendant ces quelques heures. Le matin suivant, elle partait en colonie de vacances. Le seul moyen de la voir, visiblement, était de la retrouver au Scandinavian Ski Shop de la 57ᵉ Rue, où je pus lui tenir compagnie comme un chiot à peine toléré tandis qu'elle achetait, à la dernière minute, quelques accessoires de camping. J'avais espéré pouvoir lui parler de la disparition de mon père (à la maison, le sujet était pratiquement tabou, et je n'arrivais pas à discuter de la vraie vie avec mes copains garçons), mais elle paraissait si lointaine que je n'osai pas même aborder la question. Au lieu de quoi, je m'efforçai de raviver son ancien engouement pour l'exploration du Manhattan méconnu – tous ces lieux dont papa m'avait parlé et dans lesquels nous pourrions certainement nous introduire : la salle de bal désaffectée du Pierre, sous les combles, où l'on entreposait désormais le vieux mobilier de l'hôtel ; les souterrains abandonnés des chemins de fer, sous Riverside Park, que les SDF des tunnels décoraient à la bombe de graffitis bariolés ; la crypte voûtée, juste au sud du Réservoir, où l'on pouvait marcher en équilibre sur le dos d'une énorme conduite de fonte – un vrai monstre du loch Ness – avant qu'elle s'enfouisse sous terre, tout au long de la Cinquième Avenue.

Mais Dani ne voulait plus rien explorer, ne voulait même plus profiter de New York.

« Je ne le supporte plus, déclara-t-elle. Le fait de venir n'a qu'un résultat : la ville me manque encore plus. »

Et non « Tu me manques encore plus », comme j'aurais aimé l'entendre.

De retour à la maison, blessé, perplexe, je trouvai maman en grande conversation avec notre avocat dans la salle à manger. Son aspect m'avait toujours paru louche. Il arborait une tentative ratée de moustache rousse et maigrichonne, une mallette quadrillée de griffures de chat et une expression de perpétuelle inquiétude. Toutes les deux ou trois semaines, il venait chez nous, ouvrait sa mallette – *clic-clac* – sur cette fameuse table de la salle à manger, en extrayait un dossier aux flancs en accordéon et tenait à ma mère de timides discours à voix basse.

Maman ne voulut pas entrer dans les détails de ces problèmes d'argent avec moi mais je compris que nous allions perdre la maison. Tout ce que l'avocat pouvait faire, avec sa tristounette ébauche de moustache, c'était de nous obtenir un répit. Payer quelques mensualités dues, faire patienter la banque, convaincre un chargé de clientèle ou un juge de nous donner plus de temps.

Le nouvel emploi de ma mère à SoHo semblait avoir apaisé les choses. Apparemment, elle était passée experte en l'art d'expliquer aux gens riches la manière d'enchanter les huit pièces de leur appartement Art déco de la Cinquième Avenue ou de Park Avenue avec une peinture hyperréaliste représentant une bouteille de ketchup ou une remorque. Et j'entendis *Monsieur** Claude et Mathis grommeler avec assez de constance pour savoir qu'elle avait réussi à leur faire payer la plupart de leurs loyers en retard. Mais cela ne suffit pas à stopper le flot de lettres recommandées dont nous inondait la Chase Manhattan. Tout était une question de temps. Une semaine, un mois, deux mois. Procurer à maman le délai nécessaire pour reprendre contact avec les services du logement social, remplir les dossiers, remonter sur les listes d'attente. Un sursis.

Notre situation avait beau être incertaine, la ville, elle, semblait vraiment au bord du gouffre financier. Fin octobre, New York se mit à attendre dans l'angoisse le grand discours qu'était censé prononcer le Président Ford. Allait-il nous sauver de la faillite ? Il devait annoncer sa décision. Notre avenir en dépendait. Mathis était fou d'impatience. Il n'avait qu'une peur : que l'image de notre RCA Victor nous joue son tour habituel et que la neige commence à tomber sur l'écran au moment où Ford ouvrirait la bouche.

Cette attente m'était insupportable. C'était comme l'interminable spectacle qui précède le septième match des World Series. J'allai dans le jardin, d'où j'entendis le brouhaha impérieux de toute une série de postes réglés sur la même chaîne, le même discours. Lorsque je remontai voir Mathis, Ford était debout devant un pupitre, tout en irritation, crâne chauve et grande bouche.

Le message était clair, articulait-il, nous considérant avec un mépris à peine dissimulé. La responsabilité des problèmes financiers de la ville de New York avait été déposée sur le perron du gouvernement fédéral – « *un enfant non désiré que ses parents biologiques ont décidé d'abandonner* ».

Je sortis dans le couloir. Il faisait froid. Pour économiser, ma mère trichait avec le thermostat, le bloquant à seize, voire à quatorze degrés. Je descendis la voir en chaussettes, passai la tête par sa porte. Elle ne me vit pas. Elle était couchée sur son lit en salopette et chandail tire-bouchonné, absorbée dans la lecture d'Agatha Christie, apparemment (la couverture représentait, entre autres, un chapeau melon noir et les deux virgules d'une moustache de même couleur). Maman ne s'intéressait pas au Président Ford. Ni à papa. Plus maintenant. Elle se fichait de savoir s'il reviendrait ou pas. Elle ne voulait plus de lui dans sa vie, un point c'est tout.

Pendant quelque temps, j'avais partagé ce point de vue. Plus maintenant. On choisit son conjoint, ce qui, je pense, signifie qu'on peut mettre fin à ce choix. Mais on ne peut pas choisir son père. Qu'on le veuille ou non, qu'on l'aime ou non, on fait partie de lui. Comme ce jour où, à quatre ans, je m'étais endormi contre son épaule, au point du jour, tandis qu'il me portait au milieu des ruines superbes de l'ancienne Penn Station, ses colonnes de marbre entassées comme d'immenses baguettes de mikado dans les décharges marécageuses des Meadowlands du New Jersey. J'étais en lui, mon petit corps d'enfant s'élevant et s'abaissant en rythme avec sa respiration.

37

LE 155 DE LA 104ᴱ RUE EST était encore plus immonde que ce à quoi je m'attendais. Un immeuble en brique au bord de la ruine, noirci par les fumées du train aérien qui passait en contrebas, sur Park Avenue. Une clef de voûte figurant une tête de chérubin difforme surveillait l'entrée, son visage battu par les intempéries raccommodé de grotesque manière par un manœuvre armé d'une truelle et d'un seau de plâtre.

Deux vieux Noirs qui bavardaient sur le perron de l'entrée voisine se turent immédiatement à mon approche. Je m'abstins de soutenir leurs regards méfiants. C'était la première fois que je dépassais la 96ᵉ Rue à pied. Là-haut, tout me paraissait différent, y compris l'air, plus froid, plus lourd.

L'entrée sentait la pisse ; les boîtes aux lettres cependant m'indiquèrent le bon appartement. Il suffisait de franchir la porte, serrure cassée, et trois volées de marches en lino qui gémissaient sous mon poids. J'avais entendu parler des trafics dont ces immeubles de Harlem étaient souvent le cadre ; à la télé, j'en avais vu des dizaines, de ces entrées sombres, vrais terriers de lapin, à la rubrique des faits divers. Si j'avais l'air de savoir où j'allais, espérais-je, j'éviterais peut-être les ennuis.

Ce fut Curtis en personne qui m'ouvrit. De part et d'autre de l'épaisse colonne de son corps, des tas de petites têtes brunes se succédèrent pour jeter un œil sur moi. Curtis me regarda, impassible. Pas hostile, non : fatigué.

« Mais qui voilà donc ! Ah, je ne peux pas dire que je m'attendais à une visite du fils du Roi de la Fonte. »

Il émit un ricanement sec, ses lèvres violacées s'écartant un instant pour laisser voir le grand désordre de sa dentition.

« Comment t'as su que j'étais sorti, en fait ?

— C'était dans le journal. Avec votre adresse. L'article disait que vous aviez été relâché mais que Furman en avait encore pour quatre mois. »

Curtis hocha la tête. La main sur la hanche.

« Écoutez, Curtis. Je suis vraiment désolé de ce qui vous est arrivé, à tous les deux. »

Pour ne pas croiser son regard, je fixais le triangle de lumière entre l'arrondi de son bras et son torse.

« Ce n'était pas juste. »

Curtis haussa les épaules.

« C'est sûr, la prison, ça aide pas à trouver du boulot, je te l'accorde. Bon, mais au moins j'ai pu sortir plus tôt, vu ce que j'ai fait pour eux. Ils en causent, dans ton journal, de ce truc, que j'ai aidé la ville à retrouver pas mal de panneaux chez le ferrailleur, avant qu'ils soient tronçonnés ?

— Oui. L'article disait que l'avocat général avait demandé la clémence et tout ça, parce que grâce à vous ils avaient encore un tiers des pièces. »

Curtis eut un geste de dédain.

« Sauf que je ne sais pas pourquoi ils se sont donné tant de peine pour récupérer leurs panneaux et les mettre avec ceux qu'on a pas eu le temps de chourer si c'est pour les stocker dans un autre endroit à la mords-moi le nœud.

— Comment savez-vous que c'est un endroit de ce genre ? Je croyais que les panneaux étaient conservés dans un lieu confidentiel ? »

Curtis gloussa.

« Tout le monde sait où ils sont. Enfin, les mecs qui bossent dans la ferraille. La mairie les a fait planquer dans Hell's Kitchen, sur la Dixième Avenue, dans un vieil immeuble qui appartient aux gens de la Rénovation urbaine. Le seul truc, c'est que, dès qu'ils bougent le petit doigt, tous les ferrailleurs sont au courant dans les cinq minutes qui suivent. Parce que, quand on y pense, ces mecs de la Rénovation urbaine, c'est ceux qui leur filent le plus de boulot, tu vois ? C'est – comment on appelle ça, déjà ? Un vrai pipeline. »

Une petite fille aux couettes noires, bien serrées, apparut aux côtés de Curtis, lui étreignant la jambe. Il posa une main affectueuse sur la tête de la gamine, qui se dégagea en se trémoussant.

« Bon, mais si t'es venu, c'est sûrement pas parce que ma jolie trogne te manquait, petit. Toi, tu veux quelque chose. »

Je me sentis rougir.

« Ouais, concédai-je.

— Et quoi donc ? »

J'écrasai un insecte imaginaire sous ma semelle.

« Eh bien, mon père est parti. Vous êtes peut-être au courant ?

— Ouais. Désolé. Tu sais, j'ai jamais lâché son nom.

— Je sais. Ou je m'en suis douté. Mais j'ai pensé à un truc que vous aviez dit, un matin, quand on récupérait les panneaux, dans West Street.

— Ouais ?

— Ouais. Comme j'étais dans le camion, vous ne pensiez pas que je pouvais entendre. Vous disiez à Furman que papa avait oublié l'enveloppe avec votre paie dans sa maison de campagne. Ça ne vous plaisait pas.

— Ah oui. Ça, je m'en souviens.

— Mais c'est que nous n'avons pas de maison de campagne. Donc, sur le coup, je me suis dit qu'il vous mentait, pour ne pas vous payer tout de suite. Là, maintenant, je n'en suis plus si sûr. Il vous a dit où elle était, cette maison ?

358

— Non, répondit Curtis en secouant la tête. Simplement, chaque fois qu'il se barrait un moment, il allait là-bas, à ce qu'il disait. Je me suis dit qu'il avait peut-être, mmm – tu m'en voudras pas de ce que je vais dire, j'espère ? –, une femme. »

Ce qui m'étonna, sans que j'en comprenne bien la raison.

« Et il n'a jamais rien dit de l'endroit où elle se trouvait, cette maison ? Simplement que c'était sa maison de campagne ?

— Ouais, voilà. Il nous a dit deux, trois fois qu'il allait à sa maison de campagne, mais une fois, le même jour mais plus tard, je l'ai entendu qui expliquait à Zev qu'il allait dans sa baraque à Men-*hatin'*.

— Sa baraque à Manhattan ?

— Je crois, oui. Mais il prononçait ça bizarrement, avec une sorte d'accent. Men-*hatin'*. »

Ce qui ne fit qu'ajouter à ma confusion.

« Mais est-ce qu'il y avait une sorte de logique, quand il allait là-bas ? Ça ne pouvait pas être deux endroits différents ? »

Curtis laissa échapper un long soupir.

« Écoute. Je dois dire que j'ai jamais compris grand-chose aux Blancs et à toutes leurs baraques. »

Il secoua de nouveau la tête.

« Et aux trucs idiots que ces baraques leur font faire, quand ils veulent mettre la main dessus, ou quand ils se la font piquer, ou quand ils ont ce genre de manœuvre dans les tuyaux. »

La petite fille, de retour, tira sur la jambe de son pantalon. Il recula d'un pas sans rechigner.

« Il racontait peut-être des craques, poursuivit-il en haussant les épaules. J'en sais rien. »

À présent, un petit garçon vêtu d'un tee-shirt Buster Brown tirait sur la porte, pour la fermer.

« Hé, Griffin, tu feras gaffe à toi, hein ? Parce que personne le fera à ta place. »

38

« EH BEN, PUTAIN, il vous faut combien de temps, dans cette taule, pour répondre au téléphone ? »

La voix à l'autre bout du fil était grave, enrouée. Je ne la reconnus pas. C'était une version un peu moins pâteuse de celle du vieux bonhomme qui vend les gâteaux Fudgie the Whale à la criée dans les publicités Carvel.

« Il est là, Nick Watts ?

— Il vient de sortir, dis-je.

— On parle bien du même ? Nick Watts, le fada d'antiquités au physique ridiculement avantageux, celui qui collectionne des vieux cadres et tout le bataclan, hein ? C'est ce Nick Watts-là ?

— Oui, c'est mon père.

— Eh bien, tu lui diras qu'il ferait mieux de se bouger le cul fissa et de se ramener à l'entrepôt. C'est un message de Larry le sculpteur de machines à laver, dans le même immeuble qu'Annie. Dis-lui qu'ils sont en train de coller tout son bordel sur le trottoir. »

Mathis était dans la salle à manger, en face de *Monsieur** Claude, vautré sur une carte du *New York Times*, toute hérissée de traits et de flèches. Cette semaine-là, comme il se trouvait avoir « les poches un peu vides », il ne pouvait pas me donner de quoi prendre un taxi – nonobstant les soixante-sept dollars et vingt-cinq cents, qu'il me devait, le montant de ses nouvelles dettes au backgammon depuis l'été.

« J'en suis bien désolé, conclut-il en revenant à son journal. Mais c'est comme ça. »

J'essayai de renouer le contact.

« Qu'est-ce que c'est, cette carte ? »

Il leva les yeux ; ses lunettes rondes scintillèrent.

« Oh, c'est la météo. Ce que tu vois ici, c'est le trajet que devrait suivre la tempête tropicale qui vient juste de dévaster la Jamaïque. Tu en as entendu parler ? »

Je fis non de la tête.

« Ils l'ont baptisée Emma. Ils ne savent pas encore si elle va se transformer en ouragan avant d'atteindre la côte. »

« Tu sais pourquoi ils donnent toujours des noms de femme aux tempêtes ? On devrait mettre Gloria Steinem sur l'affaire.

— Elle passera sur New York ?

— Peu probable. Elle va atteindre la côte Est juste là, tu vois, puis elle va rentrer dans les terres, hop, et atterrir quelque part entre Hatteras et Atlantic City. Nous, on aura quelques très grosses averses. »

Il se replongea dans la lecture de l'article qu'illustrait la carte.

« Vous êtes certain de ne pas pouvoir me prêter cinq dollars ? Je vous en supplie !

— Je crains que non. Ta mère vient de prélever son loyer. Elle m'a même forcé à rembourser l'appareil photo que mon neveu a volé la dernière fois qu'il est venu me voir. »

Je lançai un regard à *Monsieur** Claude, dont le visage à l'expression hautement blasée était auréolé de la fumée de sa Gauloises. Il avait les jambes mollement croisées ; une espadrille jaune, trouée au gros orteil, pendait de son pied gauche.

« Et vous, *Monsieur** Claude ? Je vous rembourserai, je vous le jure. »

Il renifla, l'air ailleurs.

« J'ai eu jadis une maîtresse originaire des Carolines ; elle avait eu une bourse Fulbright. Elle enseignait l'anglais aux Arabes, à Lille, dans une horrible *petite école** ».

Il exhala un apathique panache de fumée.

« Une tendre créature, qui m'était reconnaissante de ma compagnie. Quand je suis parti, elle a pleuré. »

Lorsque je sortis de la station City Hall, le brouhaha régnait toujours en maître sur le parvis. La foule était encore plus nombreuse que le jour de la manifestation des flics au chômage, même si l'ambiance était nettement moins menaçante. Les manifestations inclinaient plus à la résistance qu'à la colère et ressemblaient moins à une armée de voyous.

Le méchant de l'affaire était Jerry Ford, pour autant que je puisse en juger. On était loin de l'inoffensif lourdaud des imitations de Chevy Chase dans le *Saturday Night Live* : le Président était devenu l'ennemi numéro 1 des New-Yorkais. Partout où portaient les regards, les gens sciaient l'air de pancartes reproduisant à grande échelle la récente une du Daily News : « FORD À NEW YORK : CRÈVE. IL METTRA SON VETO AU RACHAT DE LA DETTE ».

Les manifestations, j'en avais eu ma dose. Je contournai celle-là en me dirigeant vers l'ouest sur Chambers Street.

Le sculpteur mal embouché ne m'avait pas raconté de mensonges. Quelqu'un était en train d'évacuer toutes les affaires de papa sur le trottoir. Tandis que je remontais le long du pâté de maisons, au trot, deux hommes à la nuque épaisse étaient en train d'extraire un secrétaire à cylindres par la porte d'entrée.

« Qu'est-ce qui se passe là-dedans ? demandai-je.

362

— Expulsion, me répondit le plus joufflu des deux déménageurs. Non-paiement de loyer, j'imagine. C'est pas le seul, par ici.

— Qui vous envoie ?

— M. DeCarlo, bien sûr.

— Tony DeCarlo ? Qu'est-ce qu'il a à voir avec l'entrepôt ?

— Pas mal de choses. C'est le proprio. Maintenant, petit, si tu nous laissais travailler ? On a des tas de trucs à descendre.

— Et il y a des jolies choses dans tout ce bordel, ajouta l'autre armoire à glace, prêt à repartir chercher le chargement suivant. Sers-toi. Ça va prendre la flotte, de toute façon, avec cette tempête qui se pointe. »

De voir l'intérieur de l'atelier à l'extérieur, ça me faisait un effet surréaliste. Certes, c'était un drôle d'endroit que cet entrepôt : mais c'était chez papa. À présent le lit à baldaquin que je partageais avec lui quand je passais le voir gisait en travers du trottoir, deux pieds sur les pavés cimentés au goudron ; quelqu'un l'avait déjà délesté de ses chapiteaux sculptés en forme d'ananas. Collé au lit comme une table de chevet se dressait le petit réfrigérateur carré de papa, format célibataire, avec sa porte en faux bois. À quelques mètres, une baignoire aux pattes griffues était adossée à un réverbère : elle regorgeait d'un capharnaüm d'accessoires de cuisine et d'antiquités. Le percolateur éviscéré de papa, une photo sous verre d'Ebbets Field et une balance à l'ancienne portant ce slogan en lettres peintes : « Le Vrai Poids Toledo ».

L'entrepôt avait déversé son contenu tout au long du pâté de maisons, jusqu'à West Broadway. Des monceaux de cadres anciens. Des tables basses gisant dans le caniveau, pieds en l'air, en pleine *rigor mortis*.

Mon regard suivit cette longue traînée d'objets comme abandonné par quelque marée. Je ne voulais rien de tout cela. Mais n'en étais-je pas responsable ? En d'autres termes : si papa revenait, ne serait-il pas fou de rage de constater que j'avais tout laissé en plan ?

Mais quel crétin tu fais, compris-je. Quelle tête de lard. Il ne *reviendra pas*.

Ne. Reviendra. Pas.

Quelqu'un avait déposé un pot de chambre sur le trottoir, rempli de cartes postales anciennes de la collection de papa. Chacune décrivait un monument perdu de Manhattan – certains d'ailleurs se trouvaient dans le quartier où nous étions. Un de ces clichés – pris, disait la légende, des Magasins A. T. Stewart de Chambers Street, direction sud – montrait le City Hall Park et le sud de Broadway en 1905. Pas encore de Woolworth Building, mais le bas du parc était occupé par une poste à la façade alambiquée, pourvue de toute une palanquée de toits mansardés aux pentes arrondies, gonflés comme des voiles au ventre chargé de vent. La suivante dans la pile avait été récupérée sans doute dans cette même poste, et portait un cachet 1909 : elle présentait le même pâté de maisons du même point de vue. S'y dressait maintenant en arrière-plan un impressionnant gratte-ciel à la flèche pentue, fine beauté ainsi légendée : « Singer Building, le plus haut du monde ». Je ne l'avais jamais vu, je n'en avais jamais entendu parler. Le Singer Building avait disparu aussi radicalement que papa.

Troisième carte, cachet de l'année 1913, toujours le même panorama, vue plongeante sur Broadway, depuis Chambers Street. La flèche gothique et dégoulinante du Woolworth Building avait atteint sa taille finale et battu des records, écrasant le Singer et tous les autres. Et mes yeux furent attirés par un petit ornement architectural saillant avec énergie de la tourelle nord-est, au-dessus de Broadway – *ma gargouille !* Entre 1913 et mon intervention, cette bête céleste, vibrante, l'œil en alerte, avait vu réduire en gravats cette énorme poste et le Singer Building. Désormais, à quelques pâtés de maisons seulement de l'endroit où je me tenais, les puissantes tours du World Trade Center dominaient le Woolworth – presque deux fois plus hautes que lui, elles avaient transformé la Cathédrale du commerce, aux yeux de presque tous les passants, en un simple détail rajouté après coup à la ligne d'horizon de la ville.

Je fis défiler d'autres cartes : palaces disparus, grandes demeures, clubs – le Grolier, l'Union Club, le Progress. Dates et lieux précis étaient indiqués en légende. Quelques-unes de ces cartes étaient rassemblées en petits paquets noués d'un élastique. J'en bourrai la poche de ma chemise et les deux poches arrière de mon jean. Ce qui était tout sauf confortable. Si, traînant sur les quais, j'avais le malheur de tomber dans l'Hudson, le poids de la ville perdue m'attirerait vers l'abîme aussi sûrement que les souliers de béton d'une victime de la mafia.

Quand j'eus sorti toutes les cartes du pot de chambre, je trouvai, collée au fond, une coupure de presse roussie par le temps extraite d'un numéro de 1856 du *Harper's Monthly Magazine*. « New York est, de notoriété publique, la plus grande et la moins appréciée de nos grandes villes. Comment pourrait-on l'aimer, au juste ? Elle se renouvelle complètement tous les dix ans. Un homme né à New York il y a quatre décennies ne retrouvera plus rien – pas une maison, pas une rue – de la ville qu'il a connue. Si par hasard subsistent quelques vieilles maisons non encore rasées, il peut s'estimer heureux. Mais les monuments, les bâtiments qui lui fournissaient ses repères ont disparu. »

Au bout de la rue, les choses s'animaient. Un vieux couple, fringues violettes de la tête aux pieds, lunettes yeux de mouche sur le nez, était en train de charger un chariot de blanchisserie avec toute une collection de curiosités. Tout en se décochant sourires et considérations diverses, ils se traînaient, antiques, coiffés de leurs bonnets violets, se montrant de temps à autre, pour avis, les objets qu'ils avaient ramassés. Je remontai jusqu'à leur chariot, curieux de leur choix – dont l'absence de logique, inexplicablement, me rendit furieux.

Ce n'était pas mon seul souci. J'avais le net sentiment que ce qui saillait contre le tissu chiné violet du sac que la femme tenait à l'épaule n'était autre que le bout du mât de mon voilier téléguidé Lightning. Non que j'aie encore envie de jouer avec – j'étais trop vieux, maintenant –, mais je l'avais assemblé de mes propres mains, ce bateau, jusqu'à ses aussières fines comme de la toile d'araignée et ses minuscules taquets. Je n'aimais guère l'idée qu'il puisse vivre dans une autre maison que la mienne. Je me représentais ce bateau prisonnier, solitaire, des ténèbres de ce sac.

« Euh, excusez-moi, mademoiselle ? dis-je, désignant d'un index recourbé l'intérieur du sac violet de la dame violette. Mais si c'est bien un petit voilier que vous avez dans votre sac et que, hum, vous l'avez trouvé sur ces tas d'affaires… Eh bien, dans ce cas, il me semble qu'il n'est pas impossible que ce soit le mien. »

La réponse ne vint pas immédiatement. J'étais sur le point de réitérer ma demande lorsque la dame en violet se précipita soudain vers moi, me découvrit, tel un écureuil enragé, d'immenses incisives beiges et me hurla ceci au visage, avec la férocité primitive d'une femme à laquelle on vient d'arracher son enfant nouveau-né : « Quoi ? *Quoiiiii* ? Qu'est-ce tu crois ? Que la rue t'appartient ? »

39

MON PÈRE NE FUT PAS le seul absent cet automne-là. Dani aussi jouait les invisibles. Elle n'était jamais chez elle quand j'appelais et ne répondit jamais aux messages que je lui laissai ; je voulais savoir si elle viendrait pour Thanksgiving. Lorsque enfin je l'eus au bout du fil, elle me gratifia d'un « Oh, salut, Griffin » sur un ton si surpris et si irrité que je compris qu'elle se reprochait déjà d'avoir décroché.

Elle ne me témoigna aucune compassion lorsque je lui parlai de l'expulsion de l'atelier et de la vaine quête de mon père et m'écouta sans rien dire avant de m'interrompre.

« Griffin, tu sais que je sais que tu racontes n'importe quoi, hein ?

— Comment ça, "n'importe quoi" ? »

Je tombais des nues.

« Toutes ces conneries sur le fait que tu ne sais pas où est ton père. Tu voles des trucs pour lui, tu es son mini-bras droit, et tu voudrais que j'avale tes bobards quand tu m'expliques que tu ne sais pas où il est passé ? »

Il me fallut poser mille questions et répondre à des tonnes d'arguments avant qu'elle veuille bien m'expliquer la raison de sa colère. Le dossier Laing.

« Il y a quelques semaines, maman en a eu tellement marre que je lui demande pour la énième fois pourquoi nous ne rentrions pas à New York qu'elle m'a donné la raison pour laquelle papa avait dû quitter Columbia. Il était tellement alcoolo qu'il avait paumé le dossier de son projet le plus important, genre. Mais quand maman m'a dit que ça s'était produit le week-end de mon anniversaire, l'an dernier, j'ai tout compris. C'est toi qui l'as fauché. Le fait est que je t'ai vu entrer en trombe dans ma chambre : tu sortais de son bureau, avec ton sac à dos. Et plus j'en savais sur ce projet Laing et la manière dont il a dégénéré, plus ça m'a paru évident. C'était forcément toi qui l'avais piqué, pour les combines bizarres de ton père. »

Le récepteur me transmit son soupir de dégoût.

« Griffin, je ne peux plus croire un seul des mots qui te sortent de la bouche. Ne m'appelle plus jamais. Compris ? »

J'étais si blessé par sa colère, si humilié par l'effet combiné de ma culpabilité et de mon ignorance que j'en perdis quasiment ma langue. Les deux ou trois phrases que je parvins à aligner – je ne savais absolument pas qui était ce Laing, ni ce que son dossier contenait – ne la convainquirent guère.

« Je croyais que nous étions dans le même camp, me dit-elle. Bon Dieu, déjà que je suis coincée dans cette ignoble banlieue de merde à la *Stepford Wives*, voilà maintenant que j'apprends que c'est entièrement ta faute ! »

40

ZEV NE RÉPONDIT PAS à mon coup de sonnette. Le vieux tailleur du rez-de-chaussée, dont le visage rabougri était aussi finement ridé que le pommeau sculpté d'une canne, leva les yeux d'un ourlet marqué d'une armée d'épingles assez longtemps pour m'expliquer qu'il connaissait Zev, mais ne l'avait pas vu depuis un certain temps.

Curieux : j'avais travaillé pendant des mois avec un gars dont je ne connaissais même pas le nom de famille. Impossible sans cette information de retrouver son numéro de téléphone. Me restait à attendre son retour à l'appartement.

Mais ce ne serait peut-être pas nécessaire. Lorsque je m'engageai dans King Street pour reprendre le métro, les dieux m'accordèrent une faveur. Là, au milieu du trottoir, trônait le camion Good Humor, garé de travers. Dans la lumière rase de novembre, les coups de peinture blanche qui masquaient le cornet de glace fantôme étaient plus visibles que jamais, dévoilant pleinement leur fonction.

Je jetai un coup d'œil dans la cabine, côté passager. Il n'y avait pas grand-chose. Des emballages de plats à emporter et une bouteille d'adoucissant sur le siège ; du sable et des feuilles mortes sur les paillassons. Oh ! Voyons – de l'adoucissant pour le linge ?

La vitrine de la laverie automatique toute proche était si embuée qu'elle ne révélait que des silhouettes vagues.

L'une était celle de Zev, en train d'ajouter à un tas de jeans mal pliés un dernier jean tout aussi froissé.

Il accueillit mon entrée avec un sourire étonné.

« Tu tombes à pic, Griff. Tu peux me donner un coup de main ? »

Il poussa du bout du pied un de ses sacs à linge.

« Le camion est à deux pas d'ici. »

À l'arrière du camion étaient entreposés des tas d'outils, des seaux à plâtre et deux autres sacs à linge rebondis.

« Dis donc, quelle lessive !

— Je me suis absenté un moment, répondit-il en me regardant curieusement. Ça t'embête de m'aider à monter tout ça chez moi ? »

Il s'installa au volant et se pencha pour déverrouiller la portière, côté passager.

« Tiens, entre, je vais débarrasser ce bordel. »

Il tendit la main et balaya la banquette comme le bras mécanique qui, au bowling, dégage la piste. Les papiers gras – un sac blanc, froissé, et un bout de papier huileux orné d'une croûte non identifiée – atterrirent sur le paillasson.

La cabine sentait la cigarette, la sueur et la sauce tartare.

« Mon père a été expulsé de l'atelier, annonçai-je à Zev, tandis que nous entamions le bref trajet qui nous séparait de son appartement. Du moins, toutes ses affaires. »

Zev hocha la tête.

« Ça lui pendait au nez, je crois. DeCarlo n'est pas réputé pour la patience avec laquelle il traite ses débiteurs. »

Cette remarque n'avait rien de rassurant.

« Tu crois qu'il pourrait se venger sur papa d'un retard de loyer ? Ou c'est à cause de leurs autres affaires ?

— Peut-être bien que oui, peut-être bien que non, dit Zev après un moment de réflexion. Ils se connaissent depuis des siècles. Mais il faudrait d'abord qu'il retrouve ton père. Et ça, comme tu as dû t'en rendre compte depuis le temps, ce n'est pas une mince affaire. »

Je pivotai sur mon siège pour lui décocher un regard tranchant.

« Parce que tu sais où est mon père ?

— Ouais, répondit Zev après une brève pause. Bien sûr, que je sais. Je lui ai donné un coup de main. Mais bon, c'est du passé. »

Il prit un virage plus brutalement qu'il n'était nécessaire.

« Et c'est la dernière fois, crois-moi. Personne n'a le droit de me parler sur ce ton. *Personne*. Surtout après tous les trucs insensés que j'ai faits pour lui.

— Il est où ? Dans sa planque de Manhattan ?

— L'entrepôt ? Tu viens de me dire qu'il avait été expulsé. »

Silence.

« Non, je voulais dire, sa planque de Men-*hatin'*. »

Zev me fixa, ébahi.

« T'en as entendu parler ?

— Bien sûr, bluffai-je. Mais ça se trouve où, exactement ?

— Désolé, je ne peux pas répondre à cette question. Je lui ai donné ma parole. »

Ses poings se serrèrent sur le volant.

« Mais crois-moi, Griffin, ça vaut mieux. Tu l'as déjà perdu. Tout le monde l'a perdu. Franchement, il vaut mieux rester à distance. »

Je m'étais assis sur un petit machin qui me rentrait dans les fesses. Je passai la main sur le siège, dans mon dos, et finis par récupérer le coupable – un objet dont le caractère familier était si inattendu que son apparition me fit tressaillir, en dépit du passage des années. C'était un petit espadon de plastique bleu, plat et transparent dont on se servait pour maintenir ensemble les diverses couches d'un sandwich. Le flanc du poisson était marqué d'un S stylisé dont la courbe inférieure se finissait par un petit hameçon. Le poids de mes fesses avait cassé le pauvre espadon en deux, à la base de son long nez. J'empochai les deux fragments.

« Nous y voilà, annonça Zev, d'un ton qu'il voulait enjoué, en se garant en face de son immeuble.

— Ouais », fis-je.

Je descendis du camion et me dirigeai vers la station de métro.

« Hé, attends ! me héla-t-il. Tu ne devais pas m'aider, pour les sacs de linge ? »

Je me retournai pour lui donner ma réponse.

« Pas le temps. En fait, j'ai un rendez-vous ailleurs. »

41

DANS *From the Mixed-up Files of Mrs Basil E. Frankweiler*, un livre pour enfants bien connu que Quig détestait parce qu'il parlait de fugue, deux gamins de la banlieue parviennent jusqu'à New York grâce à un ticket sur lequel il restait encore un aller simple pour un adulte. Ma méthode pour financer le voyage inverse – direction la banlieue – fut, je l'admets, moins finaude : je vidai le portefeuille de *Monsieur** Claude. Il me devait de l'argent, me dis-je – si ce n'était pour avoir englouti maints petits-déjeuners destinés à l'estomac de certain garçon en pleine croissance, du moins en guise de punition, car il avait régulièrement insulté mes rétines en leur imposant la vue hideuse de son pantalon de survêtement avachi et de ses fesses blêmes et françaises.

New York Port Authority. Non, je ne décrirai pas ce lieu ignoble dans le détail. Il suffit d'imaginer une gare routière coincée dans le recoin le plus infect, le plus reculé de l'intestin du dragon Smaug quelques heures après qu'il a remporté la victoire dans un concours de dégustation de Hobbits.

Les sièges de l'autocar étaient élimés et durs. Je me servis de mon sac de voyage bleu comme d'un oreiller, essayant de ne pas penser à la joie avec laquelle j'aurais entrepris ce voyage en compagnie de Dani – si mon père ne l'avait pas arrachée à mon existence avec ses histoires de dossier Laing.

Installé au fond du car, près des toilettes, j'entendais les eaux grasses mentholées clapoter dans leur récipient tandis que le chauffeur effectuait un tournant pour s'engager dans le tunnel Lincoln. Lorsque nous émergeâmes du côté du New Jersey, ce fut la laideur qui tout d'abord nous sauta au visage – centrales électriques, stations-service, enchevêtrement étouffant du tissu urbain. Lui succéda un paysage de plus en plus vert, de plus en plus simple. Ce qui, relativement verdoyant, relativement lointain, passe pour de la nature aux yeux du New-Yorkais de naissance.

Soit ma vitre était cassée, soit elle était dotée d'une sécurité enfant : ce ne fut qu'au prix d'une petite lutte que je pus l'ouvrir de trois ou quatre centimètres, assez pour sentir l'air se charger de fraîcheur et de sel. À cette époque de l'année, allais-je encore trouver des sandwichs au crabe ?

Après ma descente du bus – il s'était arrêté en face de l'épicerie d'Echo Harbor, fermée en ce jour de tempête –, mes pieds me portèrent presque malgré moi chez Mme Krauss, la vieille dame qui, tous les ans, adoptait les chats abandonnés par les vacanciers le jour de la fête du Travail, le premier lundi de septembre. Peut-être avais-je soif d'un repère familier, au milieu du ressac désorientant du souvenir – ou me disais-je qu'elle avait bien pu croiser papa.

Je regrettai immédiatement cette initiative. Il n'y avait pas de chat. Pas de triporteur de vieille dame. Sa maisonnette avait été détruite et remplacée par un bungalow plus massif, plus voyant, qui menaçait d'empiéter sur la limite du terrain. Un break aux portières imitation bois était garé le long du trottoir. Un chien qui n'aurait pas déparé à Yale – un de ces setters irlandais à poil roux qu'adoptent les familles heureuses, familles ennuyeuses – était assis devant la véranda, les oreilles tendues, comme tous les animaux domestiques à l'approche du mauvais temps.

Curieux, cette manière qu'avait mon corps de retrouver son chemin, même si j'avais oublié presque tous les noms de rue. Les tables de pique-nique rondes, en cèdre, étaient exactement là où mon souvenir les avait situées, sur les planches du Sandcastle, notre restaurant de fruits de mer préféré – établissement situé, comme autrefois, au bout de l'un de ces nombreux et étroits canaux qui faisaient la réputation d'Echo Harbor. Mon estomac me rappela avec un léger gargouillis que j'étais censé manger. Le Sand-castle était fermé et son rideau de bois baissé. Un message avait été rédigé au stylo-bille, en lettres majuscules, sur la planche de contreplaqué fixée sur la porte :

À « NOS CLIENTS »
NOUS ESPÉRONS VOUS REVOIR APRÈS LE PASSAGE EN FANFARE D'EMMA.
« NORMA ET ED ».

Seigneur, ces gens qui utilisaient des guillemets sans raison, ça me rendait cinglé.

HÉ, « NORMA » ! ME DIS-JE. ED ET TOI, FAITES-NOUS « PLAISIR » ET APPRENEZ DONC À RÉDIGER « UNE PHRASE QUI SE TIENNE ». ET TANT QUE VOUS Y ÊTES, POURQUOI NE PAS ÊTRE RESTÉS FIDÈLES AU POSTE POUR PRÉPARER UN OU DEUX « SANDWICHS AU CRABE » À UN JEUNE AFFAMÉ ?

Chez Sandcastle, si vous vouliez récupérer un espadon en plastique bleu – Quig et moi les utilisions pour nos combats épiques –, il fallait demander un sandwich ou une tartine. Quig prenait en général un BLT, bacon, laitue, tomate. Moi, un sandwich au crabe : j'adorais agiter ses pinces frites sous le nez de ma sœur.

À Echo Harbor, il y avait deux sortes de bungalows : les parallélépipèdes d'un étage qui ressemblaient à des wagons de marchandises pourvus de fenêtres, et les petits cottages coiffés de toits pointus – des maisons pour oiseaux à taille humaine. Mme Krauss avait habité un wagon de marchandises et nous une maison pour oiseaux, laquelle était même dotée d'un petit hublot, juste sous le rebord du toit. La plupart de ces maisonnettes étaient disposées le long des canaux, qui avaient été creusés au moment où le bâtisseur du premier lotissement avait comblé les marécages pour les futures constructions. L'été, nombreuses étaient ces maisons qui disposaient d'un bateau, amarré sous leurs fenêtres.

Vibrant de distractions, de familles et d'enfants dans mon souvenir, Echo Harbor était à cette époque de l'année une ville presque morte balayée par le vent, à quoi il fallait ajouter la perspective de la tempête tropicale en route vers son rivage. Pratiquement toutes les fenêtres des maisons avaient été renforcées de grands X scotchés sur leurs vitres. Certaines étaient même doublées par des panneaux de bois.

Quand bien même les nuages ne laissaient échapper qu'une chiche lumière, je n'eus aucun mal à retrouver notre ancien bungalow. Il faisait partie des plus exposés, érigé qu'il était sur la plage, façade tournée vers la Grande Baie, son île lointaine et la mer houleuse au-delà. L'édifice n'avait guère changé – toit pointu de maison pour oiseaux, ponton ; simplement, côté mer, sa peinture turquoise s'écaillait en longs et fins serpentins. Ses fenêtres, comme celles de toutes les maisons de la plage, étaient recouvertes de contreplaqué.

Il n'était pas très réaliste de ma part, je pense, d'espérer trouver papa m'attendant sur un pliant de cinéma dans le salon. Tout aussi improbable, la casserole de spaghettis à la carbonara mise à réchauffer sur la cuisinière. Lorsque je collai mon nez à la porte de la cuisine, je compris, en distinguant entre les persiennes les meubles recouverts de draps, qu'il n'y avait personne.

Pas de clef pendue au clou où elle résidait autrefois ; je ramassai une baguette de fer que j'avais vue luire dans les décombres, sous la maison, et m'en servis pour déloger l'une des lames de verre des persiennes, comme j'avais vu papa le faire un jour qu'il avait perdu sa clef. Il me suffit alors de déchirer l'écran grillagé et de tendre la main vers le loquet pour l'ouvrir.

Rien n'avait changé. Et plus rien n'était semblable. L'odeur humide de cabine de plage était *exactement* celle de mes souvenirs, cependant. J'allai de meuble en meuble, arrachant les draps, le poignet agile. Hop ! Presto ! Et chaque fois apparaissaient fauteuil en osier avachi ou tables gansées de corde, ringarde tentative de coller au thème marin. Le plancher avait, depuis notre départ, été repeint en un jaune vif impardonnable, mais on pouvait encore distinguer, dans les cercles d'usure qu'avaient tracés les chaises autour de la table, le violet aubergine que maman aimait tant, de même qu'un vert et un bleu intermédiaires. Quelles vies, quels deuils s'étaient déroulés dans cette pièce durant les périodes bleue et verte ? Les gens qui les avaient vécus avaient-ils jamais contemplé ces reliques de peinture en se demandant quelles journées couleur aubergine avait pu passer la famille qui les avait précédés ?

Mon estomac se retournait sous l'effet de la faim. Le réfrigérateur était vide, bien sûr, la porte ouverte maintenue dans cette position par une raquette de kadima ; il fallait éviter l'apparition des moisissures durant les mois d'hiver. Les souris avaient déjà entamé le porridge Quaker que je trouvai dans un placard. Heureusement, il y avait quantité de conserves. J'ouvris une boîte de raviolis Chef Boyardee et, armé d'une fourchette, engloutis son contenu sans me donner la peine de le mettre dans une assiette.

Le salon était obscurci artificiellement par les planches fixées sur les fenêtres, précaution hivernale. Je trouvai un arrache-clou dans le placard à outils, sous l'escalier, et m'en servis pour ôter les deux rectangles de contreplaqué cloués sur la face extérieure desdites fenêtres. Je n'eus pas le courage de remiser ces planches sous la maison pour ne pas les avoir dans les jambes. Le froid était trop vif et la lumière déclinante du jour trop faible pour que je m'inquiète de questions domestiques.

Ne restaient plus sur les sommiers que les matelas blanc cassé. J'allai de chambre en chambre, rassemblant tous les draps, toutes les couvertures disponibles. Je les entassai sur mon vieux petit lit, dans ma chambrette sous les toits, juste en dessous du hublot qui, à l'heure de me coucher, autrefois, m'avait toujours donné l'impression que j'étais un oisillon couché bien au chaud dans son nid.

Sans ôter ni ma doudoune ni mes baskets, je me glissai sous ce monceau de draps et de couvertures et m'y recroquevillai, pour ne pas prendre froid. J'y retrouvai la même vieille odeur d'humidité, vaguement déplaisante et cependant réconfortante dans sa familiarité. En tendant un tout petit peu le cou, j'apercevais le hublot par lequel je voyais la nuit tomber sur la Grande Baie comme une couverture charbonneuse, hérissée, obscurcissant le monticule distant de Fish Island. De temps à autre, une bouée invisible claquait sur les vagues, solitaire, arythmique, métallique.

Je dus m'assoupir, car lorsque je repris conscience le monde était plongé dans les ténèbres. N'avais-je pas entendu – et senti, à travers le matelas – le grondement d'un tonnerre lointain ? Il avait ce côté indécis qu'affecte parfois l'orage quand il résonne au loin – les cieux se raclent la gorge sans trop savoir encore s'ils comptent vraiment frapper. Pourvu qu'ils s'abstiennent. La dernière fois que j'avais essuyé un orage dans notre maison d'Echo Harbor, ç'avait été effroyable.

On dit que les éclairs sont blancs, mais je les ai vus bleus, je m'en souviens. Je me suis réveillé en sursaut : la canonnade arrosait les poutres ; des flots de lumière se succédaient dans ma chambre, bleuissant toutes les ombres. Lorsque la chambre avait replongé dans l'obscurité et que l'atmosphère s'était apaisée, je tremblais encore, cette vision hantant ma mémoire : les poissons de velours côtelé sur mon mobile, rouges et violets dans la lumière du jour, avaient tous arboré la même morte et blême couleur.

C'était l'été où je m'étais pris de passion pour les paratonnerres. Pendant des semaines, j'avais assailli papa et maman de questions. Y avait-il un paratonnerre sur notre toit ? Était-ce une protection suffisante ? Avait-il la hauteur réglementaire ? Comment la foudre savait-elle qu'il fallait le frapper lui, plutôt que le reste de la maison ?

Je me trouvais sous les draps, emmailloté de coton, tendant l'oreille, tremblant, quand du silence s'était élevé un son ténu, frémissant, comme si l'on déchirait du papier calque, très proprement : puis cette horrible lueur bleue enflant sous le bord du drap et me brûlant les yeux. Quelques secondes plus tard, une explosion faisait tressauter le lit.

Inutile de hurler au secours : il n'y avait que moi sous le toit. C'était notre dernier week-end à Little Egg ; Marion, la nounou qui avait partagé ma chambre tout l'été, était déjà rentrée à Bard. Maman était repartie à New York avec Quig, pour une fête d'anniversaire. J'étais seul avec papa. C'était la première fois que je passais la nuit seul avec lui et cela m'inquiétait.

Je me suis extrait du lit, ai descendu l'escalier, à tâtons, la main sur la tapisserie de jute, si rêche. Dehors, le vent maltraitait la nuit. Mais je n'ai pas couru. C'était la partie de chat perché nocturne la plus dangereuse de ma vie. La foudre ne devait pas me repérer. Qu'elle apprenne que j'étais sorti du lit, que j'étais seul, que sa prochaine visite d'un bleu fulgurant me surprenne à descendre l'escalier sur la pointe des pieds, et j'étais mort.

En arrivant devant la porte de la chambre de mes parents, j'ai levé la main vers la poignée ; un courant d'air s'est introduit dans ma manche de pyjama. La porte avait entièrement disparu ! Je courus vers le lit, posai la main sur le drap tendu, à la recherche de papa. Prudemment d'abord, puis avec une fébrilité croissante, car je ne sentais sous ma main que dure masse, creux des boutons, fin réseau métallique du matelas chauffant sous le drap. La porte avait disparu, la couverture avait disparu et papa avait disparu.

Saisi de panique, j'ai parcouru la maison, le traquant dans les salles de bains, la cuisine, trouvant enfin le courage d'aller vérifier dans la pièce la plus exposée – le salon, dont l'immense baie vitrée donnait directement sur la Grande Baie. Ce que j'y ai vu était effroyable. L'orage déchirait le ciel, juste sous mes yeux ; les branches des arbres griffaient les vitres ; les sombres nuages s'éclairaient de bleu vif toutes les cinq ou six secondes, comme le piège à mouches électrique que le boucher accrochait derrière ses côtes de porc.

Je l'ai vu avant qu'il m'aperçoive. Le pied nu reposant, nonchalant, sur la table basse, mon père était assis dans le canapé, sans peur aucune, statue de chair regardant l'orage.

« Oh, Griff, m'a-t-il lancé en me voyant. Tu es debout. Viens voir. »

J'ai contourné en courant le canapé en L pour aller enfouir ma tête sous son bras. Il m'a serré contre lui de son avant-bras gainé de flanelle.

« Ça vaut vraiment le coup, hein ? a-t-il déclaré, sa main épousant la courbe de ma cage thoracique. C'est un vrai son et lumière de planétarium ! »

La remarque m'a pris au dépourvu. J'adorais les spectacles son et lumière.

« Qu'est-ce que tu veux dire ? ai-je demandé à son torse.

— Que c'est beau. Aucun peintre ne pourrait reproduire cette beauté. Et le plus beau, c'est que c'est le ciel qui fait tout le boulot. Tout ce qu'on a à faire, toi et moi, c'est de s'asseoir et de profiter du spectacle. »

Nous sommes restés un bon moment dans cette position ; les éclairs jouaient sur son menton. Il ne faisait aucun effort pour me rasséréner, se contentant de regarder par la fenêtre avec cette expression qu'ont les gens qui se perdent dans la contemplation d'un feu.

Peu à peu, le sommeil m'a gagné. La Grande Baie avait beau se zébrer de morsures électriques, je sentais la terreur m'échapper. J'ai voulu la rattraper.

« Je crois que notre paratonnerre est fichu, papa. La foudre a frappé le toit juste au-dessus de mon lit. »

Papa a secoué la tête.

« Je ne crois pas, Griff. Même si l'orage n'est pas loin. Pendant un moment, il s'est déchaîné sur la mer, au large de Fish Island ; il approche, maintenant ; il n'est pas loin de l'endroit où M. Christie pose ses pièges à crabes.

— Ça va les tuer ?

— Pas du tout. Et maintenant que j'y pense, les anguilles électriques doivent faire une fête de tous les diables, en ce moment.

— Même les petites ?

— Surtout les petites. Elles vont pouvoir recharger leurs batteries toute la nuit, tu comprends ? Et demain matin, quand les requins sortiront de leurs trous pour se préparer un petit déjeuner aux anguilles, ils seront bien surpris de constater que les bébés torpilles battent des records de vitesse. »

L'histoire de papa m'a arraché un petit rire. Ce n'était pas vraiment vrai, me disais-je, mais j'aimais bien le croire détenteur de la vérité. Il devait la garder dans cette petite subdivision pour les pièces que recelait la poche avant droite de son Levi's.

Un éclair effrangé a illuminé la baie. Les arbres se sont convulsés devant nos fenêtres. Nous nous sommes installés l'un à côté de l'autre pour regarder, tous les deux, écarquillant les paupières quand il faisait sombre, clignant des yeux quand la foudre tombait. Et, même si je n'arrivais pas à la considérer sous l'angle de la beauté, je n'étais plus si certain qu'elle veuille m'emporter.

Au coup de tonnerre suivant, je me réveillai, sans avoir la moindre idée du lieu où je me trouvais. Puis je redressai la tête, me débarrassai du monceau de couvertures sous lequel j'étais enfoui et m'assis dans la fraîcheur du matin pour regarder la Grande Baie par le hublot. C'était l'aube.

Étonnante, la blancheur des blancs en ce matin : écume des vagues, boules de polystyrène dodelinantes signalant les points d'ancrage des bateaux, mouette solitaire planant sur les courants ascendants. Battant des paupières pour me tirer du sommeil, je compris cependant que les blancs n'avaient pas changé d'intensité. C'était le reste du monde qui n'était plus le même. Le ciel et la baie revêtaient désormais un lugubre gris de cendre qui donnait aux touches de blanc leur électrique immédiateté.

La foudre crépita au loin, crevant les nuages de ses zigzags d'écran magique. Ses fourches disparurent dans le métal hérissé des flots, au grand large.

J'allais repartir d'Echo Harbor sans avoir trouvé ce pour quoi j'étais venu. Je me sentais vidé de l'intérieur, ce qui n'aurait pas dû être le cas, je pense. Ce n'était pas parce que Zev avait, une fois dans sa vie, acheté un sandwich au Sandcastle qu'il avait pour autant passé les mois précédents dans ce trou à travailler pour papa. Ce n'était qu'une vague intuition, après tout, née d'un unique indice – un espadon en plastique, babiole à deux sous qui avait eu autrefois un sens bien précis pour moi.

42

NON SEULEMENT L'ÉPICERIE d'Echo Harbor avait rouvert, ce matin-là, mais il y avait foule. Une petite quinzaine de personnes s'étaient amassées sous l'auvent avachi, certaines traînant bagages et cages à chat. Un type transportait une télévision dans un chariot à courses. Manquait à ce rassemblement celui que je cherchais.

Le vieil épicier dégingandé avait, depuis ma dernière visite, accumulé une belle collection de rides. Son visage était rouge et gercé, planté sur un cou d'urubu.

« Un ticket de bus, jeune homme ? me demanda-t-il.

— Ouais, fis-je en hochant la tête. Direction New York. »

Il s'empara de mon dernier billet de vingt dollars et me tendit la monnaie et mon ticket. Je m'enquis des horaires.

« Il n'y a que celui de 8 h 40 – dans, eh bien, dix-neuf minutes, m'annonça-t-il, en tendant le bras pour mieux voir le cadran de sa montre. Et ne le loupe pas, hein ? Ils suspendent les liaisons vers le nord-est à compter de midi, à cause d'Emma.

— Elle arrive, c'est confirmé ? Ils en sont sûrs ?

— Oh, ils font comme s'ils savaient. Les gens de la météo disent qu'elle pourrait bien nous tomber droit dessus, mais ils gardent deux fers au feu et nous expliquent qu'en fait elle atterrira dans un rayon de cent kilomètres entre le cap May et Long Beach. Mais, peu importe le point d'impact, si tu veux mon avis. Le vrai souci, à mon sens, c'est la lune.

— La lune ?

— Ouais. Apparemment, la tempête va nous tomber dessus à marée haute, demain. Si c'est le cas, je peux te dire qu'on ne va pas rigoler avec les inondations, ici. »

Un couple d'un certain âge, en ciré jaune, s'approcha du comptoir pour acheter des tickets. Je m'aventurai dans le rayon gâteaux secs, sélectionnai un paquet de Nilla Wafers pour le retour.

Au fond de l'épicerie, il y avait un coin café : deux petites tables rondes, un énorme percolateur au-dessus duquel étaient suspendues une dizaine de tasses en céramique appartenant aux habitués du lieu. Chacune de ces tasses était décorée du même loup de mer, personnalisée cependant par le prénom de son propriétaire inscrit au vernis à ongles doré. Je les examinai toutes. Sans trouver le nom que je cherchais.

En guise de décoration murale, des articles de vieux journaux sous verre, des cannes à pêche, des photographies anciennes d'Echo Harbor et de ses environs.

SUS AUX COQUILLES ! proclamait le titre d'un article consacré à un employé de restaurant qui avait gagné deux cents dollars dans un concours de découquillage de palourdes, à Long Beach.

LA VIEILLE SCHLINGUE DÉTRUITE PAR UN INCENDIE, annonçait une autre coupure, illustrée par une photo granuleuse d'une usine de trois étages dont le toit crachait des flammes. LES HABITANTS RAVIS.

Le couple en ciré jaune sortit attendre le bus.

« Cette usine de Fish Island, demandai-je au vieil épicier au cou ridé. La Schlingue. L'incendie, c'était consécutif à la foudre ? »

Le vieux m'adressa un sourire légèrement condescendant.

« Oh, fiston, je suis certain que non. Incendie volontaire, c'est sûr.

— On n'a jamais su ?

— Ah, il y a des fois où on sait sans savoir, petit, tu comprends ? À part les deux responsables de l'usine, tout le monde était ravi de voir la Schlingue brûler. »

Mon « Mais pourquoi ? » le fit éclater de rire.

« À ton avis, pourquoi on l'appelait la Schlingue ? Question puanteur, fiston, j'ai jamais rien senti de plus dégueulasse. En été, quand le vent vient du sud, l'odeur nous arrivait direct de la baie et ça schlinguait le poisson pourri partout dans le village (il fronça le nez). Ça s'insinuait dans les vêtements, dans les cheveux. Je peux encore la sentir, cette horrible odeur, vingt-cinq ans et des poussières plus tard.

— Vous croyez vraiment que quelqu'un d'ici en a eu assez et a décidé d'y mettre le feu ? »

Le vieil épicier gloussa.

« Ah, ce n'est pas à exclure. Même si la foudre est tombée plus d'une fois sur la citerne de l'usine. On ne peut pas trancher.

— Ce matin, je l'ai vue. La foudre, sur l'usine.

— Non, ça, c'est impossible, déclara-t-il en inclinant la tête. La citerne, elle s'est effondrée à l'époque de l'incendie. Et puis d'ici, c'est trop loin pour qu'on y voie clair. »

Il n'avait pas tort. L'île était si éloignée qu'on n'en voyait guère plus, de notre terrasse, qu'une petite tache verte posée sur l'horizon.

« Et donc, c'est ainsi que l'usine a fermé ? demandai-je. Les propriétaires sont partis, et c'est tout ? »

Il m'enveloppa d'un regard pénétrant.

« Tu aurais voulu qu'ils la reconstruisent ?

— Pourquoi pas ? Quand même, c'était une usine ; c'est compliqué à fermer. Les ouvriers ont tous perdu leur travail ?

— Je crois, oui. Mais ce n'étaient pas des gars d'ici. Ils venaient du sud, pour la plupart. Ils arrivaient par le ferry, en saison, et vivaient dans des huttes, sur l'île. On ne les voyait jamais faire leurs courses ici. De toute façon, ça n'aurait servi à rien de la reconstruire. À cette époque-là, l'industrie du men-*hatin'*, c'était déjà fini. Ils avaient quasiment épuisé les bancs. »

Je le regardai, les yeux exorbités.

« Qu'est-ce que vous venez de me dire ? L'industrie du quoi ?

— L'industrie du men-*hatin'*. C'était une usine de men-*hatin'*. »

Ma confusion était à son comble.

« Vous voulez dire "Manhattan" ?

— Pas du tout, répliqua-t-il d'une voix un peu plus forte. Men-*hatin'* ! Ça s'écrit M-E-N-H-A-D-E-N. Menhaden !

— Qu'est-ce que c'est que ce truc ?

— Tu ne le sais donc pas ? C'est un poisson, une espèce de petite saleté trop bourrée d'huile et d'arêtes pour la consommation. On l'appelle aussi "alose". Autrefois, on en faisait une sorte d'engrais ou de farine pour les animaux. Et de l'huile pour les lampes, sur toute la côte Est. Le vrai nom de la Schlingue, c'était Fabrique d'engrais et d'huile à base de menhaden de la Grande Baie. »

Il me considéra comme si j'avais souffert d'un handicap mental.

« Vraiment, tu ne savais pas ce que c'était que ce menhaden ? »

Je fis non de la tête.

« Tu viens d'où, fiston ?

— Manhattan, répondis-je en soupirant.

— Man*hattan* ? »

Il étouffa un ricanement.

« Ouais, Manhattan.

386

— Tu es de Manhattan et tu ne sais pas ce que menhaden veut dire ? »

J'opinai du chef.

« Dans ce cas-là, petit, reprit-il en tendant vers moi un index long et maigre, j'ai juste une question pour toi.

— Allez-y.

— Qui est venu en premier ? Manhattan ou menhaden ? »

43

IL ME FALLUT PRATIQUEMENT LA JOURNÉE pour me résoudre à
emprunter un bateau. Je n'arrêtais pas de me trouver des
excuses. Tout d'abord, je retournai au bungalow pour me
préparer des Beef-aroni, histoire de faire des réserves de
glucides avant mon expédition. Puis je décidai qu'il serait
plus correct de faire le ménage avant de partir : je repliai
soigneusement toutes les couvertures que j'avais utilisées
et déposai mes boîtes de conserve vides dans la poubelle
des voisins. Je dus plonger deux ou trois fois derrière
la causeuse en osier, au passage du véhicule du shérif
d'Ocean County dont le haut-parleur diffusait dans les
rues un message préenregistré et grésillant priant « toutes
les personnes encore présentes » de bien vouloir évacuer
les zones inondables. C'était tout ce dont j'avais besoin
pour retarder mon voyage en mer, préférant ranger le
placard à jeux et classer les boîtes de conserve par ordre
alphabétique. Incroyable, le temps qu'on peut consacrer
à ce genre de tâches.

Puis le shérif cessa ses rondes. Je glissai une couverture et quelques provisions dans mon sac, où j'avais déjà
remisé les Nilla Wafers, avant de me diriger vers la plage.
Au large, un bonhomme trapu, plus New Jersey que New-
Yorkais, accompagné de son fils, renforçait les amarres
d'un bateau à moteur. Le type pataugeait dans la houle

gris-vert, de l'eau jusqu'à la taille ; le garçon, de la cabine, lui tendait le cordage, tout grelottant, le visage fermé.

J'errai dans le village, emmitouflé dans ma doudoune, arpentant les canaux, regardant par les fenêtres l'intérieur des maisons. Pas un chat. À deux ou trois exceptions près, Echo Harbor était devenu une ville fantôme.

Quant aux bateaux, je n'avais que l'embarras du choix. Les embarcations les plus grandes devaient être à l'abri dans quelque marina, mais dans un canal sur deux ou trois se balançaient des vaisseaux abandonnés que leurs propriétaires n'avaient pas encore eu le courage de remiser à sec. La plupart étaient dans un tel état que leur naufrage à quai, en cas de tempête, n'aurait sans doute guère d'importance.

Derrière Howells Road, je repérai un bateau de pêche pourvu d'une belle rambarde chromée et de deux moteurs de deux cents chevaux. Pas pour moi, cette affaire. Enfant, je regardais toujours la manière dont papa mettait en marche les petits bateaux à moteur qu'il louait pour m'emmener pêcher ; en quelques occasions, il m'avait même laissé prendre la barre. Mais je n'avais aucune idée de la manière dont on fait fonctionner les engins plus sérieux.

Je finis par opter pour un petit Boston Whaler doté d'un moteur de trente chevaux amarré dans le canal qui longeait l'arrière d'un bungalow de type maison pour oiseaux, Surf Walk. J'avais oublié cette sensation déstabilisante qui s'empare de vos genoux et de vos hanches quand vous grimpez sur un petit bateau, et la manière dont vos bras et vos doigts s'écartent, en un geste de reddition. Je courbai l'échine pour retrouver mon équilibre. Dans mon esprit, j'avais toujours un spectateur, lequel pouvait juger de ma posture : Elle est classe ou elle fait plouc ? Donc, même si j'étais à demi agenouillé sur les sièges en fibre de verre pour défaire les amarres, je me débrouillai pour ne pas avoir l'air affolé ; j'allai même jusqu'à redresser le menton lorsque j'écartai le bateau du quai, le sortant de sa cale.

Aucun des deux gilets de sauvetage ne m'allait. Le modèle adulte était trop grand, le modèle enfant trop petit. J'essayai de ne pas trop y penser, préférant me concentrer sur le moteur, que j'inclinai dans les flots, comme papa m'avait appris à le faire. J'enclenchai le levier de vitesse sur la position médiane – point mort, sans doute – et tirai sur la poignée du démarreur à plusieurs reprises.

Le moteur gargouilla, ressuscité. Je m'installai sur la poupe, à tribord, comme papa en avait l'habitude, et empoignai le manche trépidant du gouvernail. Puis je changeai de vitesse et mon esquif s'engagea avec un sursaut sur les flots glauques de la voie d'eau.

Dès que le canal, où régnait un ordre tout artificiel, déboucha sur les flots houleux de la Grande Baie, le vent fit son apparition, et mon bateau se mit à tanguer sans répit. Au lieu d'avancer en ligne droite, tout pétaradant, mon petit Whaler progressait en zigzags, péniblement, les vibrations du moteur sous ma paume gauche ponctuées par les chocs mous de la proue relevée par les vagues. La pluie tombait en gouttes épaisses et glaçait mes joues. Le ciel s'était épaissi d'humidité, embrumant la minuscule Fish Island, encore loin sur l'horizon.

Sans amarres. Sans port d'attache. Au large. C'était la première fois que j'appréhendais réellement le sens de ces termes. Pendant un long moment, la traînée couleur de charbon qui figurait la côte s'éloigna à ma vue sans pour autant que Fish Island se rapproche. J'aurais eu du mal à me sentir plus seul que je l'étais. Oh, Seigneur, si Dani avait pu m'accompagner. Pourtant, lentement, progressivement, les ruines difformes et rabougries de l'usine de menhaden émergèrent de la brume, aussi imposantes, aussi désolées qu'une forteresse trônant sur quelque île pillée.

Mon Whaler progressa encore pendant quelque temps entre crêtes et creux avant que je puisse distinguer les constructions de l'île. Sur le rivage proche, la citerne effondrée reposait sur le côté comme un immense cadavre de faucheur, ses membres recroquevillés sous lui. Je me dirigeai à bâbord et contournai l'île pour aborder sur le côté les deux grands bâtiments de l'usine. Immenses et délabrés, ils avaient la même forme, la même taille. L'un était presque intact. Même si les intempéries ne l'avaient pas épargné, il avait encore sa peau de métal ridé sur les os. L'autre était son jumeau mort. Sa chair carbonisée exhibait depuis longtemps son squelette d'acier ; il gisait, affalé sur la plage comme la carcasse rouillée de quelque colossale bête.

La nuit tombait. Le vent se levait. Ma doudoune était trempée et mes dents claquaient.

J'avais hâte d'accoster. La chose cependant était impossible à proximité de ces deux bâtiments. Hormis quelques planches carbonisées, ne restaient du ponton que ses piliers de bois, qui saillaient des flots comme des dents branlant dans leurs gencives. Quand bien même je parviendrais à m'amarrer à l'un de ces piliers, comment atteindre le rivage, une fois la manœuvre effectuée ? La piste de béton qui joignait jadis le quai à l'usine était trop élevée pour ma petite embarcation. Plus grave encore, son rebord était hérissé des vestiges rouillés de ce qui, jadis, constituait sans doute l'armature d'acier de l'équipement. N'en subsistait plus qu'une rangée de stalagmites corrodées et menaçantes, saillant au-dessus de l'eau.

Gardant mes distances pour éviter la collision avec d'éventuels débris sous-marins, je longeai, au large, le bâtiment intact. Du dôme qui le coiffait encore descendait une étrange structure métallique qui, presque semblable à une petite voie ferrée, dessinait un arc de cercle avant de se poser sur l'allée de béton. Poursuivant mon chemin, je distinguai, lovée derrière le rivage et presque dissimulée dans la profusion des graminées de la plage, une bâtisse de plus petite taille, couverte de lierre. Au bout de quelques dizaines de mètres, je pus couper le moteur et diriger le bateau vers de petits fonds marécageux.

La pluie et les embruns aidant, j'avais les pieds trempés. J'ôtai mes baskets et mon jean et sautai, grelottant, dans l'eau, la vase, les hautes herbes. Seigneur ! Qu'elle était glaciale, cette eau. Un froid mordant. Les muscles de mon mollet gauche se raidirent en une douloureuse crampe. Je hissai le bateau du mieux que je le pus sur la terre ferme, affolant au passage une troupe de crabes violonistes, puis nouai au tronc d'un arbre rabougri l'amarre jaune et sa petite ancre. Oh ! Quel soulagement d'avoir retrouvé le plancher des vaches. Je renfilai tant bien que mal mon jean et mes baskets, avant d'abandonner mes chaussettes en boule dans la vase, avec les moules.

Je n'aurais pas craché sur une machette. C'était la jungle sur Fish Island, île de folie – une véritable Amazonie. Dès que j'eus dépassé la plage, je me retrouvai face à une muraille de ces hautes herbes semblables à des bambous – elles mesuraient au moins un mètre quatre-vingts, et étaient soudées les unes aux autres par de chaotiques ronces. Le vent sifflait entre les tiges, produisant un incroyable ululement polyphonique.

Certes, le bâtiment n'était pas bien loin, mais je ne progressais pas vite. Je ramassai une branche à terre et m'en servis comme d'une masse pour me frayer un chemin incertain dans les broussailles.

J'avançais comme je pouvais dans les mauvaises herbes et les décombres. La piste de béton s'était affaissée devant le bâtiment, côté plage ; le porche s'ouvrait au-dessus de ma tête. Je coinçai donc l'extrémité d'un tronc sur le rebord du seuil, afin de m'en servir comme d'une rampe puis, en m'accrochant aux fourrés pour ne pas tomber, je grimpai sur ma planche de salut, laquelle débouchait sur une longue entrée, haute de plafond. Les parois étaient en tôle ondulée, le sol en béton. Il faisait diablement sombre, là-dedans.

Difficile de dire à quoi cette bâtisse avait servi. Il y avait dans un coin tout un tas de placards métalliques rongés de rouille, affaissés ; un anneau de béton enchâssé dans le sol me fit penser à quelque maquette de ruine druidique. Pas de fenêtres. Aux deux extrémités de la pièce, les portes n'étaient guère plus que des orifices béants par lesquels l'extérieur était en train de reconquérir l'intérieur ; des pousses de lierre rampaient sur les embrasures et se faufilaient, agiles, sur les murs. Le toit semblait en assez bon état, hormis deux ou trois trous par lesquels le lierre qui recouvrait la façade progressait déjà vers le vide, au-dessus de ma tête, transformant les poutres en tonnelles.

Si précaires qu'ils fussent, les murs de tôle me protégeaient du vent. Lorsque j'allai me poster à l'autre porte, qui donnait sur le cœur de l'île, envahi par les mauvaises herbes, et le bâtiment principal de l'usine, une rafale mauvaise traversa les hautes graminées et secoua d'un long frisson tout mon être trempé.

Ce qui ne m'empêcha pas de rester planté là, incapable de détacher mon regard de ce colosse. Immense et passablement décati, il possédait encore une certaine noblesse, celle que l'on voit aux grands vestiges industriels. Ses deux quais de débarquement avaient été bardés d'un curieux patchwork de planches rectangulaires. Dans les étages, chacune des fenêtres avait été scellée d'une plaque de plastique ondulé, d'un vert brumeux de cataracte de vieillard. Le jour le cédant enfin à la nuit, je vis – ou crus voir – quelque chose qui me fit hésiter et cependant me redonna espoir. Derrière l'un de ces carrés glauques semblait suinter une faible lueur, du coin supérieur droit de la façade, sous le toit.

Cela me suffisait. Je sautai du seuil et courus vers l'usine. Au bout d'un ou deux mètres dans les fougères chargées d'ombre, je dus rebrousser chemin. Le maquis était quasi impénétrable. S'il était éventuellement possible de progresser dans une semblable végétation sans machette en plein jour, ce n'était pas envisageable à la nuit tombée. La lune, encore basse, luisait derrière une purée de nuages, et je ne voulais pas prendre le risque de rester prisonnier de ces broussailles dans le noir. Il me fallait remonter dans la bâtisse et attendre patiemment l'aurore.

44

LE LENDEMAIN MATIN, je fus tiré du sommeil par un claquement insistant, semblable à celui d'un pigeon qui veut entrer dans une maison ou en sortir. Où étais-je ? Cela me revint rapidement : couché dans un coin de cette pièce sans fenêtres, mon sac en guise d'oreiller, recroquevillé dans ma couverture. Je me retournai sur le dos. L'oiseau affolé n'en était pas un – le bruit venait d'un trou dans le toit. Les doigts invisibles du vent s'étaient glissés sous une plaque de papier goudronné, profitant d'une crevasse dans le contreplaqué, et faisaient de leur mieux, ces démons, pour la détacher.

Je remis ma doudoune trempée et me dirigeai vers l'embrasure de la porte. Au-delà des broussailles se dressaient la masse argentée de l'usine et le ciel rougeoyant. Le vent était mordant, contraignant l'armée des hautes herbes à se plier en vagues névrotiques, désordonnées, sifflantes. Je compris cependant quel était désormais le chemin à suivre. Quoique le cœur de l'île me semblât aussi impénétrable que pendant la nuit, je distinguais maintenant un étroit sentier cimenté qui raccordait le bâtiment où je me trouvais au rivage. J'y descendis d'un bond et le suivis, courbé dans le vent, les pans de ma doudoune bien serrés contre moi. Le ciment était dans un triste état, attaqué par des générations de plantes, les mortes comme les vivantes pointant hors de ses fissures. Reste qu'un passage, c'est un passage. Celui-ci menait au bord de l'eau puis longeait la mer jusqu'au bâtiment principal. Là, les vagues se précipitaient contre le quai de béton, explosant en bouquets d'embruns.

Si, la veille au soir, j'avais cru voir un petit chemin de fer descendre du toit de l'usine, la raison en était simple : tel était en effet le cas. Deux rails, pas toujours strictement parallèles, se dressaient en une courbe maladroite, du quai de déchargement, au bas de l'usine, jusqu'à une large trappe rectangulaire – plus ou moins semblable à celle d'un grenier à foin – perçant l'immense dôme qui coiffait la bâtisse. Le fouillis psychotique de poutrelles et de piliers qui soutenait les rails me rappela les entrailles emmêlées de Madame Liberté.

Le mur de ce côté-là était en tôle ondulée, tavelée par le sel et le temps. Pas d'entrée au rez-de-chaussée : la seule voie d'accès était constituée par la trappe du dôme. Je contournai le bâtiment et longeai le mur latéral, celui que j'avais scruté la veille au soir, dans la lumière du crépuscule. Il flanquait un large quai de déchargement en béton, contre lequel venaient déferler des vagues de plus en plus agressives. C'était là que s'ouvraient les deux grandes baies de déchargement : ou plutôt, c'était là qu'elles ne s'ouvraient pas, car elles étaient entièrement comblées par un assemblage bariolé de portes d'appartement en bois, comme on en voit autour des chantiers de démolition partout dans Manhattan. L'aménagement du bâtiment, déjà assez particulier, devenait de plus en plus étrange. Il n'y avait pas l'ombre d'une ouverture sur le troisième mur. Le quatrième en était également dépourvu ; de toute façon, il était impossible d'en approcher, l'accès étant obstrué par la carcasse du bâtiment jumeau, ravagé par l'incendie. Impossible d'entrer dans l'usine.

Me protégeant le visage du vent et des embruns, incessants, je rebroussai chemin et contemplai un long moment la trappe, en haut des rails. Rails que je commençai à escalader.

Ma progression était ralentie par le vent. Plus je montais, plus ses rafales étaient puissantes, sournoises, elles se faufilaient entre mon corps et la structure de soutènement des rails, cherchaient, les fourbes, à me jeter à terre. Rapidement, je compris que, si je me plaquais à la façade, je sentais moins les effets de la tempête. Au fond, ce n'était pas vraiment plus pénible que d'escalader un portique, me disais-je, tant que je gardais mon calme. Le métal rouillé raclait mes paumes, les poudrant de brun orangé ; je n'arrêtais pas de les essuyer sur mon jean. Les traverses étaient assez nombreuses, cependant, pour que je puisse y loger mains et pieds.

À quelques mètres du but, je fis une pause pour reprendre mon souffle. Juste au-dessus de ma tête, couronnant la trappe du dôme, une grue de levage en acier noir et scintillant saluait les cieux – c'était le point culminant de l'île. Un câble tressé courait le long du bras, jusqu'à une poulie d'où pendait un crochet de levage. On aurait dit une canne à pêche géante, hameçon sorti de l'eau. À une différence près : un mince fil de cuivre, vert-de-grisé par le temps, comme le fil de terre courant du paratonnerre de notre bungalow d'Echo Harbor au sol, reliait la base de la grue à la façade. Un autre fil de terre, sans doute. Et, selon toute probabilité, c'était sur cet équipement que la foudre s'était abattue la veille au matin.

Je franchis les quelques mètres qui me séparaient de la trappe. Laquelle était fermée. Obturée par une paroi d'acier. Je poussai des deux mains, puis de l'épaule, mobilisant toutes mes forces. Rien à faire. La plaque était inamovible.

Un cliquetis métallique résonnait dans les entrailles de l'usine. Sporadique, fuyant. Tel était en tout cas mon sentiment. Difficile à dire, au milieu des plaintes et des grincements que le vent arrachait aux poutrelles sous moi.

Avant de redescendre, j'eus le tort de prendre le temps de regarder autour de moi. Lorsque je m'étais approché de l'île en bateau, la veille, celle-ci m'avait semblé plus ou moins sûre. Mais depuis le dôme, dans les premières et lugubres lueurs de l'aube, comment ne pas voir à quel point Fish Island était minuscule, exposée, nue dans cet immense bassin de fureur océanique ? Par-dessus mon épaule gauche, le continent n'était plus qu'un simple souvenir à l'horizon, impuissant à me venir en aide. À droite, et se dirigeant vers l'île, le ciel, bouillonnant d'une colère gris charbon. La tempête commençait à métamorphoser les eaux de la baie : avec cette houle, on se serait cru au grand large. Je descendis en trois secondes.

Au fil des ans, la carcasse du jumeau mort s'était décomposée, bouchant l'interstice entre les deux bâtisses d'un monceau de décombres rouillés. Je décidai d'aller au bout du chemin de ciment qui m'avait guidé jusqu'ici. Le sentier longeait le rivage avant de bifurquer vers le centre de l'île, et côtoyait l'extrémité du jumeau carbonisé. Là aussi, l'immense cadavre avait enflé, il obstruait l'allée et me contraignait à marcher dans ses entrailles. Terrible sensation ! Dans ce vestige infernal où tout menaçait ruine, j'aurais dû porter un casque de chantier pour me garder des projectiles rouillés. Barres de fer, tuyaux et passerelles s'étreignaient en des accouplements hasardeux, tous prêts à s'écrouler. Rambardes, conduites et machines diverses dégringolaient au ralenti depuis des dizaines d'années.

La pluie se mit à tomber en gouttes piquantes, serrées, par le toit inexistant. Je poursuivis ma progression jusqu'au bout du bâtiment. Là se dressaient trois monolithes rectangulaires de brique rouge, soigneusement alignés. Des fourneaux ou des chaudières, probablement. Ils mesuraient au moins quatre mètres et demi de haut et étaient tous les trois cintrés de bandes d'acier rouillé. Dans le chaos ambiant, ces monolithes avaient un aspect curieusement solide : le plus prudent des trois petits cochons aurait pu en faire des cabanes de plage pour lui et ses deux étourdis de frères. Je n'avais aucune idée du mode de fonctionnement de ces fourneaux, ne savais pas à quoi servaient les volants, les trappes, les portes semblables à des hublots enchâssées dans leurs parois de brique : mais n'étaient-elles pas, tout simplement, des cheminées géantes ? Sur une plate-forme basse, entre deux de ces monolithes, gisait tout un tas de cylindres rouillés – ou du moins ce qu'il en restait – sur les flancs desquels étaient inscrits ces mots : « Union Steam Pump Company ». Les mauvaises herbes leur sortaient par tous les trous.

Après m'être frayé un chemin entre les derniers monceaux de ferraille, vestige de machines piétinées par le temps, je sortis enfin du bâtiment et retrouvai l'allée de ciment. Toute fissurée qu'elle était, elle tranchait dans le maquis inextricable de hautes herbes et de broussailles giflées par le vent et me fit progresser vers le centre de l'île, avant de bifurquer : à droite, on pouvait continuer vers l'arrière-pays, à gauche, on partait à angle droit, pour traverser une jungle emmêlée et murmurante, aussi sauvage que celle que je venais de quitter. Des tiges griffues ne cessaient d'agripper ma doudoune ; avec les broussailles, impossible de voir à plus d'un ou deux mètres.

Je songeais déjà à rebrousser chemin pour me mettre à l'abri lorsque je perçus soudain une sorte de desserrement de l'espace, d'élargissement des perspectives. Mais il n'y avait pas que cela. J'avais aussi le troublant sentiment d'une transgression – l'envahissement de mon espace, ou de celui d'un autre, en tout cas d'un lieu d'une terrible intimité. Je poursuivis mon chemin, écartant les broussailles de mon visage. J'apercevais par intermittence une forme sombre et délicate, inconnue et cependant familière. Soudain le chemin déboucha sur une grande clairière de sable blanc et scintillant. Au beau milieu trônait, magnifique sous sa couche de peinture neuve et verte, une entrée de métro de l'IRT, absolument intacte, tout en verre et fonte ornementale.

Même si je n'en avais jamais vu dans New York – elles avaient été détruites dans ma petite enfance –, je savais exactement ce que j'avais sous les yeux. Trapue et cependant délicate, l'entrée était surmontée d'une haute calotte de fonte à quatre pans, ornée d'un motif en écailles de poisson et couronnée de deux ou trois faîteaux. La vitre portait ce mot en lettres d'or, ENTRÉE, suivi, en caractères plus petits, de : DIRECTION SUD.

Le sable autour de l'édifice était immaculé – pas une brindille, pas une mauvaise herbe – si bien qu'on l'aurait cru ratissé de fraîche date. Pourtant, sur le pourtour de la clairière, les mauvaises herbes reprenaient immédiatement leur droit au désordre. À gauche, surgissant entre les hautes tiges, se dressait le mur arrière, gris argent, de l'usine inviolable.

La lumière du jour se diffusait de plus en plus rapidement dans les cieux, même si la pluie avait redoublé, m'agaçant la peau du visage. Je traversai la clairière en courant, mes pieds s'enfonçant dans le sable, et me ruai dans l'entrée, dont l'élégant auvent de verre reposait sur deux spirales en fonte. De près, les dommages subis par l'édifice lors de sa démolition n'étaient que trop visibles. Sous la couche de peinture, la fonte était creusée d'épaisses cicatrices, là où les marteaux et les chalumeaux avaient tranché dans un métal désormais régénéré. Le verre, sans doute, avait été changé après ces blessures.

L'escalier était bien plus étroit que l'entrée elle-même ; deux fois moins large, sans doute, qu'un vrai escalier d'accès à un quai. Que remplaçait-elle, cette entrée ? Quelle sorte de bâtiment de service ou de bureau s'était jadis dressé là ?

Je descendis l'escalier vers les profondeurs de l'usine, prenant soin de ne pas glisser sur le sable qui s'y était introduit. Il n'y avait pas de rampe, juste une paroi de pierre nue. Je me retrouvai bientôt dans un sous-sol humide et obscur. L'une des parois était recouverte de palettes en bois où s'empilaient d'immenses sacs en papier aux coins cousus de grosse ficelle. Quelque chose crissa sous mes semelles. Je m'agenouillai dans la colonne de faible lumière, au pied de l'escalier, et constatai que le sol était entièrement recouvert d'arêtes de poisson, par milliers – les plus petites que j'aie jamais vues.

Plus j'avançais dans la cave, plus l'air devenait irrespirable. Épais, humide, presque visqueux, il accablait mes poumons. Un second escalier remontait vers la surface, ce qui venait à point nommé.

Une lueur ténue éclairait les marches, pas assez forte pourtant pour me rassurer. Je gravis les degrés avec prudence, aimanté par la lumière, ne me fiant guère à la rampe de bois décrépite sur laquelle ma main reposait. Bientôt, le bois fit place à une solide fonte et, cramponné à ce guide, je montai en colimaçon, montai, montai – jusqu'à franchir enfin un portail de fonte magnifiquement orné qui donnait sur le sombre et caverneux intérieur de l'usine.

Il me fallut reculer d'un pas. La main sur la rampe pour garder l'équilibre, je me postai sur la dernière marche de l'escalier et tendis le cou pour appréhender la stupéfiante immensité des lieux. Je me trouvais sur le seuil d'une pièce colossale, d'un seul tenant, aucune paroi, aucun élément ne venant encombrer le golfe de ténèbres qui se déployait du sol en ciment jusqu'au toit pentu en tôle ondulée au-dessus de ma tête, loin, très loin, à quatorze ou quinze mètres. Le fracas de la pluie sur ce toit gigantesque était assourdissant.

Et, dans cette salle immense, de petites poches de lumière tremblaient à quelques centimètres du sol, provenant de lampes de camping en verre posées sur des moellons trapézoïdaux. En m'agenouillant devant le plus proche de ces supports improvisés, je constatai avec ébahissement qu'il ne s'agissait pas d'une pierre ordinaire, mais d'une *clef de voûte*. Et pas n'importe laquelle : je reconnus la dame sans nez, aux joues rebondies et au sourire en coin que mon père et moi avions exhumée des décombres au bas de la Deuxième Avenue – la dame à laquelle j'avais trouvé une ressemblance avec ma serveuse de chez Woolworth.

La clef de voûte suivante représentait un visage inconnu, un sacripant au regard espiègle coiffé de grappes de raisin. Sous la flamme vacillante de la lanterne, son nez étroit jetait une ombre étirée sur son menton qui se balançait de part et d'autre de sa fossette comme un métronome inquiet. La troisième clef de voûte, également surmontée d'une lampe, était le lion édenté que nous avions trouvé près de la 27ᵉ Rue Est. Un peu plus loin, j'aperçus le boxeur de bar ricanant à la tête bandée que nous avions extirpé du mur, perchés, papa et moi, sur un lit d'enfant superposé dans une maison de grès brun de la 88ᵉ Rue Ouest. Toutes ces sculptures, celles en tout cas que je reconnaissais, je les avais vues déjà, j'en aurais juré, dans les mains de papa ou de Zev, tandis qu'ils en préparaient l'expédition à quelque client.

Au milieu de l'usine, il y avait une estrade de contre-plaqué, bordée d'une élégante rampe. Je m'approchai et vis qu'elle reposait sur les têtes des trois femmes de pierre que j'avais aperçues, couchées, dans l'atelier de papa. Ce sont elles qui paient les mensualités de la maison, m'avait-il expliqué. Oui, c'étaient exactement les mêmes cariatides. Impossible de se méprendre sur celle du milieu : Zev, sous mes yeux, l'avait nettoyée avec une brosse à dents. Son visage et son sein gauche portaient encore les traînées noires des pluies acides.

Mes yeux commençaient à s'accoutumer à la pénombre de l'usine – laquelle, par ailleurs, devenait, quoique imperceptiblement, plus claire. Dans l'interstice entre deux des cariatides, j'aperçus un escalier de bois qui s'élevait en colimaçon à l'extrémité de l'estrade. Je reconnus l'escalier en chêne richement sculpté de l'église de Hell's Kitchen

– celui qui conduisait à la chaire que j'avais nettoyée, et que papa, selon ses dires, restaurait pour la rendre à l'archevêché. Je montai jusqu'à la chaire, les marches gémissant sous mes pieds. En guise d'accès à la plate-forme, deux cartons de lait empilés l'un sur l'autre formaient un dernier échelon. Que je franchis.

Il n'y avait personne sur la plate-forme. Je n'y trouvai qu'un matelas crasseux et nu, sur lequel se tortillaient un sac de couchage pareil à une mue de serpent et un coussin brodé, dont tout un côté était décousu. La taie reproduisait un fragment d'une tapisserie célèbre du musée des Cloisters – une licorne prisonnière d'un enclos rond. Une collection de Kleenex était disséminée autour du matelas, près duquel gisaient également une boîte de lait concentré Carnation et un bol à la paroi duquel adhéraient encore quelques Cheerios déshydratés. Un calendrier de la Franklin Savings Bank pendait de guingois d'une saillie de la rambarde ornementale.

Elle ne m'était pas tout à fait inconnue, cette rambarde. Après avoir examiné ses motifs gracieux en forme de violon, je finis par comprendre mon impression de déjà-vu : c'était la rambarde de bronze qu'avait mentionnée le *New York Times*, l'irremplaçable chef-d'œuvre de Carrère et Hastings dérobé sur le pont de la 96ᵉ Rue, au croisement de Riverside.

Je me penchai pour reprendre mon souffle. Et, ce faisant, je perçus dans le curieux mur de pierre beige de l'usine un motif surprenant. Une double étoile rayonnante – ou peut-être un soleil levant – y était reproduite à intervalles réguliers, constituant le socle d'un rectangle évidé de la taille d'une fenêtre. Cela, du sol au plafond, sur toute la largeur du mur. Et du mur suivant, à l'angle duquel la maçonnerie s'incurvait délicatement avant de reproduire la même combinaison de soleils et de rectangles vides, qu'interrompait pour finir un immense échafaudage. Et maintenant que l'intérieur de l'usine s'éclairait, le jour filtrant par les interstices du toit, je commençai à distinguer d'autres détails : les étroites colonnes cannelées encadrant les rectangles – n'étaient-ce pas des visages, ces formes apparaissant dans les bandeaux horizontaux, juste au-dessus des colonnes ? Assurément : des visages de femme surmontés d'une chevelure serpentine, un motif répété à l'infini sur tous les rectangles.

Scruter ce mur de pierre pour *mieux le voir* me plongeait dans un tel trouble que j'en eus pratiquement le vertige. Les deux mains agrippées à la rambarde, je regardai de toutes mes forces et finis par comprendre ce qui me perturbait tant. Ces murs n'étaient pas des murs intérieurs : c'étaient des façades. Et la pierre n'en était pas : tout cela, c'était de la fonte. J'avais sous les yeux les cent cinquante tonnes de fonte du Bogardus Building, le monument que nous avions volé à TriBeCa et transporté chez un ferrailleur du Bronx. J'avais sous les yeux le bâtiment de fonte le plus ancien de New York, un joyau architectural transporté par voie de mer à Fish Island et remonté à l'envers, reboulonné panneau par panneaux, entre les murs de tôle d'une usine de poissons.

L'espace d'un instant – mais cela ne dura pas –, je pus comprendre, il me semble, la merveilleuse originalité du Bogardus. Ce n'était pas qu'une question d'ancienneté et d'épreuves subies : il y avait dans la noble symétrie de ces façades quelque chose qui me séduisait. Le pouvoir de l'illusion, sans doute, la capacité à vous faire prendre la fonte pour de la pierre. C'était une œuvre intelligente, une exaltation de la fragmentation, qui prenait appui sur le goût qu'ont les hommes pour l'illusion – le désir de percevoir un vaste tout homogène là où tout n'est que ruptures.

Pourtant, à contempler les murs de cette usine, on finissait par ne plus percevoir que l'enfermement. Les fenêtres aux hautes colonnes ne donnaient que sur d'autres parois.

Des paysages de tôle. Toute une ville, tout un monde regardant en dedans.

Une voix, soudain, résonna du haut de l'échafaudage et me fit sursauter.

« Ah, mais c'est toi ! »

À dix mètres au-dessus de ma tête, un homme s'avança sur les planches.

« Je me disais, c'est peut-être cet enfoiré de Zev qui revient me voler des trucs. Attends trois secondes. »

Une lampe brillait, plus massive que les autres, pendue à l'un des tubes de l'échafaudage, tout près du toit. Papa se pencha dans sa lumière. Débraillé, couvert de poussière, il avait l'air, lui aussi, d'un objet sauvé des décombres de la ville. Il avait horriblement maigri.

« Mais quelle chance, poursuivit-il depuis ses hauteurs. Tu tombes à pic. Tu es venu tout seul, alors que le ciel va bientôt nous tomber sur la tête ?

— Ouais, répondis-je.

— Drôle d'idée, si tu veux mon avis, mais, puisque je t'ai sous la main, je vais te mettre à contribution, avant que la maison prenne trop l'eau. Tu montes ? »

L'échafaudage était branlant, frêle assemblage de minces tubes argentés. Ses échelles intégrées me conduisirent en zigzag tout au long du Bogardus, dans un balancement de plus en plus prononcé qui me mettait furieusement mal à l'aise. Mais les mouvements de la structure n'étaient rien en comparaison du vacarme régnant. Plus j'approchais du sommet, plus le bruit de la pluie mitraillant le toit était envahissant ; je ne m'entendais même plus respirer.

« Pas mal, hein ? me déclara papa tandis que je me hissais à son côté, au dernier étage de l'échafaudage. Je t'avais bien dit que mon atelier de Washington Street était une splendeur. »

Il désigna d'un geste ample les motifs répétés à l'infini du Bogardus. Vues d'en haut, leur étendue et leur beauté étaient frappantes.

« Et c'est ton héritage, à tout bien considérer. Tu as été conçu entre ces murs. »

Je fixai papa, hébété.

« Et je peux te dire une chose, fiston, je suis sacrément fier de ce boulot de restauration. »

Il frappa l'une des colonnes à l'aide d'un outil cylindrique non identifié.

« Vu les efforts que je lui ai consacrés, il a bien meilleure allure que lors de ses quatre-vingts et quelques années de présence dans Washington Street, je te le garantis. Il a enfin trouvé un proprio qui l'apprécie suffisamment pour en prendre soin. »

J'étais perplexe.

« Papa, je croyais que les panneaux que nous avions transportés chez le ferrailleur avaient été coupés en morceaux. C'est dans cet état que la police les a retrouvés. Je l'ai lu dans le journal. Et j'ai assisté au tronçonnage.

— Ha, ha, gloussa papa. Oui, il a bien fallu qu'on en découpe quelques-uns pour que la municipalité les retrouve dans cet état. Ç'a été un crève-cœur, mais c'était le seul moyen, je pense, de leur faire croire que les panneaux avaient tous été détruits pendant les deux ou trois semaines du déménagement. La meilleure façon de suspendre une recherche, c'est de faire croire que le butin a été détruit. »

Mon esprit était comme engourdi. Je me surpris à considérer la petite dizaine de panneaux encore empilés sur l'échafaudage, à nos pieds. Ils étaient tous différents, dernières pièces manquantes de ce qui avait dû constituer le plus grand puzzle du monde.

« Mais qu'est-il arrivé au dernier tiers du Bogardus, celui qu'ils ont pu récupérer ? demandai-je d'une voix forte, pour me faire entendre dans le fracas de l'averse. Toutes ces pièces que nous avons dû laisser dans West Street ? Et celles que Curtis a aidé la municipalité à retrouver chez les ferrailleurs ? Tu es retourné en ville pour les voler, celles-là aussi, dans leur nouvelle cachette ?

— "Voler"… le mot est un peu rude, non ?

— Alors… tu les as libérées, c'est ça ?

— Exactement. Quand le Patrimoine les a récupérées dans West Street, elles ont été remisées dans un ancien entrepôt des services de l'urbanisme, sur la 52e Rue Ouest. Un secret de Polichinelle : il nous a suffi pour remettre la main dessus de graisser deux ou trois pattes. »

Je balayai du regard l'immense Bogardus reconstitué sur les deux murs perpendiculaires. Hormis un petit bout de mur, tout près de l'endroit où nous nous tenions, la façade de fonte avait été reconstituée à l'identique sur ses quatre niveaux, du sol au plafond.

« Il y a quelque chose que je ne comprends pas, papa. Vous avez dû détruire quelques panneaux chez le ferrailleur. Mais là, il n'y a pas une seule pièce manquante. Comment ça se fait ?

— Je les ai remplacées par des moulages neufs, répondit mon père, qui jouissait visiblement de la situation. Pourquoi penses-tu que je t'aie demandé de noter scrupuleusement tous les numéros des pièces que nous emportions ? Je voulais être certain de faire transporter ici au moins un exemplaire de chaque élément du Bogardus. C'était essentiel : suivant les étages, les fenêtres changent de taille. C'est un peu plus compliqué qu'un Meccano, mais, tant que j'avais au moins un exemplaire de chaque pièce, il n'était pas trop difficile de les faire refaire.

— Alors tout ce que j'ai…

— *Merde !* » s'exclama papa en levant la tête.

Au coin du mur, près de l'endroit où nous nous tenions, le vent était en train d'arracher un pan du toit d'acier, le secouant à grand fracas. À chaque rafale, on apercevait une bande de ciel tumultueux et gris.

Je refis une tentative.

« Alors tout ce que j'ai noté à ta demande, les numéros dont tu me disais qu'ils permettaient de déterminer le poids des panneaux, grâce aux registres des fonderies...

— Purs bobards, j'en ai bien peur.

— Mais dans ce cas, comment...

— Je t'en prie, Griffin. Plus de questions pour le moment. »

Il posa ses grosses paluches sur mes épaules et me fit pivoter vers lui.

« Voyons quelle tête tu as, fiston. »

Je détournai le regard. La peau à la base de son cou était distendue, légèrement ridée. Les poils qui jaillissaient du col en V de sa chemise de velours côtelé grisonnaient.

« Tu as drôlement grandi, gamin. Qu'est-ce qu'elle te fait à manger, ces temps-ci, ta mère, Monsieur Croissance Miracle ? »

Je restai silencieux. Je n'aimais pas l'entendre parler de maman.

« Donne-moi ta main. »

Je lui tendis la main gauche, qu'il prit dans la sienne pour en étudier la paume, les yeux plissés, comme s'il cherchait à en lire les lignes.

« Mouais, ça devrait aller. »

Il tira de sa ceinture le cylindre non identifié et me le posa dans la main. L'outil était court – vingt centimètres, tout au plus – mais son poids semblait considérable. L'une de ses extrémités était agrémentée d'une grosse tête plate.

« C'est une visseuse à impact », m'expliqua papa.

En dépit de sa pesanteur tout industrielle, ce n'était rien de plus, poursuivit-il, qu'un bon vieux tournevis pourvu d'une tige rotative. En donnant un coup de marteau sur l'extrémité de la poignée d'acier, on faisait pivoter la tête de l'outil, lequel imprimait alors un tour complet à la vis avec une force décuplée par rapport à celle d'un tournevis ordinaire.

« Donne-moi un coup de main avec ce tympan, tu veux, fiston ? »

Il s'agenouilla près d'un des panneaux posés à nos pieds et, d'un signe de tête, me pria de l'imiter. Nous introduisîmes les doigts sous le panneau orné d'un double soleil levant et le soulevâmes. La fonte était rugueuse au toucher, comme si papa avait mélangé du sable à la peinture beige pour donner au métal la texture de la pierre. Papa menant la marche, nous empoignâmes le haut du panneau et le transportâmes tant bien que mal vers le pan de mur encore disponible. La pluie filtrait des jointures de l'usine, là où les quatre murs se raccordaient au toit.

Pour parachever la résurrection du Bogardus ne manquaient plus, visiblement, que trois pourtours de fenêtre et les corniches qui les coiffaient. Le système d'assemblage était d'une ingénieuse simplicité. Chaque baie était constituée d'une poutre de métal horizontale sur laquelle reposaient les deux colonnes encadrant la fenêtre. Le tympan, orné du double soleil levant, était situé sous l'espace de la fenêtre. Au-dessus des colonnes, une seconde poutre horizontale, laquelle à son tour constituait le socle des colonnes et du tympan correspondant à l'étage suivant.

Toutes ces pièces étaient pourvues d'orifices stratégiquement situés permettant l'insertion des boulons d'assemblage, comme pour un colossal montage de charpente.

« Le problème, grommela papa, c'est que, à cet endroit de l'usine, le mur de tôle se recourbe vers l'intérieur. Résultat : je ne peux pas passer la main entre le panneau et le mur pour atteindre les boulons du rebord de la colonne. Tes doigts sont plus fins ; tu auras peut-être plus de succès. »

Après avoir compté jusqu'à trois, nous soulevâmes le tympan, que papa guida vers la place qui lui était réservée, tout contre la colonne la plus proche. Il me contourna d'un pas prudent, pour que nous échangions nos places sans lâcher le panneau, puis sortit un boulon d'une pochette accrochée à sa ceinture. Il me la tendit ainsi qu'un petit marteau.

« Tourne le boulon à la main sur le tympan, puis donne quelques coups de visseuse, petit. Il devrait se fixer pile-poil dans la colonne. »

Ce ne fut pas le cas. Le boulon ne rentrait pas complètement dans l'orifice entre tympan et colonne.

« Nom de Dieu, qu'est-ce qui cloche ? fit papa, non sans irritation.

— Ça ne passe pas, répondis-je en retirant le boulon aux arêtes tranchantes. Je crois que les trous ne sont pas bien alignés.

— Seigneur ! »

Et de me foncer dessus pour remédier à mon éventuelle bourde.

« Tu es sûr ? »

Je refermai la main sur le boulon.

Papa regarda l'orifice par-dessus mon épaule et comprit que le problème n'était pas de mon fait. Puis une illumination lui vint. À deux, nous récupérâmes le tympan et le couchâmes sur les planches de l'échafaudage. Au pas de course, il attrapa une sacoche qui gisait à l'autre extrémité de la passerelle et en sortit une liasse.

« Tu veux bien me redonner le numéro inscrit au dos du panneau, fiston ?

— 327, papa.

— Merde. C'est le 325 qu'il nous fallait. »

Il reposa la sacoche avant de se pencher vers les deux autres tympans. Le poing toujours serré sur le boulon, je jetai un coup d'œil aux papiers.

La première feuille représentait un dessin au trait du Bogardus, intitulé *Élévation nord-ouest*. Chaque élément – colonne, tympan, poutre – avait son numéro, indiqué au bout d'un trait, en marge du croquis. La deuxième feuille, *Isométrie des détails du troisième étage*, comportait une vue éclatée détaillant tous les éléments de la fenêtre

410

que nous étions en train d'installer et indiquant précisément leur assemblage.

Je fus envahi de nouveau par une immense perplexité.

« Papa, tu m'avais dit qu'aucun des plans détaillés des immeubles de Bogardus n'avait survécu au temps ! »

Tous les muscles de mes bras et de mes mains se contractèrent.

« Ce n'est pas Bogardus qui a dessiné tout cela. Les relevés d'architecte que tu as sous les yeux ont été réalisés par une poignée d'étudiants de troisième cycle juste après le démontage de la façade, il y a quatre ans. La direction du patrimoine a demandé à la municipalité de financer une recension centimètre par centimètre des pièces, effectuée par des historiens de l'architecture. Comment voulais-tu qu'ils puissent remonter la façade dans leur foutue école supérieure, sans cela ? »

Je feuilletai la liasse de croquis. Sur l'un d'eux, intitulé *Section transversale A-A*, je lus les mots suivants, rédigés d'une écriture menue. « Croquis de James Daly Tobin, 1971. Description raisonnée des monuments historiques des États-Unis, feuille 13 sur 17. »

« Et, bien sûr, tu vas me dire que tu leur as rendu la liberté, à ces dessins, n'est-ce pas ? ironisai-je.

— Pas du tout.

— Dans ce cas-là, comment leur as-tu mis la main dessus ? »

Papa me lança un regard étonné.

« Tu n'as toujours pas compris ? »

Je secouai la tête.

« C'est toi qui me les as dénichés, fiston.

— Moi ? m'écriai-je, étonné.

— Absolument. Le dossier Laing. Que tu as volé le jour de l'anniversaire de la petite Gardner. Son père était le responsable du programme de protection du patrimoine à Columbia. C'est lui qui a dirigé le travail de recension. »

La petite Gardner. Celle qui m'avait *plaqué* parce que j'avais volé le dossier à son père. Celle qui *ne voulait plus me parler*.

Le sang battait à mes tempes. Dans ma paume gauche, également, soudain intensément douloureuse. En ouvrant la main, je fus stupéfait de découvrir que j'avais serré le boulon avec une telle force que ses arêtes m'avaient déchiré la peau. Crotte, ça pissait le sang.

Ce dont papa ne se rendit pas compte.

« Je te dois une fière chandelle, Griff. Sans ton aide, je n'aurais jamais pu accomplir tout cela. »

Je refermai la main pour cacher la plaie. Impossible de me sortir Dani de la tête, Dani que j'avais chassée de New York en volant le dossier.

« Pourquoi l'appelle-t-on Laing, ce dossier, en fait ? »

Papa ramassa la liasse et me montra la couverture. Magasins Edgar Laing, lus-je. Carrefour Washington et Murray Streets, angle nord-ouest. Ville de New York, comté de New York, ny (1849).

« C'est ce Laing, un marchand de charbon, qui a commandé à Bogardus un immeuble qui devait être construit sur l'ancienne zone de stockage de son charbon, expliqua papa. Bogardus l'a conçu comme un ensemble homogène, qui regroupait en fait cinq magasins contigus qui occupaient tout l'angle. Laing les a loués à des grossistes en fruits et en farine. La partie dans laquelle j'ai vécu dans les années 1960 avait été occupée avant moi par un beurre-œufs-fromage. »

Avant même que je puisse rassembler mes esprits, un gémissement déchirant transperça l'usine. Je levai les yeux à temps pour voir un des pans du toit se soulever et décoller dans les airs, avant de disparaître. Le vent se rua, rugissant, par cette nouvelle ouverture. La lampe de camping vacillait, inquiète, au bout de son tube. La flamme dansa et trembla un instant sous le verre comme un petit animal pris au piège, puis s'éteignit.

« Il va falloir redescendre », dit papa en brandissant les croquis, dont il se servit ensuite pour me faire signe de décamper.

Je ne bronchai pas.

« Bon, peu importe, reprit-il. Suis-moi. »

Il s'accrocha à un tube vertical et, d'un geste agile, descendit au niveau inférieur, sans sembler prendre garde à la manière dont l'échafaudage chancelait. Je le suivis, sur mes gardes. Une fois à terre, papa fit le tour des lampes. Certaines étaient déjà tombées de leurs clefs de voûte et gisaient, fracassées, sur le sol. Il éteignit les autres.

Une des fenêtres du mur qui faisait face au Bogardus reconstitué perdit sa taie de plastique vert, qu'une rafale emporta bouler au-dehors, cul par-dessus tête. Soudain la lumière et le vent entraient à flots dans l'usine.

« Fiston, vite ! Grouille un peu », me cria papa lorsqu'il me vit paralysé de peur au pied de l'échafaudage, auquel je me cramponnais sans aucune raison.

Comme je ne réagissais toujours pas, il courut vers moi et me déplia les doigts un par un. Ma main dans la sienne, il me fit traverser l'usine. Nous repassâmes devant la plate-forme de contreplaqué sur laquelle il dormait, gardé du vide par la rambarde Carrère et Hastings, puis franchîmes le magnifique portail de fonte dans l'autre sens. Je l'avais déjà vu, ce portail, j'en étais certain, sur l'une des cartes postales anciennes de papa. Ce n'était pas un vrai portail, plutôt une double porte en fonte qui, jadis, avait orné la majestueuse entrée, sur la Cinquième Avenue, de la Maison Gould-Vanderbilt, à l'angle de la 67e Rue. Si elle m'était restée en mémoire, c'était que papa – je m'en souvenais clairement – m'avait dit un jour qu'elle avait été démolie l'année précédant ma naissance.

Pour l'heure, mon père n'avait pas de temps à perdre avec mes considérations touristiques. Il me traîna par le poignet jusqu'à l'autre bout de l'usine, ne s'arrêtant que pour fouiller dans une malle, sous une table improvisée

– une plaque de marbre reposant sur deux encorbellements de pierre richement sculptés, sens dessus dessous. À l'autre bout de ce plan de travail, une grille s'étendait à angle droit, créant de ce fait un petit coin cuisine. Cette belle pièce en fer forgé m'était également familière : je l'avais vue sur une des cartes postales anciennes de papa. C'était un bout de balcon emprunté au défunt immeuble de l'Union League Club de Madison Square (juste en face se dressait encore la façade à laquelle j'avais arraché le nez de pierre, quelques minutes avant de me faire fracturer le mien, de nez). La grille de fer forgé surmontait quatre réchauds de camping Coleman : une vraie petite cuisinière sur laquelle papa avait disposé deux casseroles, une poêle et une cafetière. L'évier double, quant à lui, consistait en une porte posée à plat sur deux rambardes de grès brun figurant des chiens. Papa y avait découpé deux trous à la scie, puis avait inséré deux bassines en plastique. Je m'emparai d'un torchon qui traînait et le serrai dans ma main gauche pour stopper l'hémorragie.

« Tu veux bien me tenir ça ? »

Papa me tendit la bâche de toile bleue qu'il portait à l'épaule. Puis il se mit à fouiller dans de grands cartons, jurant tout bas.

Mes pieds étaient glacés. Je me baissai, étonné – j'avais de l'eau jusqu'à la cheville. Et cela ne venait pas de l'évier de papa. Le sol de l'usine était entièrement inondé.

« Mon Dieu ! s'écria papa. C'est bien pire que ce à quoi je m'attendais. »

Il me tendit une autre bâche, noire, celle-là, et se redressa.

« On y va ! » vociféra-t-il, comme si j'avais essayé de le retenir.

Il m'entraîna hors de sa cuisine improvisée et nous nous retrouvâmes dans le fond de l'usine. Là, des dizaines de portes d'immeubles et de maisons de ville étaient disposées sur le sol, en damier. On aurait dit une maquette de Manhattan, que surmontaient des monceaux de statues, une multitude de pièces architecturales, chassées de New York – amas de dieux, de marmousets et de dragons serrés les uns contre les autres ; anges, amiraux, griffons ; patrons de bar, Vikings et poètes ; écoliers, reines et flics ; Présidents, postiers et pélicans. Il y avait là des clefs de voûte et des frises, des médaillons et des plaques, des tympans et des frontons, des corniches. Créatures sculptées dans le grès, le calcaire, le marbre, le granite. Moulées en terre cuite. Bosselées dans le zinc et le fer-blanc. Et toutes, sans exception, new-yorkaises.

Nous nous réfugiâmes en leur sein, mon père et moi, et attendîmes l'inévitable, emmitouflés dans les frêles abris de nos bâches. La pluie ruisselait le long des murs, par les dizaines de trous du toit.

L'eau montait. Elle dépassa bientôt la première couche de clefs de voûte, si bien que nous nous repliâmes sur le tas le plus haut que nous pûmes trouver. Il s'agissait des segments d'une femme colossale et assoupie, découpée en exquis tronçons. Elle ressemblait diablement à la partie vespérale du couple Jour et Nuit qui avait, avant de disparaître, orné l'entrée de Penn Station (cela aussi, je l'avais vu sur une des cartes postales anciennes de papa).

« Chut ! siffla ce dernier lorsque je voulus lui poser la question. Tu ne vois pas que j'essaie de réfléchir ? »

Emma ne rigolait pas. Je ne sais pas combien de temps nous restâmes sous ces bâches, mais c'était un calvaire. De temps à autre, je sortais la tête, risquant une gifle de pluie. Le spectacle était de plus en plus catastrophique. Le toit n'avait pas fait de vieux os : pan après pan, tout avait été arraché ; ne restait plus de l'usine qu'une cage nue et sombre au-dessus de laquelle couraient les nuages. La mer entrait par les deux quais de chargement ; le frêle assemblage de portes n'avait pas résisté longtemps. Les panneaux de tôle ondulée qui constituaient le bas du mur de l'usine avaient suivi. La chaire en chêne se détacha de la plate-forme où papa avait installé son lit et s'effondra sur les cariatides, provoquant la chute de tout l'édifice.

Les vagues qui déferlaient de la Grande Baie n'avaient rien à envier à celles plus au large. Le vent secouait l'usine, tant de l'intérieur que de l'extérieur. Les murs de tôle se disloquaient. Mais le pire était encore le fracas. L'atroce gémissement du métal supplicié, comme si la façade du Bogardus était en train de se déchirer aux points de suture de ses panneaux. Que se passait-il exactement, il était difficile de le savoir. Mais la splendide structure, incontestablement, bougeait – le mur le plus long penchait vers l'avant, l'autre vers l'arrière, et ces mouvements faisaient subir aux petits rivets qui assemblaient l'antique façade une pression insupportable.

Le vent arracha ma bâche, puis celle de papa, et les envoya voler, hystériques, vers les hauteurs de l'usine – ailes mal assorties d'un papillon cloué à terre. Papa écarquilla les yeux.

« Il faut qu'on sorte de là », annonça-t-il, ce qui paraissait évident.

Le temps de reprendre son équilibre, il s'arrêta un moment sur un marmouset en terre cuite à demi immergé, puis descendit à terre. L'eau lui montait maintenant jusqu'aux genoux. Il m'aida à descendre – mes premiers pas si réfrigérés que j'avais l'impression d'être pieds nus – puis à le suivre, en pataugeant jusqu'à l'escalier qui descendait au sous-sol. L'eau ruisselait le long des marches, s'y engouffrait en cascade comme au fond d'une baignoire débouchée.

« Papa, on ne peut pas passer par là ! C'est de la folie !
— Je sais. Mais ça ira, je pense. Fais-moi confiance. »

Les tourbillons chaotiques de l'inondation avaient fermé une des portes Vanderbilt. L'autre restait ouverte. Papa descendit quelques marches avant de me lancer un regard.

« Une marche à la fois, fiston. Et accroche-toi à la rampe. Ça ira mieux quand nous serons en bas. »

Je le regardai progresser dans le maelström, puis disparaître dans les profondeurs. Incapable de supporter l'idée de rester ne serait-ce qu'une seconde seul dans la tempête, je le suivis aussitôt, au risque, pour moi certain, de la noyade. À peine avais-je franchi la plus haute marche que l'eau tourbillonnante me saisit sous les genoux ; je perdis l'équilibre et dévalai l'escalier sur les fesses, les bras repliés sur la tête pour me protéger du mur. Dans ma chute, je rattrapai papa que je fis également tomber. Nous achevâmes notre descente sans plus la contrôler, nous heurtant l'un l'autre dans le déluge, lequel finit par nous recracher dans la piscine obscure qui s'était accumulée au sous-sol.

Papa ne me cria même pas dessus. Nous nous remîmes debout. Et même si l'eau m'arrivait aux cuisses, nous étions bien plus au calme ici : il suffisait de rester à bonne distance de l'escalier, comme papa l'avait prévu. Il me conduisit vers une sorte de citerne cylindrique collée au mur de la cave et me fit la courte échelle pour que j'y monte. Après deux ou trois tentatives vaines, il parvint à me rejoindre.

L'eau monta encore un peu dans l'heure qui suivit. Nous y vîmes flotter des palettes et des sacs en papier vides. Mais, perchés sur la citerne, nous traversâmes la tempête sans encombre, serrés l'un contre l'autre dans les ténèbres humides. Lorsqu'il me sentit frissonner, papa me prit par l'épaule et me serra contre son large torse, tiédeur et velours côtelé, feignant d'être celui qui, de nous deux, avait besoin d'être réchauffé.

Quand nous remontâmes dans l'usine – l'eau de mer désormais ruisselait bien plus faiblement dans l'escalier du sous-sol –, nous fûmes accueillis par un spectacle apocalyptique. À la fureur de la tempête avait succédé un calme horrible. Le massacre était presque total. Les cent cinquante tonnes du Bogardus s'étaient complètement tordues ; ses lourds panneaux de fonte se chevauchant les uns les autres, en accordéon, la façade semblait sur le point de s'effondrer. Portes et décombres flottaient sur les eaux. Les créatures de New York s'étaient éparpillées ; la baie, sans doute, en avait avalé un grand nombre. L'usine était envahie par ce qui l'encerclait. L'une des deux portes Vanderbilt, faussée, retenait dans ses entrelacs de fonte des troncs carbonisés, vestiges de l'ancien quai.

Papa, fébrile, courait dans tous les sens avec ses énormes godillots, ne sachant par quel bout commencer pour sauver une seconde fois ses richesses. Un réverbère ornemental (sans doute dérobé, avec son jumeau, au monument aux Pompiers de Riverside Drive) reposait de travers contre l'embrasure du quai de déchargement le plus proche ; ses globes de verre n'avaient pas résisté. Papa se dirigea vers le quai et se campa sur un vestige de la dalle de béton. Celle-ci, à demi affaissée sur la plage, avait fourni aux précieuses créatures de papa une rampe de sortie qui les avait conduites directement dans la baie. J'eus l'impression qu'il allait pleurer.

Tandis qu'il jetait des regards désespérés autour de lui, comprenant bien vite que l'île se trouvait en grande partie sous quelques dizaines de centimètres d'eau, il aperçut quelque chose qui saillait à mi-chemin de la dalle – crâne hautain, bec courbe et royal plumage, c'était un aigle de marbre à la spectaculaire morosité. Le volatile était à demi immergé dans les flots sombres, une aile coincée sous le pilier d'un lampadaire en crosse. Papa se précipita vers lui.

« Ah, c'est bien, marmonnait-il, pour se réconforter. Oui, c'est une bonne chose. Nous allons y arriver. »

Le ton de sa voix ne me plaisait guère, non plus que ce *nous* qu'il avait utilisé.

Il retrouva soudain son esprit d'initiative et se précipita dans l'usine, où il fouilla un moment les décombres trempés, avant d'en extraire un fouillis de corde jaune qui semblait correspondre à ses souhaits.

« Va me chercher le crochet, m'ordonna-t-il. Le crochet de la grue. Allez, file ! »

Je ne l'avais pas vu dans un tel état d'excitation depuis la nuit où j'avais sauvé, sous sa direction, la dernière gargouille du Woolworth.

Une fois sur la plage, il descendit vers l'aigle qu'il ligota prestement à l'aide de sa corde jaune, lui enserrant les ailes et la poitrine. Ses mains tremblaient. Il ne s'arrêta qu'une fois, levant le nez de ses nœuds le temps de me jeter un regard. J'étais debout devant le quai de déchargement, épuisé, nerveux, incapable de lui venir en aide, frissonnant de tous mes membres.

Lorsque l'aigle fut paré, papa me regarda de nouveau, non sans irritation, puis il se précipita vers la grue, laquelle gisait en travers du quai de déchargement, à l'aplomb du dôme d'où la tempête l'avait délogée. Il ramassa le lourd crochet et sa boule et les tira le long de la bâtisse, le câble se déroulant dans son sillage. Pour l'effet de levier, sans doute, ou pour mieux contrôler le trajet de l'aigle, il fit passer le câble par-dessus l'une des poutrelles d'acier du mur, puis descendit droit vers l'oiseau, aux liens duquel il arrima le crochet.

« Allez, fiston, appela-t-il, la voix pressante. Va près du treuil, et que ça saute. J'ai besoin de ton aide. »

Cette énergie du désespoir faisait peine à voir. Mais, épuisé et frigorifié comme je l'étais, je ne pouvais plus le suivre.

« Pourquoi ? soufflai-je, presque inaudible.

— *Pourquoi* ? hurla papa. Tu me demandes pourquoi ? Nom de Dieu, cet aigle que tu vois là, il vient de Penn Station ! Tout droit sorti des cartons à dessin de McKim, Mead et White ! Quand j'étais gamin, il m'a vu passer la première fois que je suis venu à New York avec mes parents, en vacances ! Il a vu passer tout le monde, bordel !

Et plus tard, chaque fois que j'allais acheter ma part de cheesecake au café Savarin, dans la gare, je lui repassais dessous ! »

Je ne sus que lui répondre.

« Allez, bouge-toi, gamin, s'il te plaît. J'ai besoin de toi à la grue. Il faut être deux pour ce boulot. »

Je levai les yeux vers l'usine décapitée et le Bogardus au bord de l'effondrement – vers tout ce chaos insensé. Puis mon regard vint se reposer sur papa, agenouillé, seul, dans les vagues, cramponné aux ailes de marbre de l'aigle. Non, c'était un vrai travail de solitaire, cette affaire.

« Papa, dis-je d'une voix douce. C'est de la folie. Je n'en peux plus, je crois.

— Absurde ! Je te demande juste de te poster près de la grue et de manier le treuil chaque fois que je compte jusqu'à trois.

— Mais réfléchis un peu, papa. Nous sommes dans l'œil du cyclone, non ? Dans un moment, le reste de la tempête va nous retomber dessus de toutes ses forces. Il faut trouver un endroit sûr !

— C'est ta mère, hein ? C'est ta mère qui t'a demandé de ne pas m'aider !

— Mais non ! Elle ne sait même pas où je suis. Encore moins où tu es, toi.

— Eh bien, de toute façon, c'est à elle que tu obéis.

— Je n'obéis à personne, papa. Tu me manquais, c'est tout. J'avais juste besoin de savoir où tu te cachais. »

Je ne sais pas s'il m'entendit.

« Elle ne m'a jamais soutenu dans mon entreprise. Elle a grandi à New York – elle a toujours tenu tout cela pour acquis. »

Il parlait vite, trop vite.

« Eh bien, tu lui diras – rentre chez toi et dis-lui…

— Non, papa. Si tu as quelque chose à lui dire, fais-le toi-même. J'en ai assez d'être pris en sandwich entre vous deux. »

Je ne mentais pas. J'en étais malade, de cette position. Je ne voulais plus leur servir de pont, faire le messager entre un parent et l'autre, entre un présent chaotique et un passé disparu pour toujours, entre mon père et cette partie de lui-même qu'il avait perdue et ne retrouverait jamais.

« En sandwich ? » fit papa, dont la stupéfaction était sincère.

Il relâcha l'aigle et se redressa.

« Entre nous deux ? C'est d'être au milieu qui te trouble ?

— Oui, papa. Parfois, je voudrais faire un pas de côté et devenir mon propre centre de gravité pendant un moment, sans avoir besoin de me torturer sans cesse l'esprit, à savoir quelle est ma place entre maman et toi, à ne plus comprendre si je vous rapproche ou si je vous sépare. Ça ne devrait pas être mon problème, ça. Mais vous vous êtes débrouillés pour que ça soit le cas. Tous les deux. »

Papa était pensif. Ses traits semblèrent s'adoucir. Il remonta le long du fragment de dalle, vers le quai de déchargement sous l'embrasure duquel je me tenais.

« Mais tu n'as rien compris, petit, fit-il d'une voix douce. Tu ne vois donc pas ? C'est au milieu que les choses se passent. Les choses intéressantes, j'entends.

— Oh, à d'autres, papa.

— Je ne plaisante pas. En termes d'architecture, l'espace entre les éléments est à la fois le lieu le plus vulnérable et celui où le potentiel est le plus grand. Un architecte de ma connaissance m'a dit ceci un jour : "C'est de la jointure que naît l'ornement." Peut-être je me trompe, mais pour moi cela signifie la chose suivante : les défis de conception que pose la jointure entre deux éléments – ce que tu appelles le milieu, donc – peuvent renforcer les pouvoirs créatifs de l'architecte. »

Tout cela était bien trop abstrait pour moi, et je le lui dis.

« Non, c'est la chose la plus concrète et la plus matérielle de la planète. Allez, petit. Viens. »

Papa s'engouffra dans l'usine et me conduisit devant la façade en accordéon du Bogardus. Le vent qui soufflait entre ses panneaux en tirait un son plaintif, mi-cri, mi-craquement.

« Tout à l'heure, avant la tempête, je t'ai expliqué la manière dont les façades de fonte étaient assemblées : poutres horizontales rivetées les unes aux autres, au-dessus d'une rangée de colonnes ? Et surmontées à leur tour par une autre rangée de colonnes ? Et ainsi de suite ? Tu te souviens ?

— Oui, et alors ? »

Il tendit la main.

« Bon, et que vois-tu au-dessus de chacune de ces colonnes, enchâssé sur ces poutrelles ? »

Des ornements, répondis-je. Des bouquets de feuilles ornementales avec des tas de machins tout autour, au centre desquels trônait une tête de femme, sourcils en bataille et cheveux serpentins.

« Parfait. Et que ne vois-tu pas ?

— Je ne sais pas, puisque je ne le vois pas.

— La jointure ! s'exclama papa. La jointure entre les deux poutrelles. C'est l'endroit où l'eau peut s'insinuer, l'eau et la rouille qui ronge les rivets. Par conséquent, qu'a-t-il fait, le rusé M. Bogardus ? Il a conçu ce sauvage et magnifique visage de femme – c'est le détail le plus admirable de toute la façade, d'ailleurs –, en a fait faire des moulages et s'en est servi pour recouvrir les jointures, les protégeant ainsi de la pluie. C'est aussi simple que cela. La cicatrice, la dissimulation de la séparation, c'est là que surviennent les choses les plus imaginatives, les plus incroyablement surprenantes. »

Une porte d'appartement s'était frayé un chemin par l'une des fenêtres du rez-de-chaussée du Bogardus, introduisant ce faisant une créature de pierre entre la fonte beige et le mur de l'usine. Papa enserra la gargouille à la lèvre sardonique de ses longs bras et l'attira à lui, mais les parois la gardèrent prisonnière. Il renonça à la libérer et se retourna vers moi.

« Tu sais, les gargouilles elles aussi sont nées d'une nécessité matérielle, quand on y pense. Parfois, tu en vois des vraiment fantaisistes au-dessus des portes d'entrée des maisons en grès, et tu te dis qu'elles sont là pour faire joli. Mais, sans cette clef de voûte grimaçante, la porte ne tiendrait pas.

— Oui, je sais, papa. Mais quel rapport avec moi ? »

Il soupira.

« Ce que je suis en train de te dire, c'est que ta mère et moi nous t'avons mis dans une position compliquée, c'est un fait. Mais ce n'est pas la peine de te lamenter sur la question. Le fait d'être au milieu et de devoir négocier l'espace qui nous sépare, c'est aussi ce qui te constitue. C'est en grande partie la raison pour laquelle tu es si magnifiquement bizarre. »

Je lui lançai un regard méfiant.

« Parce que c'est bien d'être bizarre ?

— Ah, aucun doute. Tu aimerais mieux être normal ? Laisse ça aux autres gosses. »

Pour la première fois de ma vie, j'étais certain d'être apprécié par papa. *C'était bien d'être bizarre.*

Je lui adressai un petit signe de tête, à peine perceptible. Mais il comprit, je le sais, que sa réponse avait fait mouche, car il repartit aussitôt à l'attaque.

« Bon, dans ce cas, tu vas m'aider à le sortir de là, mon aigle ? »

Le vent s'était levé, mordant. Trempé comme je l'étais, je fus parcouru d'un nouveau frisson. L'eau autour de nous se hérissait.

« Non, papa. Il faut le laisser où il est et me suivre, je crois. Vraiment. Je sais où nous pouvons nous mettre à l'abri.

— C'est l'aigle de Penn Station ! Sculpté par Adolph Weinman ! Une pièce authentique, Griffin. Tu ne comprends pas ?

— Papa, je t'en prie. Tu n'as pas besoin de tous ces... *trucs*. Je ne plaisante pas. Rentrer à la maison avec moi, jouer ton rôle de père, ça ne suffit pas ? »

Il considéra l'aigle noyé avec un immense désir, puis toute cette beauté dévastée. Après quoi il se retourna, bras ballants, paumes ouvertes, et se jaugea, les yeux baissés. Ses jambes maigres dans l'eau sombre, ses mains vides à la peau ridée par l'inondation. Il secoua la tête, incapable de dissimuler sa déception.

« À qui ça pourrait suffire, ça ?

— À moi », répondis-je.

Il me regarda un instant en clignant des paupières – incrédule, ou peut-être simplement incapable de comprendre – puis leva la main, balayant toutes mes objections.

« Tu ne comprends donc pas ? Il vient de Penn Station. Le chef-d'œuvre ultime de l'architecture municipale de New York ! »

Sa voix se brisa.

« Il faut le réintégrer à ma collection ! Il faut le sauver ! »

J'aurais voulu lui expliquer qu'il y a des choses qu'on ne peut pas sauver. Que la perte est probablement la seule chose qu'on ne peut jamais vous retirer. Mais ce n'était pas le genre d'individu avec qui on pouvait discuter – en tout cas, plus ce jour-là. Alors je baissai les yeux vers la surface de l'eau, vers les cercles concentriques qui se formaient autour de mes jambes quand je les remuais pour me réchauffer. Je ne sais pas ce que ses traits exprimaient tandis que nous restions là, l'un à côté de l'autre, ni ce qui lui passait par la tête pendant qu'il regardait l'usine inondée, puis la Grande Baie et, au-delà, l'immense mur de nuages qui se dirigeait de nouveau vers nous. Cela m'échappa à jamais. Lorsque je levai les yeux vers le visage de mon père – désireux de voir le tour que prendraient les événements –, je me rendis compte d'un fait nouveau – et définitif. Il n'était plus à mon côté.

Trouver refuge dans un fourneau, ça n'a rien de rassurant. Même si l'on se répète que c'est une vieillerie, que rien n'y a brûlé depuis des dizaines d'années, il est difficile de ne pas penser à Hänsel et Gretel au moment où, en son âme et conscience, on soulève la petite trappe de fonte pour se glisser dans l'habitacle.

Je compris immédiatement, une fois à l'abri, que c'était sans doute la cachette la plus sûre. Ces trois fourneaux étaient indestructibles. Énormes et indestructibles. J'avais opté pour celui du milieu, songeant que ses deux voisins pouvaient lui fournir une protection supplémentaire. Au fond du cylindre serpentaient toutes sortes de tuyaux, destinés sans doute à conserver ou à diffuser la chaleur. Les ayant escaladés, je me hissai jusqu'à une alcôve en brique pourvue d'une petite porte de fonte. Je m'y logeai comme je le pus, les jambes repliées contre la poitrine, le visage enfoui entre mes genoux. Guère confortable, certes, mais je me sentais suffisamment à l'abri. La brique nue, l'exiguïté des lieux me rappelaient le bon vieux placard sous la banquette de maman.

Il aurait mieux valu, je crois, voir la tempête s'abattre sans répit sur l'île plutôt que de me noyer dans la sensation troublante de son fracas. Le fourneau n'était guère plus qu'un gros cylindre en brique, pourvu d'un toit, certes, mais percé d'un certain nombre de petites ouvertures carrées en sa partie supérieure par lesquelles le vent s'introduisait, rugissant, se réverbérant en un grésillement furieux et sans répit. Le ressac était même incessant, si présent de tout côté que j'avais l'impression non pas d'être près de la mer mais prisonnier des vagues. Elles traversaient la trappe par laquelle j'étais entré, léchaient les parois du fourneau sous mes pieds. Plus douloureux encore, le hurlement perçant de la fonte suppliciée, un ululement de catastrophe semblable à celui que produit un métro qui déraille.

Papa n'avait pas renoncé à son aigle. Il m'avait laissé sur le seuil de l'usine et était reparti en pataugeant dans les eaux pour sauver l'immense volatile, le dos courbé pour se garder du vent nouveau, les vagues déferlant autour de lui et s'écrasant avec fureur sur la latte. Je lui criai d'abandonner l'aigle, de me suivre, de se réfugier avec moi dans la sécurité du fourneau. M'entendit-il seulement ? Ou fit-il la sourde oreille ? Toutes ses forces étaient concentrées sur son impossible tâche.

Je restai un moment au coin de l'usine, à le regarder se démener plus longtemps qu'il n'était prudent, retardant ma course vers le fourneau. Assisté par la houle, papa réussit à libérer l'aile de l'aigle, coincée sur le lampadaire. Je le vis hisser la créature de marbre sur une dizaine de centimètres puis courir à la grue pour arracher son trésor à la baie, un tour de treuil, retour à l'aigle et maigre progression, un nouveau tour de treuil – écartant les obstacles sur son chemin, tirant péniblement le volatile sur la latte de plastique. Les rafales devenaient menaçantes, giflaient les parois de l'usine, bombardaient mon visage de pluie et d'embruns. Le Bogardus vacillait, gémissant. Mais que je sois damné – ce fut mon dernier coup d'œil avant de foncer vers le fourneau – s'il ne parvint pas à hisser ce fragment de marbre, lourd vestige d'un New York perdu, jusqu'à l'intérieur de l'usine, avec le reste de sa collection. Je n'ai jamais revu mon père.

45

PEUT-ÊTRE M'ÉTAIS-JE ENDORMI dans mon nid de brique. Histoire de ne plus rien sentir pendant le passage du cyclone. Histoire de fuir. Lorsque je rouvris les yeux, le calme était revenu. La lumière du jour entrait dans le fourneau par les fenestrons carrés, imprimant sur les briques noircies de lumineux parallélépipèdes.

Les eaux s'étaient retirées de mon refuge aussi drastiquement qu'elles y étaient entrées. Je descendis en m'aidant des tuyaux et sortis par la trappe pour me retrouver dans un paysage éblouissant de ciel bleu et de sable à perte de vue. Les eaux de la Grande Baie avaient reculé vers l'horizon, laissant derrière elles une plage qui semblait sans fin, scintillant d'un trésor enfin révélé de coquilles et de galets polis par la mer. La splendeur du matin écrasé de soleil se riait de la violence qui l'avait précédée.

Il y avait des décombres, aussi. En abondance. Mais rien que je veuille contempler. Le Bogardus était méconnaissable – un amas désordonné de vieille ferraille gisant tout au long du lit de la mer entre l'île et le continent, attendant que les flots reviennent et l'engloutissent, ce qui ne pourrait manquer de se produire. Ne restaient de l'usine que ses montants d'acier vacillants et la cage effondrée des poutres de son toit.

Je me retournai vers la mer. Les sables mis à nu, éphémère prolongement de la plage, exhibaient les vestiges de nombre de passés qui n'étaient pas miens. Par-delà la limite de l'île aperçue la veille, par-delà même le marais salant où j'avais accosté, puis amarré, mon Whaler disparu, se dressait une colonie de cheminées de brique rose, stèles croulantes de maisons englouties peut-être par la tempête d'un siècle passé. Et, disséminées parmi ces cheminées, devant elles, aussi, et derrière elles, aussi loin que le regard portait, je vis les têtes renversées de centaines et de centaines de New-Yorkais de pierre et de terre cuite.

J'ôtai mes baskets et avançai sur les coquilles qui craquaient sous mes pieds nus. Tous ces visages sculptés et moulés couchés de toutes parts, certains face contre terre, d'autres à demi enterrés dans le sable, en ce lendemain blessé d'apocalypse, me donnaient l'impression de fouler un champ de bataille de la guerre de Sécession. Quelques personnages de clef de voûte fixaient le ciel d'un regard vide, prunelles lisses ; ils semblaient étonnés, peut-être se demandaient-ils ce qui les avait entraînés jusqu'ici. Mais la plupart avaient l'air de ce qu'ils étaient vraiment : des objets inanimés, de pierre ou d'argile cuite. Arrachés à la ville vivante, privés désormais de la passion revigorante de leur collectionneur, ils n'étaient plus que choses mortes.

Lorsque la marée se mit à remonter, j'allai à sa rencontre, les yeux brouillés par mes larmes, probablement. Je n'étais pas d'humeur à ramasser quoi que ce soit – ni morceaux de verre bleu polis par la mer, ni clefs de voûte prélevées sur des maisons détruites. Je ne m'emparai d'aucune sculpture, abandonnai également les terres cuites – tout, sauf une longue et mince naufragée, qui se nicha juste sous mon bras avec une surprenante adéquation.

Le bourdonnement lointain du moteur se fit entendre à mes oreilles bien avant que j'en aperçoive la cause. Je ne vis d'abord qu'une tache blanche et scintillante qui traversait la baie en diagonale. Bientôt, je pus l'identifier. C'était une vedette des gardes-côtes, aux flancs rayés de deux bandes, une rouge et une bleue. Je m'avançai vers elle comme on descend d'un trottoir et, bras tendu, index et majeur dressés, je hélai l'embarcation pour rentrer à la maison.

LA MONTÉE DES CINQUANTE-TROIS ÉTAGES par l'ascenseur express fut un ravissement. J'avais l'impression de voyager dans le temps. Vers le passé, bien sûr, et les débuts de la tour néogothique en 1913 – l'édifice le plus haut du monde ! – mais aussi vers le futur, pour des raisons que j'étais seul à connaître. À New York, on pouvait vivre simultanément à plusieurs époques.

La lanière de mon sac de voyage me pesait sur la clavicule. Lorsque les portes s'ouvrirent en tintant, je traversai le vestibule aussi vite que possible, le sac à l'épaule, et franchis la porte de verre dépoli qui portait ces deux mots, « FULMER & ASSOCIATES ». C'était là, avais-je expliqué au portier, que travaillait mon père, auquel je venais rendre visite – prétexte que j'avais donné ce jour-là comme la veille. Après m'être assuré que mes agissements n'auraient aucun témoin, j'ouvris une des deux grandes fenêtres à guillotine de la façade ouest et me retrouvai sur la passerelle. La veille, je m'étais contenté d'y déposer mes outils. Ce jour-là, je dus patienter deux ou trois heures dehors, le temps que tous les employés de l'étage soient bel et bien rentrés chez eux. C'était la soirée idéale. L'humidité n'avait cessé de déferler du port de New York, déroulant sur le bas de Manhattan une couverture de brouillard. La ville avait presque entièrement disparu : ne subsistaient que les immenses tours jumelles du World Trade Center, surgissant de leur lit cotonneux. Du 53ᵉ étage, je pouvais encore imaginer papa quadriller les rues remémorées au volant de son camion fantôme, aller voir un programme à deux films au Carnegie Hall Cinema ou passer se choisir un joli cercueil chez son copain DeCarlo. Du 53ᵉ étage, je pouvais ne plus penser – pour quelques heures du moins – aux larmes que Quigley, quelle plaie, ne cessait de verser sur la noyade de papa et aux tentatives peu convaincantes de maman pour nous faire croire qu'elle adorait notre nouveau chez-nous, un appartement trop petit situé dans une tour de la 101ᵉ Rue Ouest – une construction neuve en brique marron d'une oppressante laideur.

Zev avait trouvé mon idée géniale. Il m'avait aidé à me procurer les outils et le matériel nécessaires à sa mise en œuvre et m'avait expliqué comment procéder. Il avait appelé son copain chez Buchenholz, lequel lui avait confirmé que les gars du service de maintenance avaient laissé des échelles sur tous les retraits. Il avait même proposé de m'accompagner. J'avais refusé : la présence d'un adulte risquait d'éveiller les soupçons. Je voulais y aller seul.

La « restauration » du Woolworth était achevée. Les quatre tourelles étaient désormais toutes recouvertes de leur vulgaire revêtement d'aluminium beige et bleu ; on avait rajouté, là où jadis les gargouilles de terre avaient si intensément vécu, de minables extensions qui ressemblaient à des cure-dents géants. Après avoir adossé l'échelle à la tourelle nord-ouest, côté sud, j'allai brancher ma rallonge dans le vestibule plongé dans la pénombre et y raccordai la Sawzall que j'avais apportée la veille au soir. Je montai précautionneusement sur l'échelle et, avec un plaisir non dissimulé, me servis de la lame à dents de sabre de l'engin – *tchika-tchika-tchika* – pour amputer l'un des cure-dents. À l'aide de ma féroce lame, j'élargis l'orifice pratiqué dans la feuille d'aluminium, mettant au jour la terre cuite d'origine. Et la plaie déchiquetée qu'avait laissée l'extraction d'une gargouille.

Reposant la Sawzall, je m'emparai d'une perceuse munie d'une immense mèche de deux centimètres de diamètre et remontai sur mon échelle. Tout se déroula comme prévu : le trou dans la terre cuite, aussi profond que possible ; le tartinage dudit trou à la résine, à l'aide d'un pistolet à mastic ; l'étalage du mortier sur la terre cuite.

Sans perdre de temps – car la résine sèche rapidement –, j'ouvris mon sac et en sortis la gargouille qui m'était la plus familière, cette habitante exilée des cieux au regard rusé que j'avais arrachée à ce même Woolworth et sauvée des sables humides de la Grande Baie mise à nue. Elle avait déjà été préparée à son retour, la gargouille. J'avais convaincu un ami qui travaillait dans un atelier de Greenpoint de laisser Zev y bosser, le temps de percer un nouveau trou dans son cou, dans lequel il avait inséré une tige de fer subtilisée sur un chantier.

De la main gauche, je serrai la gargouille contre mon torse et la transportai tout doucement jusqu'au trou que je venais de percer. Il n'était pas question de la remettre à sa place, mais de la mettre en valeur – en devenir, aussi. Elle en avait peut-être assez, me disais-je, de contempler des scènes déjà passées. Au lieu de la réinstaller sur sa tourelle nord-est, d'où elle avait, pendant soixante et un ans, surveillé la mairie, le vieil immeuble du *New York Times* et le pont de Brooklyn, j'avais décidé de la faire vivre sur la tourelle nord-ouest, tête légèrement tournée vers le sud. De là, elle avait une vue panoramique sur un quartier en pleine transformation : les tours jumelles, encore jeunes, autour desquelles d'autres gratte-ciel commençaient à peine à monter, et l'immense décharge au-dessus de Battery Park, née des milliers de tonnes de terre extraites des fondations des tours.

Juché au sommet de l'échelle, j'insérai la tige de fer dans le trou et, d'un geste tendre, poussai la singulière créature de terre cuite vers la paroi. Pour être certain que le mortier tienne pendant des siècles – pour qu'elle reste à mon côté, elle –, je passai les bras à son cou et l'étreignis, tout contre le mur. Nous restâmes longtemps enlacés, à nous sentir respirer, elle et moi, à écouter le brouhaha de la ville, étouffé par le brouillard. Sans doute aurais-je pu la relâcher plus rapidement, mais je restai avec elle un bon moment – ça ne pouvait pas lui faire de mal. Je voulais qu'elle trouve sa place. Je voulais qu'elle puisse contempler à sa guise, de son nouveau perchoir, tout ce qui pourrait bien arriver à cette ville qui était la sienne autant que la mienne. Elle n'avait pas été logée en cette tourelle, au cours des générations passées, pour voir Washington Market et le Bogardus prendre forme, prospérer et finir par périr. Mais l'histoire de New York ne cesse de se reformuler. Dans les années qui suivraient, ma gargouille, de là-haut, verrait un quartier surgir, s'effondrer puis se redresser.

N'IMPORTE QUEL NEW-YORKAIS un peu attentif vous le dira, notre ville est un organisme vivant en guerre perpétuelle avec lui-même. C'est aussi vrai aujourd'hui qu'en 1975, ou bien sûr qu'en 1856, année où l'on pouvait lire dans le *Harper's Monthly* ces quelques lignes sur cette New York qui « se renouvelle complètement tous les dix ans ».

Dans « Les fantômes de New York », ma rubrique d'architecture du *New Yorker* nostalgique et râleuse, j'ai entrepris d'analyser, en quelque sorte, la manière dont la ville se phagocyte. Dans cette optique (mais j'avais commencé vingt ans avant le début des « Fantômes », poussé par une nécessité personnelle qui me venait, hélas, de mon père), j'ai mis un point d'honneur à me joindre à presque toutes les veillées mortuaires des immeubles et des établissements qui, ces dernières trente-cinq années, ont passé la façade à gauche. En 1981, j'ai, devant Grand Central, regardé une boule de chantier en forme de larme foncer vers le Palm Court du Biltmore Hotel, sous l'horloge de laquelle des générations de New-Yorkais avaient rencontré leurs amants et amantes (ce fut là aussi que Zelda et Scott Fitzgerald passèrent une lune de miel si bruyante qu'on leur demanda de prendre la porte). L'année suivante, j'étais aussi sur le pied de guerre le matin où fut détruite l'éblouissante façade du Helen Hayes Theater, toute de terre cuite turquoise, or et ivoire, sacrifiée, avec quatre autres théâtres début de siècle pour faire place aux cinquante étages du Marriot Marquis Hotel. En 2005, je me suis introduit au Howard Johnson, de Times Square, pour y boire ce qui devait certainement être le dernier martini (ils avaient toujours été infects) que servit jamais cette noble institution.

Et je ne suis pas le seul à porter tous ces deuils. À moins de faire partie de ce cercle, vous ne savez sans doute pas que chaque fois que l'on mure ou que l'on rase ces édifices urbains survient toujours un petit groupe d'éplorés venus saluer le condamné. Assemblée ironique au cœur serré, pour l'essentiel, et dont la composition – et cela m'a toujours intrigué – ne change que très peu.

La troupe est fort hétérogène, même si la plupart d'entre nous sont d'un certain âge, si ce n'est d'un âge certain. On y rencontre de vieux bonshommes aux joues roses coiffés de casquettes des Brooklyn Dodgers un peu sales, des créatifs noirs aux lunettes geek et chics, des dames rondouillardes du Village qui ont sans doute pris le café dans le temps au Figaro, avec Jane Jacob. En bref, des New-Yorkais.

Celle cependant que je remarquai à toutes les veillées était une femme de trente et quelques années, les pieds en dedans. Une longue tresse couleur de bronze lui descendait à la taille. Photographe (impossible, la plupart du temps, d'entrevoir son visage, que son Leica dissimulait en permanence), elle commença à fréquenter le cercle peu après que Bloomberg eut confié la ville aux promoteurs. J'ai été séduit par sa manière de voir, je crois, avant même de succomber à son charme. Non : je ne crois pas, j'en suis certain. Tandis que nous autres, nostalgiques blessés, considérions en secouant la tête les ouvriers qui démolissaient les immenses fenêtres en verre trempé du Beekman Theater, elle fut la seule à remarquer la machine à pop-corn du théâtre, sauvée de la mort et arrimée au toit d'une BMW garée un peu plus loin. Et le jour où le premier H & H, au carrefour de la 80ᵉ Rue et de Broadway, fut fermé pour cause d'évasion fiscale, ce fut elle encore qui repéra un rat entreprenant fuyant les lieux avec le dernier bagel de cette époque, adieu à tout un mythe.

Il m'a fallu des mois avant d'oser lui parler. Lorsque j'y suis enfin parvenu, je me suis rendu compte qu'elle n'était pas tant une adoratrice du New York perdu que, plus généralement, une amatrice de choses abandonnées, raison pour laquelle elle supporte de partager ma vie. Nous sommes mariés depuis un peu moins de quatre ans ; notre fils aura trois ans le mois prochain. C'est un petit gars curieux. Ma femme, cependant, m'a fait promettre de ne pas trop insister sur le New York d'antan quand il sera plus grand, de peur de le voir se mettre à feindre la surdité (le « complexe griffinien du bâtiment », ainsi a-t-elle baptisé mon obsession).

Maintenant que nos emplois du temps sont pour l'essentiel déterminés par la disponibilité de nos baby-sitters, ma femme et moi ne pouvons pas toujours honorer nos morbides petits rendez-vous d'adieu aux damnés de la ville. Mais nous aurons toujours Rizzoli. Et le Moondance Diner. Et le Ziegfeld. Et Original Ray's et le Caffé Dante et la Cedar Tavern. Et le Jackson Hole, Steinway Hall, O'Neals et Pearl Paint. Nous aurons le Café Figaro, les Four Seasons, Kim's Video et Ratner's (avec Lansky Lounge en arrière-boutique). Nous aurons le Café Edison. Nous aurons les Carnegie Hall Studios, CBGB et le Fulton Fish Market. Et la Knitting Factory, Dojo et Guss' Pickles. Nous aurons aussi le Second Avenue Deli, La Luncheonette et J&R. Et de même le Endicott Booksellers, le Mars Bar et Fez (au sous-sol du Time Café). Nous aurons l'Astroland, le Bottom Line, le Tea Lounge et le Complete Traveller Antiquarian Bookstore. Et le P&G Bar et la Provincetown Playhouse ; Around the Clock et Joe's Dairy. Nous aurons Elaine's, le Luna Lounge et le New York Doll Hospital. Nous aurons Roseland et le Roxy et le Back Fence. Nous aurons Bowlmor Lanes et Yaffa, le Liquor Store Bar et le Stoned Crow, Jefferson Market et le Drake Hotel. Mais aussi le Bleecker Bob's Records, la Donnell Library et Pete's Waterfront Ale House. Nous aurons le St. Vincent's Hospital, la Sutton Clock Shop et le Shea Stadium. Et le Café des Artistes, Kenny's Castaways et le Gotham Book Mart (« Là où pêchent les sages »). Nous aurons la Pizza Box, Lascoff Drugs et Andy's Chee-Pees. Nous aurons le Coliseum Books et Hogs & Heifers. Nous aurons El Teddy's. Nous aurons Florent.

Ce qui ne nous quittera pas de sitôt, non plus : le Woolworth, qui n'a pas été détruit mais simplement éviscéré et coûteusement remaquillé, peu avant de voir son petit coin de ciel envahi par le 30, Park Place, monument de quatre-vingt-deux étages érigé à la gloire obscène du dollar par Larry Silverstein à quelques mètres de là. Comme vous l'avez sans doute appris, les trente derniers étages du Woolworth ont été complètement vidés et transformés – sans surprise – en appartements de super-luxe pour traders et billiardaires russes (coût du penthouse logé sur sept niveaux dans la tour centrale : cent dix millions de dollars).

Il y a peu, je me suis invité à une visite de ces appartements palatiaux réservée à la presse. Tandis que mes misérables collègues aux doigts tachés d'encre admiraient les finitions de la cuisine d'un pied-à-terre du 50e étage (vingt-sept millions de dollars), je suis monté regarder la vue depuis une fenêtre du 52e étage, plein ouest : celle par laquelle mon père et moi étions passés, en cette terrible nuit de février, quarante-trois ans plus tôt. Vous me comprendrez sans doute si je vous dis que je n'ai pas vraiment eu le courage de refaire ce chemin : mais je suis heureux de vous apprendre que ma gargouille est en pleine forme et que, de son perchoir personnel de la tourelle nord-ouest, elle continue de veiller, en ce XXIe siècle naissant, sur le sud de Manhattan. J'ai préféré garder mes distances. C'est une créature intemporelle, alors que moi, qui ai entamé mon second demi-siècle voilà déjà quelques années, me rapproche un peu plus chaque année de la fin de mon temps. Mieux valait pour elle comme pour moi que nous gardions l'un de l'autre notre meilleur souvenir.

Je continue d'adorer le Woolworth, quand bien même ses nouveaux habitants, représentants d'un luxe ultime, seraient d'horribles ploucs. Je crois qu'un immeuble aussi beau peut transcender la vulgarité des humains qui logent dans ses entrailles : j'ai même écrit il y a quelques semaines un texte qui reprenait cet argument. C'est en analysant ces événements dans ma chronique du *New Yorker* que je donne du sens aux démolitions et aux restructurations incessantes de ma ville natale. Au fil des ans, j'ai écrit des articles – parfois éplorés, parfois résignés – sur la plupart des disparus dont j'ai dressé ci-dessus la liste. J'ai également publié plusieurs ouvrages d'architecture sur le paysage de New York et ses mutations perpétuelles. L'un dans l'autre, j'ai fait intimement connaissance avec plusieurs centaines de constructions new-yorkaises, dûment présentées à mes lecteurs. Mais c'est la première fois que je parviens à parler de la maison où j'ai grandi, ou du Bogardus, ou des immeubles rasés de Kips Bay dont les décombres recelaient de si nombreux joyaux écornés. C'est un exercice auquel j'étais incapable de me livrer sans mentionner également l'autodestruction de mon père et mes tentatives pour retrouver dans ce qu'il avait laissé un peu de mon cœur et un peu de celui de ma ville.

La semaine dernière, ma femme – comme toujours sournoisement provocatrice – m'a offert une série de gommes de dix centimètres de haut censées représenter les édifices les plus réputés de New York. Je les ai laissées sur la table de la cuisine pour aller envoyer un e-mail à mon rédacteur en chef. Lorsque je suis revenu, le plus jeune New-Yorkais de la maisonnée avait déjà refermé son perfide petit poing sur l'American Folk Art Museum.

Couché, ventre contre terre, sur le linoléum, le visage illuminé par le sourire exubérant du fauteur de troubles inné, il était en train de frotter comme un diable les décorations si reconnaissables de la façade du musée. Quoi de surprenant à cela ? C'est la manière d'être de New York : la ville qui commence à se gommer elle-même à la seconde où on la sort de sa boîte.

Mais il ne s'agit pas que de disparitions. Car nous avons beau pleurer les pertes que la ville s'inflige à elle-même, cette garce réussit toujours à se régénérer, tel le serpent qui croît en se mordant la queue. C'est un anneau de Möbius d'autodestruction et de recréation. Comme mon père, en fait. Parvenant à se faire disparaître, il m'avait de ce fait créé.

Il y a des jours – qui durent parfois des semaines – où je ne me considère que comme la somme de toutes ces miettes de gomme – celles laissées par mon père après sa dernière scène de disparition. Pourtant, il n'est pas impossible de bricoler quelque chose sur le lieu même de cette absence, en mélangeant à ces bribes récupérées ce qui me tombera sous la main. Ça vaut le coup d'essayer, de toute façon. Nous sommes tous périssables, mais avec un peu de chance, lorsque le temps sera venu pour moi de m'effacer, il restera assez de petits bouts pour que mon garçon construise à son tour quelque édifice splendidement singulier. Oh, je donnerais tant pour le voir fini.

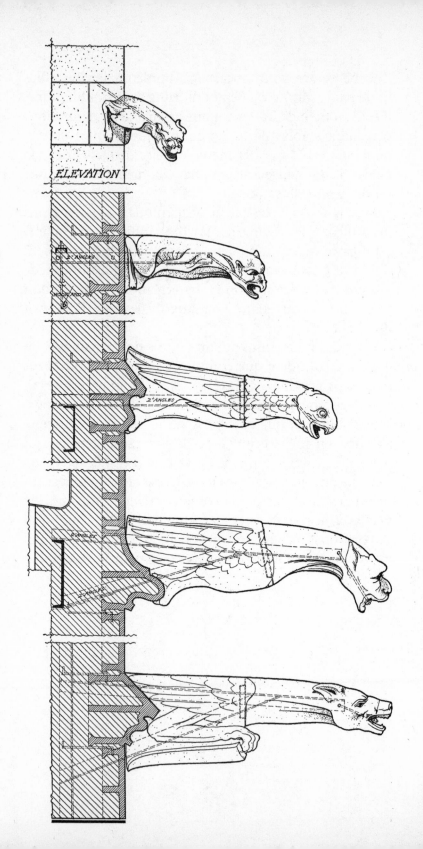

ELEVATION

ON 2" ANGLES

MOOR AND RIB

2" ANGLES

2" ANGLES

Remerciements

Ce livre n'aurait pas vu le jour sans l'amour et le soutien de ma femme, Julina Tatlock : première à le lire, première à réagir, première en tout, à vrai dire. J'ai pu également, grâce à quelques autres lecteurs des origines, apporter des améliorations à mon récit initial : Samantha Gillison, Hilary Reyl, Alex Coulter et Sarah Burnes. Aux doigts agiles de mon éditeur littéraire, Jordan Pavlin, je dois les derniers coups de burin – essentiels – à ces gargouilles. À Julia Kardon, mon agent, de précieux retours sur le texte et son ardente défense.

J'exprime toute ma reconnaissance à Jill Gill et à Adrian Gill, mes parents : leur amour des mots, leur confiance en la valeur de la création, quelle qu'en soit la nature, ont fait de leur fils ce qu'il est et de ce livre ce qu'on en lira. De surcroît, on trouvera à toutes les pages dudit livre la trace d'une passion pour le paysage urbain de New York qui me vient de ma mère. Grand merci à mes merveilleux fils, Arden, Cormac et Declan, pour leur immense affection et leurs revigorantes pitreries. Merci aussi à mes sœurs, Tracy et Claudia, qui n'ont cessé de m'encourager et de traquer, de leurs yeux de lynx, les détails d'époque.

Marilynn Gelfman Karp et Ivan C. Karp, fondateurs de l'Anonymous Arts Recovery Society, ont joué un rôle essentiel dans le développement des *Chasseurs de gargouilles*. Tant chez Marilynn et lui que dans le ravissant musée qu'ils possèdent à Charlotteville, dans l'État de New York, Ivan m'a charmé à maintes reprises avec ses récits de chasse aux gargouilles et m'a présenté à quelques-unes des milliers de créatures qu'il a, avec sa joyeuse bande de pirates, sauvées autrefois. De tous les récupérateurs de sculptures actifs à New York dans les années 1960 et 1970, Ivan est celui dont l'influence a été la plus décisive. Marilynn quant à elle m'a familiarisé lors d'un dîner dans West Broadway en compagnie d'Ivan et de Julina (la soirée s'est prolongée dans le loft des Karp, à SoHo) avec une notion dont elle est la créatrice, celle des « Raccommodages émouvants ». Elle m'a montré sa collection : deux ou trois de ses trésors apparaissent dans *Les Chasseurs de gargouilles*, mêlés à quelques bibelots sortis de mon imagination. (Les lecteurs intéressés pourront, grâce à son merveilleux *In Flagrante Collecto*, approfondir leur approche des « Raccommodages émouvants » ; j'ai puisé dans l'ouvrage d'autres détails relatifs à la collection de Zev.) Timothy Allanbrook, architecte et restaurateur de métier, manipulateur de gargouilles – il a, à partir des années 1970, passé un certain temps à restaurer la façade du Woolworth Building –, m'a généreusement prodigué son temps et son savoir, me communicant informations et photographies inédites relatives au chantier et guidant mes personnages, pas à pas, autour du faîte de ce remarquable édifice. Katherine Allen (d'Allen Architectural Metals) et ses collègues, menés par Chris Lacey, n'ont pas été avares de leur temps, eux non plus : ainsi m'ont-ils, moi le passant inconnu, autorisé à grimper avec eux sur les flancs d'un monument de TriBeCa pour étudier la manière dont on démonte un édifice de fonte du XIXe siècle. Christopher Gray, grand connaisseur de l'histoire architecturale de New York, a eu la gentillesse de relire le manuscrit. Susan Weber-Stoger, chercheuse en démographie au Queens College, s'est, à ma demande, penchée sur les recensements des années 1970, me permettant de mieux comprendre la ville dans laquelle j'ai grandi. Avram Ludwig s'est joint à moi lors d'une expédition en mer à l'issue de laquelle nous avons accosté sur une île sauvage de la côte atlantique. Là, il m'a suivi tant bien que mal dans la forêt inextricable, affrontant des armées de moustiques, des océans de sumac ; nous avons exploré la colossale carcasse d'une usine abandonnée dévastée par le feu et rongée par la rouille.

J'ai effectué quelques-unes des recherches dont on trouvera les résultats dans le présent roman pour un article publié dans *The Atlantic*, que James Bennett a gentiment accepté et que Timothy Lavin a revu. D'autres éléments proviennent des longues marches dans New York effectuées pour le compte de la section City du *New York Times* – section dirigée par Connie Rosenblum, qui a eu la bonté de me laisser aller là où ma curiosité m'emmenait. J'ai fait de mon mieux pour respecter la chronologie dans ces *Chasseurs de gargouilles*, mais il m'a fallu parfois raccourcir le temps ou limer quelques détails pour faciliter ma tâche de romancier.

Deux ouvrages m'ont fourni de précieux éléments : *Cast-Iron Architecture in America*, de Margot Gayle et Carol Gayle, et *The Skyscraper and the City*, de Gail Fenske. Autres sources notables, les travaux d'Andrew Scott Dolkart, Oliver E. Allen et Susan Tunick et des entretiens avec quelques-uns des auteurs cités – Margot, Andrew et Susan –, ainsi qu'avec Roy Suskin, le directeur du Woolworth Building, qui m'a transmis des photographies et schémas inédits relatifs à la restauration du bâtiment et nous a guidés, mes personnages et moi, au sommet de ce gratte-nuage gothique. M'ont également inspiré les conversations que j'ai pu avoir – en direct ou via Internet – avec ceux et celles qui, comme moi, se lamentent sur les métamorphoses incessantes de New York.

Je suis également reconnaissant à Anne et Bill Tatlock, Anne-Sylvie Homassel, Simeon Lagodich, Anna Hannon, Annie Proulx, Eleanor Gill Milner, Colum McCann, Gretchen Rubin, Mary Morris, Ethan Crenson, Amanda Alic, Paul Minden, Doug Liman, Sebastian Heath, Alex Wright, Michael Feigin, Samuel Langhorne Clemens, Roger et Rose Marie Hawke, Mary Ann Blase Howard, Marika Brussel, Robert Balder, The Brooklyn Writers Space, Scott Adkins, Erin Courtney, Jennifer Cody Epstein, Bettina Schrewe, Paul Slovak, Joanna Hershon, Hal Bromm, Mary Evans, Mary Gaule, Carol Willis, la Gill & Lagodich Fine Period Frame Gallery, Nicholas Thomson, Carol Devine Carson, Kristen Bearse, Paul Bogaards, Ellen Feldman, et *tout le monde* chez Knopf.

Et je veux pour finir lever mon verre aux enseignantes en anglais et en littérature qui ont, de l'école primaire à l'université, nourri sans cesse mon amour de la langue et de la narration : Peg Summers et Carole France, qui ont toutes les deux décelé quelque chose dans l'enfant que j'étais, me prenant en conséquence sous leur aile ; Lucy Rosenthal et Mary La Chapelle. Et je remercie John F. Kelly d'avoir prêté son Puma Clydes rouge à l'ami Griffin.

Il me faut enfin remercier du fond du cœur les artistes anonymes qui, venus d'Europe au XIX⁰ et au début du XX⁰ siècle, ont gravé dans les pierres de New York les traces de leur vision, transformant les rues de ma ville natale en un musée à ciel ouvert à la merveilleuse étrangeté. Leurs imaginaires ont enflammé le mien.

Collection « Littérature étrangère »